L'Audimat à mort

HÉLÈNE RISSER

L'Audimat à mort

ÉDITIONS DU SEUIL
27, rue Jacob, Paris VIe

Ce livre est édité par Patrick Rotman

ISBN 2-02-060517-1

www.seuil.com

À Sylvain.
À Arthaud.

Introduction

Qui se réjouirait de prêcher dans le désert ? Quand on écrit un livre, on espère être lu. Quand on joue dans un film, on espère qu'il sera vu. Quand on produit une émission de télé, on espère qu'elle fera de l'audience. Un minimum d'audience.

Mais si un livre vendu à cent mille exemplaires devient un best-seller, un film vu par un million de spectateurs un succès commercial, une émission de télé programmée sur une grande chaîne hertzienne doit, elle, toucher en une seule diffusion plusieurs millions de personnes. Fatalement, cet objectif impose des contraintes. Mais jusqu'où est-on prêt à aller pour conquérir quelques centaines de milliers de téléspectateurs supplémentaires ? Cette question, on se la pose forcément quand on travaille à la télévision. Y compris sur une chaîne qui échappe encore largement à la pression de l'audience, comme France 5.

Quand j'ai été embauchée à *Arrêt sur images*, il y a quatre ans de cela, il n'était jamais question d'audience. Daniel Schneidermann, présentateur et producteur de l'émission, estimait qu'il valait mieux en faire abstraction pour ne pas être influencés dans le choix de nos sujets. Ce n'était qu'à la fin de la saison, au mois de juin, au moment de resigner avec France 5, que la chaîne nous transmettait quelques chiffres. C'était tout. Nous savions que l'émission affichait en rythme de croisière 4 % de parts de marché (quatre téléspectateurs sur cent assis devant leurs postes au moment de la diffusion). Environ la moyenne de la chaîne. Dans l'équipe, personne ne se souciait de ces chiffres, estimant que nous n'étions pas là pour « faire de l'Audimat ».

Mais l'émission a connu un succès grandissant. Au mois de mai 2001, alors que triomphait *Loft Story*, le premier avatar de la télé-réalité sur M6 que nous avons largement commenté, l'émission a atteint 9 % de parts de marché. Après le 11 septembre, nos débats sur la télé américaine ou sur la chaîne arabe Al Jezira ont également battu des records historiques. Je me souviens de scores frisant 7 % d'audience. Insignifiants pour une chaîne comme TF1, ces chiffres étaient pour nous considérables. Étonnés et ravis, nous découvrions qu'*Arrêt sur images* pouvait ratisser plus large que son public de fidèles traditionnels.

À partir de cette date, l'Audimat s'insinua dans nos esprits. Est-ce la chaîne qui, pour nous encourager, entreprit de nous transmettre régulièrement nos performances ou nous-mêmes qui les avons réclamées ? Je ne saurais le dire. Toujours est-il que, peu à peu, nous nous sommes habitués à découvrir chaque lundi, en cours de matinée, l'audience de l'émission de la veille. Jamais la chaîne ne nous a fait la moindre remarque relative au succès ou à l'échec d'une émission. Jamais elle ne nous a fixé le moindre objectif. Pourtant, le simple fait de voir inscrit sur un tableau nos chiffres d'audience a changé l'attitude de l'équipe. Pour ma part, il faut bien l'avouer, je suis devenue accro aux résultats. Si d'aventure, un lundi, l'audience ne figure pas sur le tableau, j'en suis très contrariée. Je ressens désormais le besoin de connaître chaque semaine l'impact de l'émission. Je tente d'analyser pourquoi elle a plus ou moins bien marché. Était-ce le thème ? le traitement ? le choix des invités ?

À ce jour, jamais nous n'avons conçu nos émissions en

fonction de critères d'audience. En dépit d'excellents scores obtenus grâce à la télé-réalité, nous avons cessé d'aborder ce thème quand nous avons estimé en avoir fait le tour. Nous avons également continué à traiter de sujets réputés plus difficiles, comme le « film documentaire » ou les médias au Venezuela. Malgré une audience moindre (5 % de parts de marché), nous avons été ravis de permettre à six cent mille personnes de découvrir la guerre de propagande que se livrent, dans ce pays, pro- et anti-Chavez par chaînes de télé interposées.

Jusqu'ici, donc, tout va bien. Mais je ne peux m'empêcher de m'interroger. Que se passerait-il si un jour on exigeait qu'*Arrêt sur images* obtienne un score minimal ? Comment réagirions-nous si un jour notre audience, qui pour l'instant n'a cessé d'augmenter, venait à s'éroder ? Ne serions-nous pas tentés, pour maintenir le succès de l'émission, de sacrifier des thèmes exigeants et peu vendeurs ? Ou encore de compenser leurs moindres résultats en multipliant les émissions plus porteuses, comme celles sur la télé-réalité ?

Cette sanction par l'audience, que j'ai pu appréhender depuis que je travaille à la télé, est devenue un enfer pour tous les journalistes, animateurs et producteurs des grandes chaînes, qu'elles soient privées, comme TF1 et M6, ou publiques, comme France 2 et France 3. En aparté, beaucoup déplorent que l'Audimat soit devenu l'unique critère d'appréciation des programmes pour lesquels ils travaillent. À M6, certains expliquent que, désormais, les responsables de la chaîne s'abstiennent de se prononcer sur une émission avant d'avoir sous les yeux la courbe des parts de marché. Dans le service public, on n'en est pas encore là, mais la plupart des producteurs de magazines se voient désormais fixer par contrat un objectif d'audience minimal. Côté fiction, producteurs et scénaristes savent d'avance que si le « pilote » d'une série n'atteint pas un résultat suffisant, l'écriture des épisodes suivants ne sera jamais lancée. Quant aux journaux télé, même s'ils n'ont officiellement aucun objectif chiffré, ils sont, eux aussi, devenus des produits qu'il faut rendre attractifs.

Intuitivement, quand on regarde le JT, on sent bien que si, après avoir multiplié les reportages sur l'insécurité, TF1 et France 2 en font des tonnes sur les pompiers et les gendarmes, c'est parce qu'elles ont flairé le bon filon. On devine que si les magazines y vont tous de leur numéro annuel sur la prostitution, c'est parce que le sujet est estimé vendeur. En tant que téléspectateurs, on sait bien quels sont les thèmes faciles, racoleurs, et ceux qui nous demandent plus d'efforts. Mais on n'imagine pas à quel point la télé, qui jusqu'ici relevait de l'artisanat, est devenue une industrie, avec des produits à vendre – divertissement, information – et une armée d'ouvriers – journalistes, scénaristes – payés pour appliquer à la lettre des recettes marketing.

Quels sont les objectifs imposés par les chaînes ? Comment sont élaborés les sommaires des magazines ? La logique commerciale du privé a-t-elle contaminé les chaînes de service public ? Quels sont les arrangements, les censures ? Peut-on encore faire confiance à la déontologie des journalistes télé ou sont-ils devenus des soldats au service des intérêts commerciaux de leur chaîne ?

Compte tenu du pouvoir de la télé, du fait qu'elle est aujourd'hui la première source d'information de la majorité des Français – je rappelle que nous passons en moyenne plus de trois heures et demie par jour devant le poste –, ces questions me paraissent fondamentales.

Pour y répondre, j'ai enquêté auprès de ceux qui fabriquent ces programmes. Quelques-uns ont refusé de me recevoir. Il s'agit essentiellement de grands patrons.

À TF1, Robert Namias, directeur de l'information, contacté le 16 juillet 2003 par le biais de Nathalie Maeder, son attachée de presse, m'a fait dire qu'il ne me répondrait pas. J'ai également essuyé un refus d'Étienne Mougeotte, vice-président de la chaîne.

Même mutisme à M6. Malgré mon insistance – par téléphone et fax – auprès de la directrice de la communication Michèle Lourdel, une interlocutrice incontournable pour le journaliste qui veut décrocher une interview, je n'ai pu rencontrer ni le président Nicolas de Tavernost, ni le vice-président responsable des programmes, Thomas Valentin.

À France Télévisions, Olivier Mazerolle, directeur de l'information de France 2, dont je parle à plusieurs reprises dans cet ouvrage, n'a pas souhaité répondre à mes questions.

Deux producteurs ont également refusé de me recevoir : Endemol, la société d'Arthur, ainsi que Réservoir Prod, celle de Jean-Luc Delarue.

La fin de non recevoir de ces hiérarques est regrettable. Mais en auraient-ils dit plus que la centaine de témoins, journalistes, producteurs, scénaristes et responsables de chaînes, qui a accepté de répondre ? Je ne le pense pas.

Certains de ces interlocuteurs sont cités : notamment l'ex-patron de Canal+, Xavier Couture, les directeurs des programmes de France 2, François Tron, et de France 3, Bertrand Mosca, la responsable des fictions de France 2, Laurence Bachman, ainsi que l'ex-responsable de TF1, Claude De Givray, les animateurs Thierry Ardisson et Marc-Olivier Fogiel, les producteurs Christian Blachas,

Jean-Pierre Guérin et Michelle Podroznik, les scénaristes Éric Kristy, Lorraine Lévy et Sophie Deschamps, ou encore les journalistes Patrick Poivre d'Arvor, David Pujadas, Gérard Leclerc, Jean-Claude Allanic, Marcel Trillat, Paul Moreira, Denis Boutelier...

Mais la plupart de ceux que j'ai interviewés au cours de cette enquête ont, par peur d'éventuelles représailles, préféré garder l'anonymat. En effet, comme vous le comprendrez à la lecture, les pros de la télé détestent qu'on dévoile leurs recettes. J'en ai pourtant retenu dix. Ce sont les dix commandements appliqués par les grandes chaînes [1], qu'elles soient privées, comme TF1 et M6, ou publiques, comme France 2 et France 3.

1. Malgré le développement du câble et du satellite, les chaînes hertziennes ont encore raflé en 2003 près de 90 % de l'audience, avec en tête TF1 (31,5 %), suivie de France 2 (20,5 %), France 3 (16,1 %), M6 (12,6 %), France 5 (6,4 %), Canal+ (3,7 %) et Arte (3,4 %).

1

Sortez vos mouchoirs

« La télévision est un média finalement assez grossier qui a toujours privilégié l'émotion. »

Christine Ockrent,
dans *Les Dossiers de l'audiovisuel*.

C'était il y a vingt ans, et l'on se rappelle encore l'émotion qu'on a éprouvée en regardant les images du calvaire de la petite Omeyra, prisonnière d'un torrent de boue, en Colombie. Son agonie en direct a fait le tour du monde, supplantant toutes les autres images de la catastrophe. Un journaliste de TF1 dépêché à l'époque sur le site se souvient du déclic : « Je venais d'envoyer un reportage bourré de plans de la ville, d'interviews, de commentaires, quand les premières images de la fillette sont tombées dans les chaînes. Cette scène, je l'avais ratée, la ville était très grande, je travaillais ailleurs. Sans une hésitation, mes rédacteurs en chef ont jeté mon reportage exclusif pour passer ces images déchirantes de la télé espagnole commentées en cabine depuis Paris. Elles étaient tellement plus efficaces... » Efficaces !

Deux décennies plus tard, le flot de ces images « efficaces » a balayé l'idéal pédagogique des pères fondateurs de l'ORTF. La télé est entrée dans l'ère du spectacle primal. Le 11 septembre 2001, l'image des corps se jetant du haut des tours du World Trade Center, diffusée en boucle comme un authentique spectacle, a confirmé l'ampleur de la fascination morbide de la télévision. Mais, à plus petite échelle, tous les soirs au « 20 heures » c'est le grand déballage. Une émotion chasse l'autre : souffrance, larmes et colère... Dès qu'elle trouve une victime, sous prétexte d'informer, la caméra s'éternise sur son visage, sur ses yeux, guettant l'instant où elle va s'effondrer. Boulimique, elle ne se contente plus de capter le spectacle de la détresse, elle veut aussi le mettre en scène. Le jour du crash aérien de Charm el-Cheikh (3 janvier 2004), les visages des familles guettant avec angoisse les panneaux d'affichage de l'aéroport de Roissy et commençant, certainement, à suspecter le pire en voyant braquer sur eux les caméras des télés averties par les premières dépêches ont fourni aux JT quelques séquences poignantes. Quand, durant l'été 2003, trois pompiers meurent dans les incendies du Var, une caméra de TF1 retourne quelques jours plus tard sur les lieux du sinistre avec un survivant. Le journaliste le fait parler, se souvenir. D'abord digne, il finit par craquer. Sa voix s'étrangle. La séquence se termine là. L'objectif est atteint.

Dans certains cas, il arrive que la curiosité à l'égard de la détresse des victimes se prolonge pendant des mois. Après la mort d'une mère et ses fillettes, tuées par un chauffard, en attendant le bus, à Vitry au printemps 2002, l'ampleur de l'émotion collective suscitée par le drame inspire M6. Une équipe du magazine *Zone interdite* entreprend de suivre dans la durée le quotidien de la famille décimée. À l'antenne, le résultat est bouleversant : images du père prostré sur le cercueil des fillettes juste avant l'enterrement, visites de la grand-mère au cimetière pour refleurir les tombes... Des séquences insoutenables d'une douleur insoutenable. Pendant près de vingt minutes ! Ce soir-là

– est-ce lié ? –, le magazine de M6 bat un record d'audience[1] : 5,4 millions de téléspectateurs, 22 % de parts de marché.

Les émissions de divertissement s'emploient aussi à fendre les cœurs d'artichaut. Le sport à la télé n'accède au rang de spectacle fédérateur que lorsqu'il s'accompagne d'une débauche émotionnelle : victoire à l'arrachée des Bleus à l'Euro 2000, crise de nerfs du sprinter John Drummond lors des Mondiaux d'athlétisme à Paris, larmes de l'équipe de France de tennis battue en finale de la Coupe Davis. Plus édifiant encore, la télé parvient même à faire dégouliner de sentiments les événements les plus insignifiants. Changement de décor ! Quittons la sphère de la vraie vie pour entrer dans celle des jeux télévisés. Programme phare jusqu'à la fin des années 80, *Des chiffres et des lettres* (Antenne 2) ont connu un grand succès en opposant deux dictionnaires à pattes munis de cerveaux en forme de calculatrices. Concentration, *fair-play* et absence totale d'affect étaient de mise dans cette joute cérébrale, dont les grandes finales donnaient lieu à des *prime times*. Aujourd'hui leur successeur – dans le cœur du public, entendons-nous –, le célèbre *Qui veut gagner des millions ?*, a bouleversé les règles du jeu. *Exit* le défi intellectuel dans ce quiz souvent bébête. Place à la mise en scène dramatique : musiques angoissantes, éclairage en clair-obscur, avertissement solennel de l'animateur, Jean-Pierre Foucault, un brin pervers : « C'est votre dernier mot ?... » L'importance des sommes en jeu crée un stress aussi contagieux que stimulant pour l'audience.

Mais la palme de l'émoi revient indiscutablement aux bonnes œuvres d'Arthur, dont certaines émissions n'ont

1. M6, 5 janvier 2003.

pas d'autre ambition que d'exhiber des larmes de pacotille. C'est le cas de *Rêve d'un jour*, une kermesse où, en vrai Père Noël, l'animateur de TF1 se propose d'exaucer les désirs les plus fous d'une sélection d'heureux candidats : vacances au soleil, appartement redécoré, baptême de l'air en avion de chasse... Submergés de bonheur, on les voit renifler les uns après les autres. Moyennant vingt-deux séances de pleurs en deux heures d'émission (authentique[1]), le plateau prend des airs de piscine d'eau salée. C'est énorme, mais ça marche. Les larmes sont contagieuses, on le sait bien. Scotché devant son poste, on vibre à l'unisson. On s'émeut. On compatit... et on oublie de zapper. Sur les tracés d'audience – les fameuses courbes du « minute par minute » que scrutent tous les matins les responsables des chaînes –, le verdict saute aux yeux. Dans le flux du zapping incessant, chaque poussée d'émotion fait grimper l'Audimat. Ceux qui sont déjà branchés sur la chaîne partent moins. Ceux qui viennent voir ce qui se passe s'attardent un moment.

Et c'est meilleur encore si l'émotion surgit à un « carrefour de programmes ». Entendez ces moments stratégiques où des chaînes concurrentes lancent leurs pubs, lâchant dans la nature des millions de zappeurs. Certains vendredis soir, *Rêve d'un jour* affronte le polar de France 2 et *Thalassa*, le magazine de la mer sur France 3. Ces deux *prime times* rassembleurs s'achèvent autour de 22 h 30, alors que celui d'Arthur se poursuit au-delà de 23 h 15. Il peut donc doper son Audimat sur la dernière demi-heure, à condition toutefois d'aligner quelques habiles séquences chargées d'émotion. En grande pro – rien n'est le fruit du hasard –, la Une envoie sa pub juste avant le générique de ses concurrents. Puis redémarre en force. On

1. Exemple de l'émission diffusée le 20 décembre 2002.

peut voir, par exemple[1], l'aventure de Katia dont le rêve de devenir « meneuse de revue » prend tournure sous nos yeux ébahis. À l'écran, de jolies filles, des plumes bariolées... mais surtout des gros plans – tournés au ralenti, s'il vous plaît – sur son regard embué. Aussitôt l'audience grimpe : + 25 % en à peine quelques minutes pour dépasser sept millions de téléspectateurs. Un *timing* impeccable, qui permet à TF1 de ferrer un joli pourcentage du public de France 2 et France 3...

Voilà donc la grande force de l'émotion cathodique ! Avec la multiplication des chaînes, le triomphe de la télécommande – ce gadget redoutable qui permet de balayer les programmes en moins de deux sans quitter son fauteuil –, il est devenu difficile, pour ne pas dire impossible, de retenir du début à la fin d'un programme, par le seul argument d'un discours cohérent, les millions de *serial zappeurs* que nous sommes devenus. Le moindre temps mort, la plus petite faiblesse... et nous voilà partis voir ce qu'on offre dans la boutique d'en face.

Pour combattre cette infidélité, maintenant plus que chronique, les pros ont donc dégainé l'arme de l'émotion, redoutable pour capter l'attention du nomade débarquant au milieu d'un programme. Que ce soit dans les JT, les magazines ou les jeux, l'objectif est désormais de saupoudrer les séquences – au choix, larmes, cris, colère – qui signalent aux voyageurs du PAF (paysage audiovisuel français) qu'ils feraient bien de s'attarder un peu. Reste la question de savoir jusqu'où l'on peut aller pour faire naître une tension dramatique à ce point irrésistible. Comment montrer le réel ? Où se cachent les manipulations ?

1. Toujours le 20 décembre 2002.

TF1, apprenti sorcier de l'émotion

L'émotion dope l'audience. Elle présente toutefois un inconvénient de taille pour ceux qui en ont fait leur fonds de commerce : contrairement aux applaudissements ou aux cris du public, facilement déclenchés par un chauffeur de salle, elle ne se commande pas. Il faut donc, disons-le cyniquement, saisir le « bon moment » ou encore se livrer à quelques mises en scène plus ou moins recommandables pour créer *ex nihilo* un beau débordement affectif. Le risque de la manip : s'attirer les foudres du CSA (Conseil supérieur de l'audiovisuel) – le gendarme du PAF –, celles de la presse ou encore du public – c'est-à-dire vous et moi – TF1, qui n'en est pas à son coup d'essai en matière de débauche émotionnelle, l'apprit à ses dépens. Retour sur un épisode fondateur de la télé commerciale.

Nous sommes au début des années 90. TF1, encore jeune privatisée, s'engouffre tête baissée dans la course à l'audience. Prête à tout pour gagner quelques dixièmes de point de part de marché, elle nomme la papesse du *reality-show*[1], Pascale Breugnot, responsable des magazines en 1987, puis directrice générale en charge des nouveaux programmes en 1995. Outre les *talk-shows* indiscrets – *Perdu de vue*, de Jacques Pradel, dès 1990, *Témoin nº 1* ou *L'Amour en danger* –, cette femme à poigne en rajoute alors une bonne louche dans le registre du débat tapageur et exhibitionniste : *Comme un lundi*, de Christophe Dechavanne, intronisé « spécialiste de l'espace entre le nombril et

1. Dès 1983, elle lançait *Psy Show*, sur Antenne 2, thérapie expéditive de couples en difficulté.

le genou[1] », par *Télérama*, ou encore *Tout est possible*, de Jean-Marc Morandini, qui réussit la prouesse d'accueillir dans une même émission la « star du porno » Brigitte Lahaie et Lolo Ferrari[2]. Mais la chaîne donne aussi dans le comique troupier avec *Osons*, présenté par Patrick Sébastien, dont l'adaptation libre de *Casser la voix* – « Casser du Noir » – déclenche un tollé. Sans oublier le sensationnaliste épisode de *L'Odyssée de l'étrange* dans lequel Jacques Pradel – encore lui – dévoile aux plus crédules les images supposé authentiques de l'autopsie d'un prétendu extraterrestre[3].

En dépit de ces dérives, l'audience reste au beau fixe : près de 38 % en 1995, contre 39,5 % en 1994. Mais l'image devient, elle, détestable. Dans la presse, la Une se fait descendre en flamme : « TF1 la scandaleuse », « spirale glauque[4] », chaîne « à court d'imagination[5] »... Sans compter le persiflage des *Guignols* et les tribunes offertes[6] à un nouveau lobby de ménagères – « Changez la Une » – qui s'affirment « révoltées par les dérapages et les programmes racoleurs ». La théorie selon laquelle « le nibard attire, le Beur repousse », attribuée par *Libé*[7] à son vice-président, Étienne Mougeotte, semble avoir un peu de mal à convaincre. Le Lay a beau fanfaronner qu'il ne s'intéresse guère à l'avis du « microcosme parisien[8] », plaider devant le CSA que

1. *Télérama*, 11 octobre 1995.
2. TF1, 7 septembre 1995.
3. TF1, 23 octobre 1995.
4. *Télérama*, 11 octobre 1995.
5. *Le Figaro*, 18 septembre 1995.
6. Interviews dans *Le Nouvel Observateur*, 25 janvier 1996, et *Libération*, 17-18 février et 25 mars 1996.
7. *Libération*, 14 septembre 1995.
8. *Stratégies*, 24 mars 1995.

« la vulgarité n'a rien d'illégal[1] », TF1 prend des airs de citadelle assiégée.

Pendant un temps, la Une semble se moquer des critiques. Mais voilà, la concession, accordée pour dix ans en 1987, doit être renégociée avec le CSA dès mars 1996[2]. Cette échéance finit par faire réfléchir Patrick Le Lay. « Il a compris qu'il n'était plus possible de continuer à se faire taper dessus tous les jours dans la presse et qu'il était urgent de prendre ce problème d'image à bras-le-corps avant qu'il ne nous explose à la figure », se souvient Ronald Blunden, ex-directeur de la communication, spécialement recruté dans le monde de l'édition – bien plus porteur d'image – pour gérer ce virage stratégique et soigner les relations de la chaîne avec le « microcosme parisien ».

Brutalement, presque du jour au lendemain, TF1 se lance dans la « quête du sens ». Pour prouver qu'elle aussi peut faire du service public, elle appelle à sa rescousse Paul Amar – *Le Monde de Léa* – et Michel Field – *Public*. Peu à peu, la grille est expurgée de toutes les émissions polémiques. Après *Témoin n° 1* et *L'Appel sous la couette* vient le tour de Dorothée et du dernier bastion de Jacques Pradel, *Perdu de vue*, euthanasié en avril 1997. L'intention est claire : « À chaque fois que la presse nous avait dans le collimateur, elle citait *Perdu de vue*, *Tout est possible* et Dorothée. Croyez-moi, c'est un boulot colossal de remonter ce courant. Dix ans quand même[3]... », explique alors la remplaçante de Dorothée, Dominique Poussier. D'interviews enflammées sur la fin du « temps de la provocation » – Étienne Mougeotte dans *Le*

1. *Le Nouvel Observateur*, 5 octobre 1995.

2. L'autorisation d'émettre fut finalement renouvelée pour cinq ans le 26 mars 1996.

3. *Télérama*, 23 avril 1997.

Monde[1] – en tribunes éclairées sur la « responsabilité » de TF1 – re-Étienne Mougeotte dans *Le Monde*[2] –, la chaîne redore laborieusement son blason. Et tant pis si l'audience, elle, continue de s'effriter sous les coups de la concurrence 32,7 % en 2002 contre 41 % dix ans plus tôt[3] –, l'essentiel est que les annonceurs ne boudent plus et remplissent à nouveau le tiroir-caisse. Après avoir touché le fond en 1997 et 1998, avec 50,2 % (seulement) des investissements publicitaires effectués à la télé, TF1 remonte progressivement à 54,9 % en 2001[4]. L'opération « restauration d'image » est donc rentable, très rentable.

À TF1, on vit sur un nuage... Ce qui se passe dans les pays anglo-saxons, où les nouveaux programmes de téléréalité font des ravages, annonce bien des chamboulements. Mais convaincue qu'elle n'a pas intérêt à repartir dans la surenchère *trash*, la direction maintient le cap. Et pour se préserver de toute vilaine tentation, elle va jusqu'à conclure avec M6 un pacte de non-agression, un *gentleman's agreement* qui doit faire de la France un îlot préservé.

Au printemps 2001, cependant, coup de tonnerre. Faisant la nique à Le Lay, Nicolas de Tavernost, le P-DG de M6, dégaine sans crier gare *Loft Story*, adaptation de *Big Brother*, la matrice des émissions de télé-réalité. « Le Lay a pris le *Loft* comme une gifle et une vraie trahison. Dans l'urgence, alors que la diffusion sur M6 a déjà commencé, il imagine un certain nombre de parades », se souvient Ronald Blunden. Ivre de rage, Le Lay se figure d'abord

1. 25 avril 1996.
2. 20 novembre 1996.
3. Malgré cette érosion, TF1 reste tout de même une des chaînes les plus regardées d'Europe, loin devant la britannique BBC 1 (26,2 %), l'espagnole TVE (24,8 %), l'italienne RAI Uno (23,8 %). (Source : *Libération*, 31 mai 2003.)
4. Source : SECODIP, société spécialisée dans les études de marché.

qu'il peut faire interdire *Loft Story* par le CSA. C'est l'objet de sa fameuse tribune dans *Le Monde* – souvenez-vous de ce vibrant plaidoyer contre M6 et sa « télé-poubelle ». Mais, au bout de quelques jours, il faut se rendre à l'évidence. Le gendarme du PAF ne bougera pas. Et pendant ce temps, le *Loft* fait un tabac et M6 rafle la pub. Pragmatique, le patron de TF1 change son fusil d'épaule. Quelques semaines après s'être publiquement indigné de « l'entrée fracassante de M6 dans la *trash* télé », il signe lui-même un contrat mirifique avec le producteur de *Loft Story*, Endemol, pour produire la *Star Academy*. Une page vient de se tourner. En quatre ans, TF1 est passée du *trash* à la vertu, puis de la vertu à l'émotion.

Le bon filon de la télé-réalité

Qu'on ne se méprenne pas. Un décryptage hâtif voudrait que le ressort de la télé-réalité consiste à regarder par le trou de la serrure la vie d'une joyeuse bande enfermée dans un loft *(Loft Story)*, un château *(Star Academy)* ou une villa *(Nice People)*. Ce n'est pas le cas. Son fonds de commerce est en fait de traquer l'émotion de candidats cobayes dans le seul but d'en livrer quelques morceaux choisis au public. Tout le dispositif est tourné vers ce seul objectif.

Il y a d'abord l'élimination, le temps fort du rituel. Au début de *Loft Story*, on la mettait en scène à la manière des jeux du cirque. On garde encore en mémoire l'éviction d'Aziz, premier candidat à quitter le Loft, attendant, tête baissée, qu'on énonce le verdict implacable. On avait l'impression d'assister à une mise à mort. L'image avait choqué. Aujourd'hui, le principe n'a pas changé, mais on invite les candidats à le positiver. La mise à l'écart n'est plus un traumatisme infligé par la télé. Elle devient une épreuve constructive qu'on surmonte dans la fraternité. À l'annonce du nom de l'« éliminé », les deux anciens rivaux – le sauvé et le sacrifié, judicieusement installés côte à côte par la prod' – se jettent dans les bras l'un de l'autre. L'émotion est trop forte. Face à eux, l'animateur s'emploie à faire mousser l'événement.

La finale de la *Star Academy* 2002 [1] restera sans doute dans les annales comme un modèle du genre. Après un reportage sur les adieux des derniers élèves chanteurs – en larmes – à la productrice, Alexia Laroche-Joubert – aussi en larmes –, on enchaîne sur un duo émotion entre les deux finalistes – toujours les larmes aux yeux. Dans un instant, l'un des deux sera l'élu du public. Pendant toute la chanson, TF1 use et abuse des plans de coupe : professeurs, élèves, anciens candidats, tout le monde est en larmes. Nikos, le présentateur, boit du petit-lait : « Ils ont tous pleuré. Dans le public, la moitié des gens est en larmes, à la maison aussi, j'imagine. » Du pathos étalé à la truelle. Mais ça marche. Avec 11,5 millions de téléspectateurs, TF1 réalise l'une de ses meilleures audiences de l'année. Pour jouir de cet instant – diffusé à près de 23 h 30 –, précisons que les fidèles auront dû patienter plus de deux heures d'émission, entrecoupées de trois interminables pages de pub.

Pour meubler, faire patienter jusqu'au clou du spectacle de l'élimination, là encore la *Star Academy* mise tout sur l'émotion. Sa ficelle ? Sortir au moment opportun quelques-unes des confidences livrées par les candidats au moment des castings (épreuves de sélection). Une vraie

1. L'Édition 2003, bien qu'ayant fait le plein d'audience, a déçu les amateurs par son « déroulement » convenu et la victoire finale d'un pur produit marketing.

mine que ces entretiens de personnalité et autres dossiers de candidature farcis de détails biographiques ! Houcine, finaliste de *Star Academy 2*, est père d'un petit garçon qu'il n'a bien sûr pas vu depuis qu'il s'est enfermé dans le château. Toujours partante pour une bonne « surprise », la production décide au bout de quelques semaines de faire entrer le bambin en douce par les coulisses, pendant que son papa vocalise sur la scène. Émotion garantie. Houcine, pleurant de bonheur, serre le fiston dans ses bras. La scène, en soi, n'a rien d'exceptionnel, mais que voulez-vous, c'est contagieux. Devant son poste, on pleure à tous les coups.

Il arrive cependant que les « surprises » de la prod' soient bien moins sympathiques, comme dans le cas d'Alexandre, un autre candidat de *Star Academy* assez vite éliminé. Dans son portrait de présentation[1], le commentaire nous informe : « Pour lui, la musique est devenue un exutoire, en partie depuis la mort brutale de son père, il y a sept ans. Ce sujet, il n'en parle jamais à personne... » Une curieuse révélation lorsqu'on sait qu'elle est faite à quelque sept millions de téléspectateurs. Présent sur le plateau, Alexandre ne réagit pas. Plus tard dans la soirée, on apprend cependant qu'il n'était pas d'accord pour qu'on divulgue l'info. « Je l'ai dit à la psychologue, parce qu'elle m'a assuré que ça ne sortirait pas », explique le candidat. « Tout ce qui est dit ou diffusé l'est fait avec votre autorisation », réplique le présentateur Nikos Aliagas. Après coup, le service de presse de TF1 présente le désaccord comme un malentendu : « Sauf interdiction explicite, nous nous autorisons à utiliser tout ce qui est mentionné dans les dossiers de candidature. Si Alexandre souhaitait que cette information ne soit pas diffusée, il aurait dû le signifier clairement. » Conclusion : les apprentis chanteurs n'ont qu'à bien se tenir. Tous les

1. TF1, 1er septembre 2002.

détails de leur vie, même les plus éloignés de la chanson, font partie du spectacle... au même titre que leurs éventuels conflits avec la production !

Et le sexe dans tout ça ?

« Et le sexe ? » direz-vous, vous souvenant des désormais mythiques ébats de Loana et Jean-Édouard dans la piscine du Loft et accessoirement devant les caméras. Certes, certes, mais ce « produit d'appel » souvent mis en avant est en fait assez peu exploité. Sans doute trop « segmentant », comme on dit dans le jargon, pour des programmes visant la ménagère avec enfants aux heures de grande écoute. Après les préliminaires corsés de la piscine et la belle polémique que cette scène déclencha, *Loft Story* s'est très vite transformée en mélo à l'eau de rose où l'on pleure sous la couette et rêvasse aux amours impossibles. Dans la deuxième saison, diffusée sur M6 au printemps 2002, les candidats restent d'une chasteté exemplaire. Certes, la « salle CSA », installée à la demande des sages de l'audiovisuel, leur permet de s'isoler une heure par jour à l'abri des caméras. Mais cet aménagement ne suffit pas à expliquer le côté très fleur bleue du programme, qui pendant près de trois mois retrace les amours platoniques d'Angela et David (déjà casé à l'extérieur) ou de Carine et Thomas (l'homo puceau qui fait son *coming out* dans le Loft).

Présentée par la chaîne comme un divertissement familial, *Star Academy* a commencé par jouer quelques semaines la carte de la provoc pour tenter de faire frémir son audience exécrable. Au départ, TF1 tâtonnait. La production multipliait les gros plans sur les douches ou la toilette des filles, puis a misé sur les « bons mots » du candidat Jean-Pascal – « C'est un truc de pédé, la danse... », ou encore, à sa copine : « 5 000 balles, cette merde [une bague qu'il lui avait offerte] ! Putain, j'te jure, une pute, ça revient moins cher ». Diffusées en boucle, commentées et décortiquées dans les résumés quotidiens et les *prime times* du samedi soir, ces répliques édifiantes ont marqué cette première incursion de TF1 dans l'univers de la télé-réalité.

Le programme est finalement un succès : 7,3 millions de téléspectateurs en moyenne le samedi soir. Pourtant, dès la deuxième édition, fin 2002, TF1 change de registre. Cap sur l'émotion. Dans le château comme sur le plateau du samedi soir, il n'est plus question que de travail et de rivalité sublimée par la camaraderie... Rappelons à ce stade que les candidats sont avant tout recrutés pour apprendre à chanter ! Ce retour à plus de sobriété étonne. D'autant que TF1 ne manque pas de matière pour pimenter ses programmes : amourettes entre Emma (la belle blonde) et Fabien (candidat éphémère), rumeurs sur une liaison coupable entre Nolwenn (la gagnante) et Mathieu (le prof de chant), et surtout révélation de l'homosexualité d'Anne-Laure. Ce sujet brûlant aurait pu donner lieu à l'un de ces grands moments de vérité dont la télé a le secret. Anne-Laure aurait pu avouer ses penchants à ses parents ou encore à Nikos, le présentateur... Au lieu de cela, la production a soigneusement censuré les allusions répétées de la candidate, laquelle brûlait visiblement de se dévoiler. Un calcul qui a payé : en troquant les larmes contre la provoc, *Star Academy 2* n'a pas perdu un téléspectateur. Au contraire : avec 7,7 millions de fidèles en moyenne le samedi soir, la deuxième saison aura même fait mieux que la première... et que la troisième ! [1]

1. 6,6 millions de téléspectateurs en moyenne en *prime time*.

Même les jeux prétendument libertins, comme *L'Ile de la tentation* – en deuxième partie de soirée, quand les petits sont couchés –, tirent en fait, eux aussi, la ficelle du choc émotionnel. Diffusé en été, sur TF1, ce programme met en scène quatre couples souhaitant éprouver leur fidélité : « Séparés de leur conjoint, ils devront résister à vingt-cinq célibataires au charme ravageur bien décidés à les séduire. Qui résistera ? Qui succombera ? Et vous ? Résisterez-vous à la tentation ? » À lire ce préambule, on imagine pousser la porte d'un lupanar. À l'antenne, cependant, pas question d'abuser des préservatifs Manix (le sponsor du jeu). Car si le commentaire joue l'effet d'annonce en nous promettant des « rendez-vous de groupe qui feront monter la température », il faut se contenter de Diana (mouture 2002) ou Roxanne (en 2003) filmées de loin en train de faire un bécot à leur nouveau fiancé, pendant que « Jules », de son côté, se fait masser les pieds par une « célibataire ».

Programme décevant ? Pas vraiment, au regard des audiences : 44 % de parts de marché en moyenne, soit près d'un téléspectateur sur deux chaque samedi soir en première saison. Mais ne vous y trompez pas. Le clou du jeu n'est pas le sexe, mais l'épreuve du feu de camp, quand tour à tour les quatre couples (hommes et femmes, chacun de son côté) découvrent quelques images choisies de la vie secrète de leur conjoint sous les assauts d'une bande de célibataires. Christophe (en 2003), humilié devant ses camarades lors de la projection du flirt de sa fiancée, reste sans voix. Sadique, l'animateur le cuisine : « Qu'est-ce que vous avez vu ? Ça vous fait quoi ? Vous avez peur de la perdre ? » Il s'agit de triturer le cœur du malheureux. Quelquefois, les garçons pètent les plombs de manière spectaculaire, comme Brandon (en 2002) qui, malade de jalousie, veut savoir coûte que coûte ce que fait sa fiancée quand elle n'est pas filmée. D'autres souffrent en silence, se replient sur eux-mêmes, traqués par l'objectif. Dans les deux cas, ça paie. Car le ressort de *L'Ile de la tentation* est bien l'exhibition des tourments d'une poignée de cobayes – de préférence jaloux – soumis aux affres du « cocufiage ».

En d'autres temps, on se serait peut-être ému de voir des couples s'humilier, s'épier, se déchirer mutuellement, le tout pour pas un rond. Juste, au mieux, une brève notoriété. Désormais, on s'en fiche. Les bornes sont franchies les unes après les autres. Personne ne réagit. Même le summum du *trash*, *Y'a que la vérité qui compte*, l'émission de Bataille et Fontaine un lundi soir sur deux à 22 h 50 sur TF1, n'a pas suscité de débat. En privé, mais seulement en privé, de nombreux professionnels la qualifient de « pire chose actuellement à l'antenne ». Peu après son lancement, *Libération* a titré « Écœurtainment »[1]. Mais la polémique ne s'est pas amplifiée. Prudemment, TF1 n'en parle pas. Le « microcosme parisien » – qui énervait tant Le Lay – ne la regarde pas. Pendant ce temps, discrètement, *Y'a que la vérité qui compte* bat des records d'audience en seconde partie de soirée : environ 3,5 millions de téléspectateurs pour près de 35 % de parts de marché[2]. Pourtant, il suffit d'y jeter un coup d'œil pour avoir la nausée. Répondant au doux nom d'« émotainment » – contraction d'« émotion » et d'*entertainment* (« divertissement ») –, ce concept, qui a déjà fait fureur à travers l'Europe, n'a qu'un seul objectif : satisfaire nos penchants voyeuristes. Un jeune homme choisit d'y annoncer son homosexualité à sa mère. Gros plan sur le visage de la maman, qui ne se doutait de rien. Une jeune fille veut remercier les pompiers qui l'ont sauvée d'un suicide. Pour nous mettre dans l'ambiance, elle rejoue dans le

1. Samedi 28 et dimanche 29 septembre 2002.
2. Audience moyenne réalisée depuis le lancement de l'émission, en juin 2002. (Source : TF1, octobre 2003.)

métro, pratiquement jusqu'au bout, ce moment insupportable. Certains des invités quittent le plateau anéantis.

Laurence au pays de la vérité

« Déclarations d'amour, retrouvailles, réconciliations... Une fois encore, les surprises et les émotions ne vont pas manquer ce soir », nous promettent d'entrée de jeu nos deux bateleurs en chef, Laurent Bataille et Pascal Fontaine. Les téléspectateurs n'ont qu'à préparer leurs mouchoirs, tout comme la demi-douzaine d'invités qui attendent, claquemurés en coulisse. D'ici quelques instants une personne de leur entourage, pour l'instant dissimulé derrière un grand rideau, va leur faire une révélation touchant à leur passé ou leur vie privée... Parmi eux, Laurence, 42 ans. Elle n'a jamais voulu passer à la télé. Quelques jours plus tôt, une journaliste de l'émission s'est présentée chez elle, dans son village du Cantal, pour lui porter une invitation. À deux minutes de l'antenne, elle ignore toujours pourquoi. Pourtant, dans un instant sa vie va basculer...

Pendant ce temps, sur le plateau, Laurent Bataille appelle André. Un sexagénaire à l'air grave vient s'asseoir près de lui. Applaudissements. « Une histoire assez extraordinaire, s'exclame Bataille, celle d'André, venu pour retrouver sa fille qu'il n'a encore jamais vue ! » Applaudissements. Cuisiné par nos deux animateurs, André raconte son aventure avec Simone, à la fin de son service militaire. Rappelé dans sa région d'origine, il s'est séparé d'elle avant d'apprendre par hasard, quelques années plus tard, qu'ils avaient eu une fille. André prétend avoir vainement cherché à retrouver cette enfant. Hélas, le vol de ses papiers – y compris l'adresse de sa fille – l'en aurait empêché...

Difficile à gober ! Mais déjà le visage de Laurence, enfermée dans sa loge, apparaît à l'écran. On frémit. On imagine le choc qu'elle aura en découvrant ce père absent qui se cache pour l'instant derrière le grand rideau. Sans ménager leur peine, les deux animateurs tentent de nous rassurer : « Pour des raisons morales *[sic]* que vous comprenez bien, on s'est renseignés pour ne pas faire une énorme gaffe. » Puis, se tournant vers Laurence : « De l'autre côté du rideau quelqu'un a quelque chose de très important à vous dire. Est-ce que vous voulez savoir qui ? » Laurence lâche un « d'accord », fixe l'écran sur lequel apparaît le visage paternel. Elle ne le connaît pas. Il se présente à elle. Laurence encaisse : « Les bras m'en tombent. » Puis essaie d'en savoir davantage : « Ça fait quand même quarante-deux ans que j'existe. Vous n'avez pas essayé de contacter ma mère ? » À l'évidence, la « bonne surprise » de Bataille et Fontaine ne lui fait guère plaisir : « Ça mène à quoi de se retrouver ? Il y a eu un moment où j'avais besoin de vous, mais vous n'étiez pas là. » La tension monte d'un cran. Acceptera-t-elle, en dépit de sa réticence, que l'on ouvre le rideau pour qu'elle rejoigne son père ? Bataille met la pression : « Ce qu'on peut vous dire sur André, c'est que ça fait des semaines que notre équipe travaille avec lui et que c'est quelqu'un de bien. » Fontaine renchérit : « Avant de vous faire venir, on a voulu être certains de la sincérité de la démarche d'André et du fait qu'il avait fait effectivement des recherches. » Bataille insiste : « Est-ce que vous voulez, oui ou non, ouvrir ce soir le rideau ? » Laurence hésite, se lève, dit qu'elle n'aime pas faire de peine et accepte finalement. Mais le cœur n'y est pas. Son père s'avance vers elle sous les applaudissements.

La séquence s'achève là, mais le malaise demeure. Au-delà du voyeurisme, on a mal pour cette femme. L'équipe de TF1 l'avait-elle suffisamment préparée ? Que pouvait représenter pour elle ce père absent ? Chez Bataille et Fontaine, on insiste sur les précautions prises. « Nous avons soigneusement vérifié toutes les affirmations de son père avant d'accepter de tourner l'émission », assure le rédacteur en chef, Serge Richez. « Nous allons jusqu'à refuser de traiter certains cas que nous jugeons limites, se flatte-t-il, comme celui d'un chômeur qui pendant des années a menti à sa femme en disant chaque matin qu'il allait travailler. Maintenant qu'elle l'a quitté, il voudrait s'excuser. » Il reconnaît toutefois que le cas de Laurence est délicat : « J'ai personnellement visionné l'émission plan par plan avec elle avant sa diffusion. Elle a exigé quelques coupes que nous avons aussitôt effectuées », assure-t-il.

Un discours rassurant, qu'il restait toutefois à vérifier en contactant Laurence. Pour la retrouver, rien de plus simple. Depuis son passage sur TF1, tout son village du Cantal – dont le nom était mentionné à l'antenne – est au courant de son drame familial. Il suffit donc d'appeler un ou deux commerçants pour être mis sur la piste : « Laurence, celle qui a retrouvé son père à la télé ? Bien sûr, je la connais. »

Au téléphone, Laurence explique qu'elle ne veut plus remuer cette histoire : « Au travail, dans la rue, depuis cette émission tout le monde m'interroge sur ce père que j'avais jusque-là tout fait pour oublier. » Elle accepte finalement de donner sa version – totalement différente de celle de la production : « Le plus scandaleux, attaque Laurence, c'est leur manière de conduire les enquêtes. Pour pouvoir me retrouver, alors que j'étais mariée, ils ont d'abord mis la main sur ma mère. Ils lui ont soutiré un certain nombre de renseignements en se faisant passer pour un institut de sondages téléphoniques. Puis, quelques jours plus tard, un journaliste l'a rappelée, en se présentant cette fois-ci comme un vieux camarade souhaitant m'inviter à fêter son mariage. Sans se méfier, ma mère lui a communiqué toutes mes coordonnées. » Des mensonges peu conformes aux préceptes de la déontologie journalistique et qui ont proliféré jusqu'au bout de l'émission. « Pour me convaincre, ils m'ont assuré qu'aucun de mes proches ne serait touché par la vérité qu'on allait me révéler, poursuit Laurence. Or ma mère, qui ne s'était jamais remise de cette histoire de jeunesse, a été bouleversée. » Petit détail que l'équipe de Bataille et Fontaine avait visiblement omis de vérifier. « L'émission m'a obligée à questionner ma mère, qui ne le souhaitait pas. »

Mais le pire pour Laurence restera la manière dont son père a été présenté : « Ils ont prétendu qu'il m'avait recherchée pendant de longues années, ce qui est archi-faux », assure-t-elle. Son père le lui a d'ailleurs avoué juste après l'émission. Serge Richez le reconnaît également : « Son désir de retrouver sa fille lui est venu sur le tard. » Gageons que le confier sur le plateau revenait à se mettre à dos les téléspectateurs, et donc tuer l'émotion. Impensable quand l'unique objet est précisément de l'amplifier.

Bien entendu, Laurence avait signé une autorisation afin que ces retrouvailles puissent être diffusées. Bien entendu, elle savait que ce moment intime, arraché par surprise, allait être épié par des millions de personnes. Mais avait-elle le choix ? Malins, les producteurs lui avaient demandé de donner son feu vert avant d'entrer en scène. Après le tournage, toute l'équipe s'est éclipsée et Laurence, prise au piège, dut se résoudre à alerter le diffuseur, TF1, pour revenir sur son accord. Le week-end, veille de la diffusion, elle a vu accourir Serge Richez, une cassette à la main. Paniqué à l'idée de devoir renoncer à une si bonne séquence, le rédacteur en chef venait pour visionner l'émission avec elle, afin de l'infléchir. Laurence admet : « C'est un homme sympathique. J'ai finalement cédé, en échange d'une petite coupe : quelques plans où mon père, paternel, tapotait mon épaule. Au point où j'en étais... »

Il n'empêche. Après l'enregistrement, Laurence s'est retrouvée en tête-à-tête avec son père jusqu'au lendemain matin. « La production avait mis tous les candidats dans le même hôtel, se souvient-elle. Au petit déjeuner j'ai revu un jeune homme qui, la veille en plateau, avait tenté de renouer avec son ex-petite amie. Elle avait refusé que l'on ouvre le rideau, mais la production lui avait malgré tout pris une chambre dans le même hôtel que lui. En la voyant le matin, il lui a fait toute une scène. C'était horrible. »

Ce qui ne fait plus débat

L'aventure est choquante. Reste à comprendre pourquoi ces incursions répétées dans la télé-poubelle ne jettent plus le discrédit sur TF1. Un ex-cadre de la chaîne explique : « À l'époque de Breugnot et de Pradel, seul l'Audimat comptait. Aujourd'hui, TF1 cherche à doser. Le pilotage s'effectue en fonction non seulement de l'audience, mais aussi de l'image. On peut miser sur le *trash*. Mais il ne faut surtout pas que ça se remarque. Au moindre avertissement du CSA ou quand il commence à y avoir trop d'articles dans la presse, on déplace le curseur. On calme le jeu, le temps que les choses se tassent. » Devant l'absence de réactions, on comprend que TF1 aille de plus en plus loin.

Reste à savoir pourquoi les journalistes, autrefois si critiques à son égard, sont devenus à ce point silencieux. Selon Ronald Blunden, ex-responsable de la communication, cette discrétion s'expliquerait par le fait que « les médias se sont tous fait piéger au moment de *Loft Story*. Pendant des semaines, au printemps 2001, les journaux ont multiplié les couvertures sur le *Loft*. Grâce à ça, leurs ventes ont explosé. Mais eux se sont totalement disqualifiés sur le sujet. Ils en ont trop profité et cela s'est trop vu pour pouvoir aujourd'hui dénoncer le scandale à propos de telle ou telle autre émission... Désormais, c'est trop tard. Le premier *Loft* aura durablement modifié l'idée de ce qui est tolérable à la télévision. »

Dernière explication, sociologique celle-là : l'émotion est une valeur en hausse dans le monde contemporain. Après avoir été, pendant des lustres, éduqués à cacher nos sentiments, il serait désormais de bon ton de les montrer. Dans un récent ouvrage, explicitement titré *Le Culte de l'émotion*[1], le philosophe Michel Lacroix diagnostique, comme d'autres spécialistes, l'« hyperémotivité » de notre société : « Les historiens futurs qui entreprendront de décrire notre époque retiendront qu'elle fut placée sous le signe de l'émotion. Aucun des grands secteurs de la vie collective n'échappe à sa contagion. » Et de citer les stages de développement personnel dans les entreprises afin de permettre aux cadres d'exploiter leur potentiel affectif, la nécessité pour les hommes politiques de se montrer capables de ressentir les événements, ou le goût des commémorations chargées de nostalgie. Il est d'ailleurs frappant de voir de plus en plus de personnages publics essuyer quelques larmes devant les caméras, de Jean-Marie Messier, l'ex-patron de Vivendi, lequel n'hésita pas à apparaître les yeux rouges le jour de son éviction, jusqu'à Martine Aubry, qui prit le micro en pleurs juste après sa défaite aux dernières législatives.

Bref, notre société serait en demande frénétique de catharsis, ce qui ouvrirait la porte à pléthore d'exploitations

1. Flammarion, 2001.

marketing. Dans le divertissement, on l'a vu. Mais aussi, ce qui est plus problématique, dans le domaine de l'info...

« Elle vient d'apprendre la mort de son mari »

Le 8 mai 2002, un attentat à Karachi contre des ouvriers français en mission fait onze morts. L'événement soulève de nombreuses questions sur l'état des réseaux terroristes quelques mois après la guerre d'Afghanistan, la manière dont le Pakistan entend mener l'enquête, ainsi que son attitude à l'égard des islamistes. Pourtant, après un bref exposé des circonstances du drame, les « 20 heures » de TF1 et de France 2 embraient sur la douleur des familles des victimes. De l'émotion en barre, spécialement sur la Deux où un journaliste, envoyé à Dunkerque d'où venaient les ouvriers, nous fait vivre l'annonce de la nouvelle. Dans son reportage, on peut voir les plans interminables d'une jeune femme poussant des hurlements en se jetant par terre, la tête sur le bitume. « Elle vient d'apprendre la mort de son mari. Il avait 27 ans », informe, laconiquement, le commentaire. Après cela seulement, le journal aborde l'enquête et les pistes terroristes.

Sacrifice de la pudeur des familles sur l'autel de l'Audimat ? Racolage méprisable ? David Pujadas, présentateur du « 20 heures » de France 2, revendique la méthode : « Bien sûr, nous jouons sur la corde sensible afin d'interpeller le téléspectateur. Mais une fois que nous l'avons "accroché", nous n'en restons pas là, nous donnons des infos. L'émotion n'est qu'un moyen de l'amener à s'intéresser à des thèmes éloignés de ses préoccupations. »

Il est vrai que l'« accroche » par l'émotion peut aider à

mettre une voix, un visage sur des informations qui, sinon, restent abstraites. Des chiffres, quelques bilans morbides énoncés sommairement au détour d'un journal... Depuis le temps que dure le conflit israélo-palestinien, qui ne s'est pas habitué à entendre tous les jours le décompte des victimes ? Quatre de plus, le 30 avril 2003, lors d'un attentat-suicide dans un bar de Tel-Aviv. Normalement, on en serait resté là. Mais quand, cinq jours plus tard, on découvre dans le « 20 heures » de France 2 le portrait d'une victime, le drame prend tout son sens.

Elle s'appelait Dominique Hess. C'était une jeune Française âgée de 29 ans. Elle travaillait dans ce bar comme serveuse. Par hasard, quelques instants avant l'explosion, une équipe de télévision tchèque l'avait interviewée. Elle confiait avoir échappé à un attentat deux ans auparavant, expliquait comment vivre sous une menace constante. Aucune crainte dans ses yeux. Son regard était rieur. Sans le savoir, elle laisse un testament : « Je ne crois pas que ce pays soit à moi sous prétexte que je suis juive, affirme-t-elle. Il ne le sera jamais même si j'y reste vingt ans. Ce pays appartient à ceux qui y sont nés, qu'ils soient palestiniens ou israéliens. » On écoute, bouleversé, son témoignage de paix. On sait que dans un instant sa vie va s'arrêter. Face à tant d'injustice, on est saisi d'horreur, révolté. Ces actes kamikazes, si souvent justifiés, expliqués par la détresse du peuple palestinien, deviennent inexcusables. La violence de Sharon également. Cette victime au nom de laquelle il ordonne une série de représailles apparaît si loin de ses idées ! Voilà ce qu'on se dit en voyant ces images – les yeux rougis de larmes, forcément.

Comme les photos bouleversantes de Don McCullin sur le quotidien des *boys* enlisés au Vietnam ont aidé l'Amérique à saisir toute l'horreur de ce conflit, l'émotion que suscite la télé en montrant ces images, juste avant l'attentat, nous aide à mieux comprendre, à nous intéresser à la spirale de haine qui règne en Israël.

Hélas, ces larmes qui stimulent l'intellect relèvent de l'exception. À la télévision, la tendance serait plutôt de mettre la dose pour susciter l'émoi, puis de nous laisser en plan, nous dépatouiller seuls avec nos sentiments ambigus. Quand le « 20 heures » de France 2[1], par exemple, diffuse ce témoignage d'un braqueur de voiture cagoulé qui exhibe fièrement son pistolet et rejoue devant la caméra son « mode opératoire », expliquant que sa bande jouit de complicités pour obtenir des cartes grises falsifiées, quel est le sens de tout ça ? S'agit-il de nous montrer un phénomène nouveau ? Pas du tout, puisque David Pujadas prend soin de préciser dans son lancement que le nombre de braquages de voitures reste stable. S'agit-il d'une entrée en matière destinée à aborder des problèmes de la police ou de la corruption de certains fonctionnaires ? Non plus, puisque les allégations du jeune homme ne donnent lieu à aucune contre-enquête. S'agit-il uniquement de faire trembler tous les propriétaires de belles voitures au fond de leurs canapés ? Là, pour le coup, c'est réussi.

Le reportage a choqué des téléspectateurs, qui ont écrit à la chaîne. Il a aussi fait l'objet d'un article très critique dans *Le Monde*[2]. Les responsables du « 20 heures » n'ont toutefois pas eu l'air de s'en soucier. « Ils ont compris, ou croient avoir compris, que pour grignoter TF1 il faut de l'émotion et des coups, explique sous couvert d'anonymat un journaliste de France 2. Ils partagent l'analyse que les gens aiment être choqués et vont préférer voir un programme qui les met en colère plutôt que quelque chose de plus neutre. Ils n'étaient d'ailleurs pas mécontents de la

1. « 20 heures » du 10 juin 2003.
2. 14 juin 2003.

polémique au sujet du braqueur car elle faisait parler d'eux. »

Mais la quête de sensations fortes peut provoquer de véritables dérapages. Dernier en date, le témoignage du défunt Djamel, travesti mythomane, diffusé dans le cadre de l'affaire Alègre. Entendu par les enquêteurs en même temps que des prostituées toulousaines, Djamel tombe sous l'objectif de TF1 et France 2. Que vaut son témoignage sur des soirées sadomaso impliquant des notables de la Ville rose ? Nul ne le sait. Mais certaines de ses allégations – il affirmait être le fils de Michael Jackson – auraient dû faire peser comme un doute dans l'esprit des journalistes qui enquêtaient sur le dossier. Le 23 mai 2003, cependant, le journal de TF1 diffuse son témoignage... sans un mot sur sa légère tendance à l'affabulation. En voyant cet extrait, la rédaction de France 2 décide de réagir et dégaine à son tour son interview de Djamel. Avec un scoop de plus : une séquence où le travesti affirme avoir reconnu la petite Marion – disparue à Agen en 1996 – au cours d'une de ces soirées. Un journaliste de la chaîne se souvient : « Constatant que nous avions en boîte des extraits que TF1 n'avait pas diffusés, nous nous sommes précipités pour passer l'interview dès le lendemain, et cela sans aucune précaution. Nous n'avions pas le moindre élément permettant d'étayer les allégations de Djamel. De plus, les parents de Marion que nous avions contactés n'étaient pas favorables à ce qu'on parle de leur fille. »

Rien à voir avec l'explication avancée par Olivier Mazerolle, directeur de l'information de France 2, dans *Le Point*[1]. On lui demande s'il n'a pas été entraîné par un effet de surenchère. « Non, pourquoi ? » répond-il, lapidaire. Puis, plus loin, à propos des parents de la petite

1. 27 juin 2003.

Marion – attention aux nuances : « Nous nous étions assurés auprès d'eux qu'ils ne voyaient pas d'objection à la diffusion de ce passage même s'ils n'en étaient pas heureux. Ensuite, ils sont revenus sur leur accord... mais c'était trop tard. » Autrement dit, c'est la faute à pas de chance !

Bourreaux et victimes

Où sont les limites de cette course aux frissons cathodiques ? Quand la machine s'emballe, les seuls à pouvoir mettre le holà ne sont pas les journalistes, mais les victimes elles-mêmes, malmenées dans ces grands déballages. Prêt à tout pour doper l'audience calamiteuse de son défunt magazine de société – *À tort ou à raison*, sur TF1 –, Bernard Tapie s'apprêtait, en janvier 2003, à recevoir « le premier pédophile témoignant à visage découvert », comme l'avait à l'époque révélé *Le Canard enchaîné*[1]. Également invités sur le plateau, le papa de la petite Marion – rien ne lui aura été épargné – et celui de la petite Estelle qui, raconte *Le Canard*, « découvrent le pot aux roses juste avant le tournage, en entendant Tapie enregistrer sa bande-annonce ». Illico, les deux pères claquent la porte, torpillant le face-à-face.

Un an auparavant, au printemps 2002, des familles de victimes avaient déjà eu droit à une confrontation tumultueuse sur un plateau de France 3. À l'époque, Marc-Olivier Fogiel étrenne un nouveau magazine de société, *Témoins extraordinaires*, lui aussi depuis rayé des grilles. Pour la première[2], il veut mettre toutes les chances de son côté en

1. 5 février 2003.
2. 12 mars 2002.

abordant un thème porteur – les tueurs en série –, avec un beau plateau bien garni. Pour pimenter le tout, une idée inédite est soulevée en conférence de rédaction : inviter, face aux familles de victimes, celles de *serial killers*. D'un côté les parents du petit Joris – assassiné pas Francis Heaulme –, de l'autre le père du tueur. Émotion garantie ! Face à l'hostilité de plusieurs journalistes qui s'insurgent aussitôt contre cette confrontation qu'ils estiment indécente, l'idée est cependant très vite abandonnée.

Mais les chefs imaginent une nouvelle séquence choc : inviter, face aux victimes éplorées, quelques esprits tordus fascinés par les tueurs en série. Nouveau débat dans l'équipe. Des journalistes protestent que leur présence n'apportera rien au débat, sauf du sensationnel. Rien n'y fait. On déniche une « milliardaire » fascinée par Francis Heaulme, Jane Eyland, qui viendra en plateau. Une équipe part aussi pour les États-Unis, tourner le portrait inédit d'un accro des tueurs en série pédophiles. L'original a poussé le vice jusqu'à demander à l'un de ces criminels multirécidivistes de lui peindre le portrait de son fils. L'œuvre est maintenant accrochée bien en vue sur le mur de son salon...

Une fois monté, le reportage est diffusé pendant l'enregistrement de l'émission. C'est alors que les choses tournent au vinaigre. Comme on pouvait s'y attendre, les victimes sont outrées. « L'une d'elles, très choquée, s'en est prise à Marc-Olivier Fogiel, confirme Frédérique Dantin-Mouton, l'avocate d'une famille présente sur le tournage. Les autres ont attendu la fin de l'émission pour protester. » La production supprimera finalement du montage les images scandaleuses. Marc-Olivier Fogiel, qui reconnaît aujourd'hui son « erreur », se défend cependant d'avoir voulu « faire du sensationnalisme à deux balles » : « Nous avons simplement essayé d'expliquer la fascination morbide exercée par les tueurs en série. » La pédagogie a bon dos...

2
La dérive des concepts

> « J'ai été séduite par la proposition de M6 de travailler pour un magazine qui proposait, avant mon arrivée, des reportages de bonne facture. Hélas, ça n'a pas duré. À la rentrée 1997, quand j'ai commencé, *Zone interdite* a glissé vers le divertissement, au détriment de l'information. C'était "la jet-set à Saint-Trop", "la jet-set à Courchevel". »
>
> Florence Dauchez,
> *Le Nouvel Observateur*, 8 janvier 2004.

À la télé, l'emballage promet souvent bien plus que le contenu. Quand Canal+ fait tout un battage autour de son nouveau magazine quotidien, *Merci pour l'info*, présenté par le réputé sérieux Emmanuel Chain, on s'attend naïvement à ce qu'il prenne d'assaut la grande actualité. Mais le jour de la première[1], en septembre dernier, déception. L'émission commence par une interview promo de l'actrice Ludivine Sagnier, suivie d'un reportage sur la mode des « lolitas » – ces gamines qui jouent aux grandes en se tartinant le museau de rouge à lèvres –, avant de se risquer, finalement, à aborder le cas d'Ingrid Betancourt, enlevée en Colombie. Un dosage plutôt léger en info au regard de

1. 1er septembre 2003.

la promesse du titre. Et il ne s'agit pas là d'un cafouillage isolé.

Sur France 2, l'inusable *Ça se discute* de Jean-Luc Delarue – dix ans d'antenne et 35 % d'audience[1], un des records de la chaîne – s'est taillé une réputation d'ambitieux magazine de société, alors qu'il se contente de décliner à longueur de saison quelques thèmes racoleurs : après « L'amour est-il plus fort que tout ? » (4 décembre 2002), « Pourquoi renoncer à l'amour de sa vie ? » (23 avril 2003) ; après « Sexe : les femmes ont-elles pris le pouvoir ? » (15 janvier 2003), « Faut-il sacrifier sa vie de femme à sa carrière ? » (18 juin 2003) ; après « Comment vit-on quand on a frôlé la mort ? » (12 février 2003), « Quelle vie pendant et après le coma ? » (26 mars 2003). Répétitifs et sans originalité, ces sommaires qui bégaient font pourtant s'extasier les experts du marketing télé, ces crânes d'œufs employés par les chaînes afin de passer au crible les grilles des concurrents et tenter d'en retirer les grandes lois de l'« audimatologie ».

À force d'observer Delarue pour tenter de percer le mystère de son succès, l'agence Carat TV en a conclu doctement que son secret était d'avoir progressivement évacué de ses sommaires tous les sujets « sociétaux », pour miser sur trois grands thèmes uniquement : la maladie, l'amour et la famille[2]. Des sujets touchant l'intime qui s'avèrent propices aux confidences et aux révélations télégéniques. Sous couvert d'ambitieux débats de société, ce sont donc encore les penchants voyeuristes qui sommeillent en chacun qu'on cherche à exciter. Mais l'emballage compte aussi. Avec son image de marque assez haut de gamme, son souci d'afficher sur grand écran, derrière ses invités, des citations de Sigmund Freud ou de Simone de Beauvoir, Delarue

1. Moyenne de la saison 2002-2003 sur les personnes de 15 ans et plus.
2. Voir aussi ses recettes de casting au chapitre 5 : « Témoin numéro 1 ».

flatte l'ego de son public. Contrairement aux vulgaires divertissements, il s'emploie à rester légitime en maintenant l'illusion qu'avec lui on s'édifie devant sa télévision. Explications d'un pro, qui souhaite garder l'anonymat : « Toutes les études démontrent que les thèmes racoleurs sont ceux qui dopent le mieux les audiences. En revanche, quand on interroge des panels de téléspectateurs, on se rend compte qu'ils ont honte de regarder ces programmes et affirment ne pas les apprécier en raison de leur mauvaise image. » Or, comme le veut le dicton, l'image d'aujourd'hui, c'est l'audience de demain. La plupart des magazines s'échinent donc à bâtir de subtilissimes dosages : de grandes promesses de contenu pour servir de caution, quitte ensuite à rabaisser d'un cran ses ambitions pour assurer l'audience au quotidien.

Alchimie des sommaires

Sur les chaînes commerciales, l'élaboration des sommaires répond dorénavant à des règles quasi scientifiques. Un peu de sens – l'alibi –, un peu de sexe et un brin d'émotion, nul n'est censé en ignorer la loi. Un ex-journaliste de *Combien ça coûte ?* – le célèbre *prime time* du tout aussi célèbre Jean-Pierre Pernaut sur TF1 – se souvient de ses conférences de rédaction : « L'exercice consistait à remplir tous les mois des cases prédéfinies selon des critères d'audience : quelques "scandales", si possible un gaspillage de l'État et une arnaque, à filmer de préférence en caméra cachée ; quelques sujets "paillettes", avec un reportage dévoilant le mode de vie des "riches", et, surtout, à la fin de l'émission, un peu de sexe pour pimenter le tout. Entre nous, on avait surnommé ce dernier sujet la "séquence rêve". » À l'antenne, le résultat est édifiant. Mois après mois, *Combien ça coûte ?* décline la même émission. Ainsi, le 21 mai 2003, on s'échauffe avec un reportage consacré aux « arnaques des comprimés brûle-graisses » qui ne font pas maigrir – enquête en caméra cachée, s'il vous plaît –, avant de passer par la case « gaspillages » avec un cas d'école – le projet d'un barrage pharaonique –, de visiter un superbe bateau de croisière, de rêver sur les robes de princesses des *Mille et Une Nuits* d'un couturier milliardaire, pour finir en tenue légère avec les défilés de maillots de bain sexy dans les bars de Saint-Tropez. On ne compte pas les gros plans suggestifs !

Et l'argent dans tout ça ? Pas de problème. Même quand il multiplie ces reportages déshabillés, Jean-Pierre Pernaut reste fidèle à son titre. Les défilés sexy ? Une idée astucieuse pour boucler ses fins de mois quand on n'est pas trop mal physiquement. Les serveurs taille mannequin des boîtes de nuit branchées ? Un petit job sympathique pour les jeunes adonis. Les voyages libertins dans des lieux de rencontre 100 % échangistes ? Des vacances originales [1]. D'ailleurs, combien ça coûte ?

Ce mélange d'informations *ultra-light* et de paillettes, cimenté par quelques bons reportages garantis « France d'en bas », a forgé le succès, à la fin des années 90, de toute une génération d'émissions : l'*infotainment* – de l'anglais *information* et *entertainment* (« divertissement »). À TF1, grande spécialiste du genre, il y a encore quatre ans, on ne jurait que par ça. Jean-Pierre Pernaut et son *Combien ça coûte ?* dépassaient 40 % de parts de marché. Julien Courbet, autre gourou de l'*infotainment* – *Sans aucun doute*, *Succès* –,

1. Ces reportages ont été diffusés respectivement le 6 novembre et le 4 septembre 2002.

flirtait régulièrement avec les 50 % – un téléspectateur sur deux ! Mais à force de tirer sur la ficelle, on finit par l'user. Après s'être gavés quelques années de ces sommaires formatés, les téléspectateurs ont frisé l'indigestion. *Sans aucun doute* a perdu plus de douze points d'audience en quatre ans. *Combien ça coûte ?*, près de neuf[1].

Aujourd'hui, la formule tend donc à disparaître au profit de la télé-réalité. Mais ce produit génétiquement modifié aura eu le temps de contaminer les émissions de reportage. Sur TF1, *Sept à huit*, le dernier né du genre, mélange scrupuleusement chaque semaine un zest d'infos sérieuses, une dosette de *people*, sans oublier une bonne louche de sujets de proximité – des « reportages concernants » comme on dit dans le jargon – pour ne pas déboussoler les ménagères chéries. Ainsi, au même menu que les jeunes Israéliens de Tel-Aviv, le magazine nous propose le concert de Céline Dion. Ou après un sujet lourd sur la guerre en Irak, il passe sans transition à une question plus légère : qu'est devenu Jordy[2] ? Grâce à ce panachage, *Sept à huit* bénéficie d'une audience excellente – 33 % environ, alors que la « case » est très disputée – et récolte les louanges d'Étienne Mougeotte, qui ne rate pas une occasion de se flatter du succès de cette émission qui « attire les jeunes vers l'information ». Enhardie, la rédaction se permet de plus en plus d'escapades en terrain difficile. Pour sa centième, elle s'est même autorisé un long reportage sur la vie quotidienne à Groznyï, en Tchétchénie[3].

Mais l'équilibre est précaire. Car dans la « case » exposée

1. *Sans aucun doute* a chuté de 47,2 à 34,6 % de parts de marché chez les 15 ans et plus entre 1999 et 2003. *Combien ça coûte ?* a vu ses parts d'audience des 15 ans et plus diminuer de neuf points en cinq ans, pour tomber à 31,5 %. (Source : Carat TV, juin 2003.)

2. 31 août et 28 septembre 2003.

3. 25 mai 2003.

du dimanche soir 19 heures, la direction de TF1 ne tolère aucune contre-performance. Aujourd'hui, elle laisse la bride sur le cou à Emmanuel Chain, le producteur de *Sept à huit*. Mais au moindre trou d'air on peut parier qu'elle lui imposera de réinjecter à haute dose les substances dopantes de l'Audimat – strass, paillettes, vie quotidienne... au risque de sacrifier le concept du magazine d'infos ! Ruth Elkrief, journaliste politique, en a fait la pénible expérience il y a juste quatre ans, avec son émission *19 Heures dimanche*. Partie la fleur au fusil avec des sujets de fond, comme la guerre au Kosovo et la fusion Total-Fina commentée par un invité de poids, Dominique Strauss-Kahn, alors ministre de l'Économie [1], ou encore les déboires du couple Tibéri à la mairie de Paris, suivis d'une interview du président algérien Bouteflika [2], elle a vite dérivé vers des sommaires de plus en plus légers, troquant ses invités politiques contre le coureur automobile Alain Prost ou l'actrice Tonie Marshall [3]. Entre-temps, la direction, mécontente de son audience, avait repris en main ses sommaires.

Le marketing contre le journalisme

Sur M6, les magazines de reportage – *Zone interdite* (société), *E = M6* (sciences) et *Capital* (économie) – sont soumis au même genre de contraintes. Avec un thème unique par émission, ils ne peuvent toutefois pas jouer le panachage des sujets comme le fait *Sept à huit*. La mise au

1. TF1, 5 septembre 1999.
2. 12 septembre 1999.
3. 20 février 2000.

point des sommaires n'en est donc que plus complexe. Pour l'équipe de *Capital*, l'émission phare de la chaîne, elle relève carrément de l'art de la contorsion. Tentée d'aller vers des sujets sérieux, comme le veut son concept de magazine économique, elle doit toutefois valider ses sommaires auprès du directeur des programmes, Thomas Valentin, dont les critères d'appréciation semblent souvent plus proches de ceux de la pub que de ceux de l'information.

Quand l'émission s'intitule « Réservé aux riches », ça passe *a priori* comme une lettre à la poste. Figure imposée au moins une fois par an, les « riches » restent un des thèmes chouchous de la direction, un de ceux qui réservent d'habitude d'excellents scores d'audience. Cependant, quand Thomas Valentin voit venir le menu de la mouture 2002, il s'alarme aussitôt. L'émission traite pourtant bien des riches, que des riches – à la chasse ou dans leurs belles maisons gardiennées –, mais la fibre marketing du patron des programmes est heurtée... « Ça manque de couleurs, de yachts, de cocotiers, de jolies filles... Il y a un vrai problème ! » critique-t-il aussitôt. Pas un mot, en revanche, sur les angles, la pertinence des sujets. Le patron s'intéresse avant tout à l'emballage. Prenant comme point de départ ce qu'il imagine être les désirs des téléspectateurs, il attend de ses reporters qu'ils se plient à cette contrainte. On est aux antipodes de la démarche journalistique, qui exige de partir du réel, des thèmes d'actualité qu'on estime importants de faire connaître au public, quitte ensuite à travailler la forme pour rendre l'info plus digeste. À M6, le choc des deux cultures ne se fait pas sans quelques anicroches.

Tous les quinze jours, la rédaction en chef de *Capital*, le service des études – chargé de passer au crible les audiences – et la direction de la chaîne, représentée en force par Thomas Valentin et le directeur de l'information

Philippe Labi, se réunissent en conclave pour définir les grands thèmes des émissions à venir. À chaque fois qu'une idée est lancée, « Monsieur Études » plonge le nez dans ses chiffres pour vérifier le résultat des émissions passées sur des thèmes approchants. Pour Thomas Valentin, c'est l'argument massue. « Dès qu'on sèche un petit peu, on est sûr qu'il va proposer une énième émission sur les petits commerçants ou l'immobilier, avec lesquels on est à peu près assuré de casser la baraque, explique un journaliste. En revanche, quand on propose quelque chose d'un peu moins évident, il faut se défoncer pour emporter le morceau, en sachant par avance qu'il existe certains mots à ne pas prononcer, faute de voir aussitôt la tête de Thomas Valentin s'allonger de trois pieds. » Exemple emblématique : les *start-up*. Au moment de l'engouement pour la Net-économie, ces entreprises *high tech* furent un des « bons filons » de *Capital*, un de ceux réputés faire de l'audience. Mais maintenant que la mode est passée, tout ce qui touche au domaine de la technologie est aussitôt jugé « masculin » *(sic)*, « segmentant » et « pas fédérateur » par la direction de la chaîne qui ne veut plus entendre parler de ces sujets. Autre postulat admis à l'unanimité au huitième étage – celui des grands patrons : les « pauvres » plombent les audiences car ils rendent les reportages « anxiogènes » *(sic)*, « déprimants » (re-*sic*).

Au risque de radoter et de lasser, M6 exige donc que *Capital* décline à longueur d'année un panel extrêmement limité de sujets : les jobs, l'immobilier ou la beauté – chacun traité en moyenne une fois par an –, ainsi que les vacances ou les « riches » – abordés jusqu'à trois fois par saison –, et cela même quand l'actualité impose d'autres événements.

Pendant la guerre d'Irak, en mars-avril 2003, alors que ses concurrents multiplient les spéciales en direct et dépêchent au prix fort des dizaines de reporters dans le Golfe, M6 n'envoie personne. Pas un seul journaliste. Tablant sur un effet de lassitude des téléspectateurs, la chaîne décide au contraire de miser une fois encore sur des sujets légers, distrayants, en vertu de son principe culte de la « contre-programmation ». Quèsaco ? Simplement aller à contre-courant de ce que font les autres chaînes pour doper son audience sans y laisser sa chemise. « Une logique d'ancien pauvre », comme aimait à le répéter le président du conseil de surveillance Jean Drucker [1], aujourd'hui décédé. Éprouvée depuis les débuts de la chaîne, avec des reportages le dimanche soir quand les autres passent un film, un journal de six minutes juste avant les « 20 heures », la recette est appliquée mécaniquement.

Dès que la guerre éclate, la direction reporte aux calendes grecques l'émission de *Capital* sur les patrons virés ou en prison, initialement prévue le 6 avril 2003. À la place, elle élabore dans l'urgence un sommaire plus *glamour* sur le business de la beauté, davantage susceptible, estime-t-elle, d'appâter toutes ces braves ménagères qu'on imagine fatiguées du spectacle déprimant de la guerre. Sur le papier la recette est payante. Pourtant, en dépit de reportages sexy en diable sur le bronzage, les « spas », le Botox et les crèmes en tout genre, l'émission ne fait qu'un score maigrichon – 3,9 millions de téléspectateurs et 16,4 % de parts de marché, alors que *Capital* est habitué à flirter avec les 18 %.

La chaîne a-t-elle déçu en négligeant à ce point de couvrir le conflit ? Les reportages, tournés à toute vitesse, étaient-ils moins forts que d'habitude ? Le sujet sur la beauté, simplement éculé à force d'être rabâché à longueur de saison sur toutes les chaînes confondues ? Toujours est-il

1. *Management*, décembre 1999.

qu'à la tête de la chaîne on admet difficilement que le marketing ait des failles : « Quand un thème imposé d'en haut fait un four, le premier argument est de dire que nous l'avons mal traité », explique un journaliste.

L'expérience montre pourtant que les téléspectateurs peuvent parfois apprécier les sujets jugés rébarbatifs à l'étage de la direction. Le reportage sur les patrons virés, précédemment reporté – « Quand les affaires tournent mal[1] » –, dont certains prédisaient en interne qu'il était « trop austère pour marcher », a eu un beau succès : 20 % de parts de marché, 4,2 millions de téléspectateurs. Plus surprenant encore, le score de l'émission sur les « pauvres », « Petits revenus, gros business[2] », arrachée de haute lutte par l'équipe de *Capital*. Au menu, les supermarchés *discount*, Emmaüs, le RMI, suivis d'une grande enquête sur les logements insalubres. Pas la moindre jolie fille en tenue olé olé, pas le moindre palmier ni la moindre maison de rêve. En dépit de ce menu à vous faire clignoter tous les voyants d'alarme au service des études, l'émission a fait un vrai carton : 21,5 % de parts de marché. Trois points de plus que d'habitude.

Mais le point faible de ces sujets austères est qu'ils font prendre des risques à la chaîne. Plus rarement abordés, réputés moins « porteurs », les services des études ont du mal à évaluer d'avance leur potentiel d'audience. Les annonceurs aussi. Pour les chaînes commerciales, c'est une raison suffisante d'éviter de s'y aventurer, en dehors de quelques coups d'image. Malgré de jolis succès, ces émissions restent donc et resteront du domaine de l'exception !

1. Diffusion le 4 mai 2003.
2. Diffusion le 22 octobre 2000.

Un pied dans le Sahel, un autre à Coco Beach

Quand ils zappent sur le service public, les téléspectateurs s'attendent généralement à ce que ces tiraillements entre la logique marketing et celle de l'information soient un peu moins présents. En fait, c'est tout le contraire ! Car si Étienne Mougeotte et Nicolas de Tavernost, le président du directoire de M6, n'ont pas trop de scrupules à se gargariser à longueur d'interviews de leurs résultats d'audience, négligeant le contenu, l'attitude des patrons du public est beaucoup plus ambiguë. Bien que soumis, eux aussi, à la loi de l'Audimat, ils affichent pour chacune de leurs émissions des objectifs ambitieux : *Vie privée, vie publique* (France 3) fait miroiter de grands débats de société, *Envoyé spécial* (France 2) du grand reportage d'information, et *Tout le monde en parle* (France 2) de la culture grand public. Mais cela n'empêche pas ces magazines de prendre quelques libertés avec leurs belles promesses.

Depuis douze ans qu'il occupe la case très disputée du jeudi première partie de soirée, *Envoyé spécial* est devenu un des meilleurs alibis de France 2. À chaque grande crise de doute concernant l'ambition d'informer de la chaîne, à chaque fois qu'on s'interroge sur le risque d'une dérive commerciale, ses responsables nous dégainent *la* cartouche. Preuve que « les magazines d'information ont toute leur place à France 2 », affirmait Michèle Cotta – ex-directrice générale. « Étendard de la chaîne », « le plus important des magazines », claironne Olivier Mazerolle [1] – directeur de la

1. Interview accordée au *Monde* le 10 juillet 2001, peu de temps après sa nomination à la tête de la rédaction de France 2.

rédaction. C'est à ce genre de phrases qu'on mesure l'envergure de la mission qui pèse sur les épaules des deux pauvres journalistes en charge de l'émission, Guilaine Chenu et Françoise Joly. Seul détail qu'omettent systématiquement de préciser leurs patrons quand ils s'expriment dans la presse : avoir le privilège d'une diffusion hebdomadaire à 20 h 50 impose de se maintenir à un niveau d'audience relativement élevé. Certes, aucun objectif n'est clairement imposé. Mais depuis qu'elles ont repris, au printemps 2001, le flambeau du tandem Nahon-Benyamin – créateur de l'émission –, les deux rédactrices en chef se démènent chaque semaine pour flirter avec 18 % de parts de marché [1]. À cette heure de grande écoute, cela implique de séduire au bas mot 3,5 millions de téléspectateurs. Un objectif difficile à atteindre. D'autant que, depuis quatre ans, le magazine doit se battre contre une concurrence féroce dans les crémeries d'en face. En plus de la télé-réalité sur M6 – *Loft Story*, *Popstars* –, il prend de plein fouet les héros récurrents des séries de TF1 – Julie Lescaut, Navarro – et, depuis près d'un an, des films à gros budget sur Arte.

Pour enrayer la chute de leurs parts de marché – moins quatre points entre 1999 et 2003 sur le public de plus de quinze ans –, les deux jeunes femmes ne seraient-elles pas tentées de faire des concessions à l'audience ? Françoise Joly dément. Pourtant, on repère des indices perturbants. La diffusion du portrait de Cécilia Sarkozy [2], la femme de Nicolas, a valu à la chaîne une volée de bois vert. Après le tir de quelques députés socialistes fustigeant le côté « incroyablement complaisant » de ce « publi-reportage » [3],

1. 18,2 % de parts de marché chez les téléspectateurs âgés de 15 ans et plus pour la saison 2002-2003 (source : Médiamétrie).

2. 19 décembre 2002.

3. *Libération*, 10 janvier 2003 ; *Le Point*, 17 janvier 2003.

selon Didier Mathus, la direction de la chaîne s'est justifiée d'une façon bien curieuse. Plutôt que défendre le mordant de son sujet, le sérieux de son enquête, elle s'est contentée de plaider « la longue tradition de reportages consacrés par *Envoyé spécial* aux épouses de personnalités, qu'il s'agisse de Sylviane Agacinski [Mme Jospin], de Bernadette Chirac ou de Niza Chevènement », des portraits diffusés pendant la campagne de la présidentielle 2002. Décodage : ce n'est pas notre premier reportage flagorneur. Vétéran de l'info sur la chaîne, la journaliste Arlette Chabot commentait : « Quand on fait du *people [sic]*, c'est une fatalité. Le reportage tourne toujours à l'avantage de celui qui accepte d'être filmé. Il suffit de regarder *Paris-Match* pour comprendre le principe. » *Paris-Match !* On pensait regarder, chaque jeudi, le premier magazine d'information de la première chaîne publique, et voilà qu'on le compare à *Paris-Match*, hebdomadaire réputé pour son ton extrêmement bienveillant... et ses succès en kiosque. « Certains ont soupçonné Françoise et Guilaine d'avoir eu des arrière-pensées politiques. C'était une erreur. Elles ont simplement cherché à faire de bonnes audiences avec les Sarkozy, sans se rendre compte qu'elles faisaient du *glamour* à partir d'un sujet extrêmement politique », ajoute Marcel Trillat, journaliste à France 2. En dépit d'une audience excellente – 4,9 millions de fidèles en moyenne ce soir-là –, les téléspectateurs ne furent pas dupes. Certains s'en plaignirent auprès du médiateur de la chaîne, Jean-Claude Allanic, qui consacra une émission au sujet. Dans *Le Monde*, un peu plus tard, au courrier des lecteurs, autre cri d'indignation : « Qu'est-il advenu de la ligne éditoriale d'*Envoyé spécial*, de la prétendue exigence du service public ? » se lamente un fidèle, excédé par « l'absence de sujets de fond de plus en plus fréquente »[1].

Éternel mythe de l'âge d'or ou dérive avérée vers des thèmes de plus en plus futiles ? Pour en avoir le cœur net, reprenons les sommaires du magazine au fil de plusieurs saisons. En dehors d'un intérêt constant pour les thèmes de société estampillés « vendeurs » – éducation, drogue, prison –, ils révèlent de vraies évolutions. Il y a cinq ans, par exemple. Ce n'est pas vieux, mais à l'époque la pression de la concurrence était beaucoup moins forte. Paul Nahon et Bernard Benyamin programmaient alors régulièrement des reportages sur l'Afrique : sept durant la seule saison 1998-1999, dont toute une émission spécialement consacrée à ce grand continent oublié[2]. Ils proposaient également de découvrir des aspects peu connus de la société américaine, indienne ou russe. Sur l'ensemble de la saison, on dénombrait ainsi, en plus des reportages d'actualité sur la guerre au Kosovo, une trentaine de thèmes plus « froids » concernant l'étranger[3]. Quatre ans, deux *Loft* et deux *Popstars* plus tard, ces sujets pudiquement qualifiés de « difficiles » dans les chaînes – traduisez : peu porteurs d'Audimat – sont devenus marginaux. En dehors de la guerre en Irak, des attaques terroristes et de la pneumopathie atypique – des événements déjà ultra-médiatisés –, les reportages de société consacrés aux pays étrangers ne passionnent plus vraiment nos « envoyés spéciaux » : au total

1. *Le Monde* Supplément télé, 10 mai 2003.

2. « Afrique du Sud : la vérité et le pardon », « Soudan : la piste des esclaves », « Juste après la guerre » (Congo), « Les enfants de Jean-Marc Guillou » (formation des équipes de foot en Côte-d'Ivoire) ; spéciale Afrique (18 février 1999), comprenant trois sujets : « Sierra Leone à feu et à sang », « Mama Daktari » (aide humanitaire au Kenya), « Animaux : le marché sauvage » (trafics de braconniers).

3. Outre les sept reportages sur l'Afrique, il y avait cette année-là (sep-

une quinzaine durant la saison 2002-2003 [1] – c'est-à-dire environ deux fois moins qu'en 1998-1999. Et encore, sur des thèmes prolongeant bien souvent la « grosse » actualité : exécutions sommaires en Irak, islamisme radical au Maroc, femmes en Afghanistan… L'Afrique subsaharienne, quant à elle, a pratiquement disparu des sommaires : deux reportages seulement, sur des thèmes concernant d'assez près les intérêts des Français : la crise en Côte-d'Ivoire, les réseaux islamistes en Somalie. Un autre sur les Cool Crooners, un groupe de papis chanteurs du Zimbabwe bien connu des amateurs de rythm'n'blues. Parallèlement, les thèmes économiques ont connu le même sort : trois malheureux sujets

---

tembre 1998-juin 1999) au sommaire : « La mafia russe », « L'éducation à la japonaise », « Algérie : histoire de femmes », « USA : une jeunesse sous surveillance », « Négociations secrètes » (le pape et Gorbatchev), « USA : la guerre à la marijuana », « Pakistan, Inde, Népal : travail et exploitation sexuelle des enfants », « L'enfance au travail » (Grande-Bretagne), « Nicaragua : l'aide en question », « La baronne et la mafia » (Italie), « Mensonge et vidéosurveillance » (espionnage de nounous aux États-Unis), « Les aventurières de Dieu » (soins aux lépreux en Inde), « USA : le rock chrétien », « Hillary : une femme d'influence », « Mafia : les repentis », « Les oubliés de Vorkouta » (Russie), « Des hôpitaux pas comme les autres » (Inde), « La cité des femmes mortes » (Mexique), « Noblesse russe », « Meurtre de femmes » (condition de la femme au Pakistan), « Polygames au nom de Dieu » (les mormons aux États-Unis), « La route de la drogue » (Tadjikistan).

1. *Envoyé spécial* privilégie désormais le traitement des « grosses » actualités : une vingtaine de reportages sur la crise irakienne, une émission spéciale pour l'anniversaire du 11 septembre, un reportage à la suite des attentats à Bali, un autre sur la pneumopathie à Hanoi. Durant la saison 2002-2003, les reportages de société concernant l'étranger traitaient des thèmes suivants : « Les négociateurs » (intervention de la police lors de prises d'otages aux États-Unis), « Des armes et des larmes » (port d'armes aux États-Unis), « La ruée sur l'ADN au Brésil », « Carnet de Somalie » (enquête sur des islamistes somaliens), « Un lycée au pas » (lycée américain dont la discipline est confiée à des militaires), « Zarmina » (situation des

durant la saison 2002-2003, contre huit quatre ans auparavant, dont plusieurs sur le commerce mondial[1].

Quand on évoque le sujet avec Françoise Joly, on commence par se faire vertement renvoyer dans ses buts : « On a traité des trafics d'enfants esclaves dans les plantations de coton. On est les seuls à "faire" la Somalie. On a diffusé des portraits de chanteurs africains. Voilà des sujets étrangers. » Elle reconnaît pourtant que « le contexte a changé depuis 1991 », date de création du magazine : « Il nous arrive encore de traiter de sujets peu médiatiques. Mais c'est vrai qu'on essaie d'être plus réactifs, de rebondir sur les gros événements, comme les guerres en Irak ou en Afghanistan, car le public est demandeur de clés pour décrypter l'actualité. »

Exit donc la sensibilisation aux conséquences mondiales de l'ultra-libéralisme, à la pauvreté, aux problèmes de l'Afrique, sauf s'ils sont propulsés à la une des journaux, ou encore si les pauvres en question exercent la profession

---

femmes en Afghanistan), « Mensonges et vérité à Bagdad » (enquête sur des exécutions sommaires en Irak), « Les enfants esclaves d'Haïti », « Blancs d'Ivoire » (la crise en Côte-d'Ivoire), « Le père de Kaboul » (accueil par un père dominicain d'enfants abandonnés), « Colombie : un an sans Ingrid [Betancourt] », « Une semaine à la Maison-Blanche », « Un voile sur le Maroc » (le Maroc tenaillé par l'islam radical), « Les justiciers d'Ekaterinbourg » (lutte contre la drogue en Russie), « La colère du Stromboli », « Chine : les oubliés du sida ».

1. Les reportages répertoriés au cours de la saison 2002-2003 sont : « Made in China » (condition de vie des ouvriers chinois fabriquant les jouets), « L'affaire Gemplus » (le leader mondial de la carte à puce en crise) et « Tek en stock » (conséquences de l'engouement pour les meubles en tek). Pour la saison 1998-1999 : « Alerte au bug informatique », « Les nouveaux métiers » (emploi, services de proximité), « La méthode Toyota », « Les cadres », « Réaction en chaîne » (économie de la télé), « La crise du porc », « La guerre des basquets », « La guerre des bananes » (commerce mondial), « Soif de vendre » (le marketing de Coca-Cola), « Planète blue-jeans ».

de... prostituées. Ukrainiennes, lyonnaises ou tibétaines, victimes de leurs parents ou de réseaux mafieux, elles ont dès le début eu l'honneur des sommaires d'*Envoyé spécial*. Maintenant ce n'est plus de l'amour, c'est de la rage. Quatre reportages sur la prostitution diffusés en à peine une saison, dont un, « Les trottoirs de la colère », tourné à l'occasion du projet de loi Sarkozy et programmé deux fois à six mois d'intervalle [1]. Les esprits mal placés suggéreront que la multiplication des gros plans de soutiens-gorge, minijupes et autres accessoires du racolage passif n'est peut-être pas pour rien dans cette folie furieuse.

Autres thèmes à avoir le vent en poupe : l'amour et la famille. Baptisés « sujets miroirs » par les pros, ils permettent à chacun de se projeter, voire de grappiller des idées pour sa vie quotidienne. Des histoires « proches des gens » – le mot magique à la télé – mais qui peuvent également faire rêver : presque comme notre vie, mais peut-être un peu mieux. Dans *Envoyé spécial*, personne n'est oublié : célibataires et battantes ? « Les célibattantes ». En quête de l'âme sœur ? « L'amour à tout prix ». Sexagénaires souhaitant faire de nouvelles rencontres ? « La fièvre du mercredi midi ». Pères de famille modernes ou jeunes femmes désirant transformer leur moitié en papa modèle ? « Les nouveaux papas ». Midinettes de 12 ans et mamans de « lolitas » excédées ? « Sous de grands airs ». Et que faire du petit frère ? « Les jolies colonies de vacances » [2].

1. 7 novembre 2002 et 8 mai 2003. Les autres reportages sur la prostitution diffusés cette saison sont : « Ukraine : sur la piste de l'esclavage sexuel » et « Les trottoirs de Lhassa » (prostitution au Tibet).

2. Les reportages de « proximité » répertoriés sur la saison 2002-2003 sont les suivants : « Les célibattantes », « L'amour à tout prix », « La fièvre du mercredi midi », « Les nouveaux papas », « Sous de grands airs », « Les jolies colonies de vacances », « Salut la parenté » (reportage sur la mode de la généalogie amateur). À titre de comparaison, en 1998-1999 *Envoyé*

Faciles à avaler, agréables à regarder, ces sujets vie privée se consomment comme de gros *marsh-mallows*. Face à l'excès de glucose qui nous guette, une seule question cruciale : à quand l'indigestion ? Pour l'instant, du fond de leur canapé, les téléspectateurs en redemanderaient une dose. Argument ? Une des émissions les plus *light* de la saison 2002-2003, avec au sommaire « Les nouveaux papas » et « Les jolies colonies de vacances » – diffusée le 1er mai –, a fait une bonne audience : 20 % de parts de marché, 4 millions de téléspectateurs. « Ce ne sont pas des idiots, tous ces gens », se défend Françoise Joly, qui refuse de se « priver de sujets plus légers, même si la vocation d'*Envoyé spécial* reste de faire du lourd *[sic]* ». Et n'allez pas prétendre que tout cela résulte de la pression de l'Audimat : « Personne ne nous met la pression. Personne ne nous demande rien. Olivier Mazerolle [le directeur de l'info] est le premier à relativiser quand on est déçus par un résultat », réplique-t-elle du tac au tac. Quelques minutes plus tard, cependant : « Si *Envoyé spécial* tombait à 10 ou 12 % de parts de marché, on ne pourrait pas rester en *prime time*, ça, c'est sûr. » 12 % de parts de marché à 20 h 50, ça représente pourtant près de 2,5 millions de téléspectateurs. Au cinéma, quand on atteint un tel nombre d'entrées, on débouche le champagne et on tartine des dizaines d'articles dans la presse. Mais à la télé française, où l'audience est ultra-concentrée, 2,5 millions de personnes devant leur petit écran en un soir deviennent quantité négligeable.

---

spécial n'avait diffusé qu'un reportage sur les thèmes touchant à la famille et à la vie privée : « Les frontières de l'amour » (divorce et garde des enfants).

Le poids de la clause d'audience

Envoyé spécial étant produit en interne par France 2, le magazine n'est pas soumis à des objectifs chiffrés. La plupart des producteurs extérieurs, en revanche, s'engagent contractuellement à remplir une clause d'audience, leur fixant noir sur blanc par contrat des parts de marché planchers sous lesquelles ils ne doivent pas tomber. Généralement, ce minimum correspond à la moyenne de la chaîne – 17 % pour France 3, 21 % pour France 2. Une épée de Damoclès qui n'incite pas à la témérité. Au contraire ! Suspendus à leur contrat saisonnier, cauchemardant à l'idée de perdre leur place au soleil, les producteurs de France Télévisions ont comme premier souci d'assurer leur audience. L'ambition du contenu passe après.

Le responsable d'une émission de France 3 se justifie en rappelant les déboires de Michel Field avec son magazine *Ce qui fait débat* : « Il allait vers des thèmes toujours plus difficiles sans vraiment se soucier de l'audience. On a vu le résultat. » Même si, officiellement, l'arrêt de l'émission au mois de juin 2001 a été présenté par la chaîne comme relevant d'une « nouvelle orientation éditoriale pour les magazines et les débats », lui n'en croit pas un mot : « Il y a toujours un côté mondain dans les relations avec la chaîne. La question de l'audience est rarement abordée ouvertement. Mais il faut décoder les petits signes, les petites réflexions. Michel Field, lui, l'a compris trop tard. » À l'époque de son départ, l'animateur philosophe, aujourd'hui recasé sur France 2, avait lui-même ouvertement dénoncé dans la presse[1] le « double langage » du

1. *Le Figaro*, 27 avril 2001.

service public. Évoquant une de ses émissions consacrée au sida, « la première en *prime time* depuis le Sidaction », il expliquait : « [À l'enregistrement] les participants sortent les larmes aux yeux, Bertrand Mosca [le directeur des programmes] y compris. Quinze jours plus tard, son conseiller me lance : "Avec le sida, tu as drôlement fait baisser ta moyenne !" »

Voilà le genre de naïvetés que n'ont pas les vieux routiers de la chaîne, telle Mireille Dumas. Aux manettes de *Vie privée, vie publique* – en *prime time* sur France 3 –, elle mitonne ses sommaires avec la plus grande prudence. Son concept – débattre des interférences entre les choix privés et la contrainte sociale – lui permet théoriquement de traiter tous les sujets de société. Mais après quelques timides incursions dans la sphère des questions dérangeantes – discrimination raciale ou patrons en prison pour abus de biens sociaux[1] –, elle s'est vite rabattue sur les sempiternels thèmes ramasse-ménagères, à savoir l'amour et la famille : « Naissances sous X », « Changer de vie », « Frères et sœurs : amour ou rivalités ? », « Y a-t-il un âge pour s'aimer ? »[2]... En outre, elle s'évertue à mettre en scène dans ces sujets plusieurs générations pour avoir le maximum de chances de rassembler toute la famille, jeunes comme vieux, devant le poste.

Régulièrement, l'équipe de Mireille Dumas a pourtant envisagé d'aborder des sujets douloureux tels que l'euthanasie. Bien que le débat ait resurgi plusieurs fois à la une de l'actualité – suicide de la mère de Lionel Jospin, SOS d'un jeune handicapé, Vincent Humbert, souhaitant qu'on mette fin à ses jours –, le projet fut enterré. « Il aurait été

1. Émissions diffusées respectivement les 31 et 17 octobre 2000.
2. Émissions diffusées respectivement le 27 février 2001, les 29 janvier, 23 avril et 28 mai 2003.

parfait pour une deuxième partie de soirée, confie un journaliste. Mais consacrer une émission entière à une question aussi lourde, en *prime time*, quand il faut attirer les enfants, la grand-mère... on ne le sentait pas. » Par-dessus le marché, il arrive également que ce soit la chaîne elle-même qui freine des quatre fers quand elle voit se profiler un sujet un peu trop « segmentant ». « On avait proposé, au moment où le débat faisait rage, une émission sur la violence en banlieue. France 3 l'a retoquée : "Trop axé sur les jeunes !" Quelques mois plus tard, ce fut au tour d'un thème sur les retraites de passer à la trappe : "Trop centré sur les vieux !" », se souvient un journaliste.

La culture « glamour »

Quand ils entendent le mot « culture », les patrons de chaîne sortent leur zappette. Plus encore que le grand reportage ou le débat politique, ce domaine, jugé inaccessible, est censé faire fuir le grand public. Focalisées sur l'audience, TF1 et M6 ne se donnent même plus la peine de faire semblant de s'y intéresser [1]. Seul le service public doit s'y coller, car son cahier des charges lui impose de « diffuser des émissions régulières consacrées à l'expression littéraire, à l'histoire, au cinéma et aux arts plastiques ».

Passons sur l'artifice, un tantinet malhonnête, qui

1. *Vol de nuit*, l'émission littéraire de Patrick Poivre d'Arvor diffusée tous les quinze jours autour de minuit et demi, est le seul programme culturel de TF1. Sur M6, la culture se résume au magazine de cinéma du dimanche matin, *Grand Écran*, axé sur les superproductions hollywoodiennes et les films pour jeunes.

consiste à programmer ces émissions culturelles à pas d'heure, quand les travailleurs fourbus dorment d'un sommeil de plomb. Des *Mots de minuit*, sur France 2, démarrent généralement après 1 heure du matin, quand l'Audimat ne compte plus. Programmé le mercredi à 23 h 30 sur France 3, Franz-Olivier Giesbert, avec *Culture et Dépendances*, est un peu plus exposé. Dispensé de clause d'audience, le « veinard » peut toutefois se payer le luxe de tourner à 7 ou 8 % de parts de marché en invitant l'acteur-metteur en scène de théâtre Philippe Caubère ou le philosophe Jacques Derrida. Quant à *Campus*, le *talk-show* littéraire animé par Guillaume Durand, malgré son titre universitaire et sa brochette de critiques parisiens, il tourne le plus souvent au débat de société. Les livres ne servent alors que de prétextes à des joutes oratoires sur des thèmes d'actualité : guerre en Irak, tempête judiciaire autour de plusieurs « affaires », ou « destins hors du commun ».

Mais tout cela n'est rien comparé aux objectifs d'audience que doit remplir *Tout le monde en parle* de Thierry Ardisson, l'émission culturelle (mais oui !) la plus en vue de la chaîne. Tel un VRP sommé de placer son quota de contrats d'assurances, le bateleur du samedi doit rassembler – c'est inscrit dans son contrat –, en moyenne, plus de 22 % de téléspectateurs. Pour réussir ce tour de force, Ardisson a opté pour une définition élastique de la culture, invitant par exemple, sous l'étiquette « écrivain », la « star du X » Ovidie, sous prétexte qu'elle a sorti un bouquin, ou le provocateur Thierry Messang, qui affirme que les attentats du 11 septembre furent un coup monté de la CIA. Peut-être trouverez-vous un peu gonflé de ranger ce barnum dans la catégorie pompeusement baptisée « émissions culturelles » ? Mais c'est ainsi que les responsables de France Télévisions voient les choses. Un jour où elle était méchamment alpaguée par le magazine *Livres-Hebdo* [1] sur la place de la culture à la télévision, Michèle Cotta, ex-responsable des programmes de France 2, fit cette réponse riche d'enseignements : « De plus en plus souvent le mot "émission culturelle" fait figure de repoussoir. » Et de poursuivre : « France 2 aborde les débats, la création, les livres à sa manière, qui n'est ni celle d'Arte ni de Paris Première. Même dans les domaines les plus élitistes nous devons nous adresser à tous. » Conclusion de la dame : « Ardisson, c'est culturel. » « Ruquier, c'est culturel »...

Mais pour tenir son rang auprès de ceux qui ne parlent pas la « novlangue » de France 2, l'animateur en noir sait aussi, de temps en temps, taper dans le haut de gamme. Un coup dans le racolage, à la mode télé Berlusconi, pour retenir l'attention du zappeur impénitent, un coup dans le débat de fond pour l'image : depuis le lancement de *Tout le monde en parle*, fin 1998, Ardisson joue à Dr Jekyll et Mr Hyde.

Quand on regarde, avec recul, les émissions des débuts, on mesure cependant la dérive des concepts. À l'époque, Ardisson recevait déjà des jolies filles, des *people*, tout le tintouin, mais il lui arrivait alors régulièrement d'aborder longuement et en détail le contenu d'un spectacle ou d'un film. Un sommaire de fin 1999 ? La soirée commence par la critique d'une pièce de théâtre – de boulevard, mais quand même. Ardisson en commente le contenu avec Michèle Bernier, son auteur, puis accueille un second couteau de la politique, Renaud Muselier, candidat – qui s'en souvient – à la présidence du RPR. Ce n'est qu'après l'avoir minutieusement questionné sur les querelles intestines de son parti qu'il fait entrer Marc Lavoine et Lio [2]. À la revoir,

1. Interview publiée le 2 février 2001.
2. 9 octobre 1999.

on a presque l'impression d'être devant une émission « sérieuse », esprit service public.

Imperceptiblement, de mois en mois, l'ambiance dîner en ville d'Ardisson devient pourtant de plus en plus scabreuse. Les invités, y compris les notables, doivent passer par la case « bizutage », pris sous un feu de questions très en dessous de la ceinture. Le pauvre Michel Rocard[1], sommé de diagnostiquer si « sucer, c'est tromper », en ressort mort de honte. Parallèlement, une nouvelle catégorie d'invités envahit le plateau : des jeunes femmes dont l'intérêt télévisuel tient davantage à la profondeur de leur décolleté qu'à leur talent littéraire. Après les top-modèles, fin 2001, c'est au tour des fameuses « stars du X » d'être conviées sous des prétextes divers : Julia Channel (15 septembre), Estelle Desanges (20 octobre), Laure Sinclair (17 novembre). Comme si ça ne suffisait pas, Ardisson, jamais à court d'idées pour chauffer les ambiances, fait appel, au printemps 2002, aux services de deux « bimbos », Thalia et Titia. Appliquant à la lettre les recettes éprouvées de la télé italienne – où les filles dénudées se trémoussant sur les tables sont un des grands *gimmicks* –, les deux belles font un petit tour de piste en début d'émission. L'audience est au sommet (33 % auprès des 15 ans et plus). Mais l'image de notre asticoteur de *people* dégringole.

Conséquence, à la rentrée 2003, changement de cap : *Tout le monde en parle* redevient plus haut de gamme. *Exit* les deux pin-up, les invités trop *trash*. Avec Marc Teissier, le patron de France Télévisions, Ardisson explique avoir « décidé de relever le niveau de l'émission pour sa longévité ». Jolie série d'articles dans les magazines télé. Meilleure réputation. Le problème, c'est qu'en face, chaque samedi, la série policière de TF1 réalise de beaux scores et grignote

1. 31 mars 2001.

son audience, qui tombe à 28 %. En plus de Bernard Kouchner, Edwy Plenel, Christine Angot, Quincy Jones (la classe !) ou même Eddy Mitchell, l'animateur décide donc de ressortir de temps en temps l'archétype de la belle-fille-à-qui-on-peut-s'amuser-à-poser-des-questions-déplacées. Si elle rougit, bingo ! Si elle surenchérit, elle passe pour une cochonne. À tous les coups ça paie. Et quand elles déboulent à quatre, comme les Bonds, un *girls band* australien [1], on ne sait plus où donner de la tête. « Est-ce que vous aimez le sexe ? la drogue ? Ça vous brancherait, un plan à sept ? » Imparable pour découvrir les petites faiblesses des demoiselles, mais pas terrible pour les amener à parler de leur musique, abordée comme souvent en deux mots : une vague présentation et un extrait, tournée promo oblige, de leur clip vidéo. Voilà qui est un peu court venant de quelqu'un qui a décroché le Sept d'or de la « meilleure émission culturelle » en 2000.

Ne serait-il pas possible de revenir à la recette des débuts ? Avec moins d'invités – généralement sept ou huit, contre plus de dix aujourd'hui –, des interviews plus longues, plus de fond ? Du point de vue de Thierry Ardisson, la chose est impossible : « La banalisation des *talk-shows* – Marc-Olivier Fogiel, Cauet [de l'Ardisson à la sauce TF1] – a changé la manière de les regarder. Le public est devenu plus zappeur. Dès qu'on reste plus d'un quart d'heure sur le même invité, il décroche. On est donc obligé d'accélérer le rythme, d'abréger les interviews. » Que la loi de l'audience est cruelle, y compris avec ceux qui en sont ses meilleurs serviteurs.

1. 1er février 2003.

L'overdose de « people »

Que l'on parle du divorce, de l'adultère ou de la mode dans les cours de récré, le summum du *glamour* cathodique, le *nec plus ultra* de la télé est de garnir son plateau d'une tripotée de *people* : acteurs, chanteurs ou mannequins, susceptibles de mettre leur grain de sel quel que soit le plat du jour. Avec eux le *deal* des producteurs est très clair : « J'assure la promotion de ton spectacle ou de ton film, même s'il n'a rien à voir avec le thème traité. En échange, tu apportes une touche de paillettes à mon plateau. » Sur le fond, leur présence est parfois incongrue. Mais qu'importe ! Ça fait des têtes connues. Un bon moyen, imagine-t-on, de rattraper le zappeur par le fond du pantalon. Pour tenter de grappiller quelques points d'Audimat, les producteurs télé se sont donc progressivement convertis à la formule.

Après les *talk-shows* et les divertissements, les *people* colonisent les plateaux des magazines d'information et des débats de société, où, en plus de la parole des « vrais gens » – tarte à la crème des années 90 –, on nous sert désormais celle de personnes connues. Grande prêtresse des séances de confessions collectives, Mireille Dumas compte parmi les accros du *people*. Quel que soit le thème de son émission *Vie privée, vie publique*, elle se débrouille pour en convier deux ou trois minimum. Et ce sous les prétextes les plus alambiqués. Chargé de « jouer le rôle du candide », *dixit* Mireille Dumas, l'humoriste Pierre Palmade s'est ainsi retrouvé à commenter deux heures durant le témoignage d'une palette d'invités allant d'Élisabeth Teissier à Christine Deviers-Joncourt [1]. Trois ans plus tard, il acceptait de revenir expli-

1. 3 octobre 2000.

quer à la même Mireille Dumas les raisons pour lesquelles il choisit de passer ses vacances à Marrakech. Des détails pour le moins éloignés de son travail d'humoriste !

De peur de galvauder leur image en parlant à tort et à travers, beaucoup de stars refusent pourtant ce genre d'invitations. Gérard Depardieu, par exemple. Tous les producteurs télé se damneraient pour l'asseoir à leur table, mais lui « n'accepte que les émissions de cinéma et le plateau du "20 heures" », selon l'agent d'un de ses derniers films. Il fait bien quelques petites exceptions quand les festivités sont entièrement à sa gloire, comme *Vivement dimanche* de Michel Drucker (France 2), qui lui a consacré une émission le 19 octobre 2003. Mais difficile de l'envoyer répondre à l'interview « mensonge » ou « ni oui ni non » sur le plateau de Thierry Ardisson. Et encore moins de parler de son triple pontage sur celui de Mireille Dumas. Parmi les acteurs français, il n'est de loin pas le seul dans ce cas. Catherine Deneuve ou Isabelle Adjani, elles non plus, ne mettent jamais un orteil sur le plateau d'un *talk-show*. Cette dernière s'en est même fait une ligne de conduite : « Je n'ai pas envie de participer à des émissions-interrogatoires qui exigent des prestations réglées [1] », affirme-t-elle. Aussi, lorsque Adjani s'est retrouvée avec Gérard Depardieu à l'affiche de *Bon Voyage*, de Jean-Marc Rappeneau, faute de pouvoir compter sur les deux monstres sacrés pour la tournée promo, il a fallu se rabattre sur un acteur moins connu du casting, Yvan Attal, pour honorer l'invitation d'Ardisson. On l'y avait pourtant déjà vu à peine quelques mois auparavant, à l'occasion de son premier long métrage, *Ma femme est une actrice*.

À bien des égards, les relations entre les animateurs et

1. Propos cités dans *Monstres sacrés* de Marc-Olivier Fogiel, 23 juin 2003 sur France 3, qui, faute d'interview de la star, se contentait de rediffuser des images d'archives.

les stars se résument à un rapport de forces. Les vraies vedettes refusent généralement de servir de faire-valoir aux *showmen* opportunistes, tandis que les célébrités en devenir ou déjà sur le retour se précipitent sur leurs plateaux dans l'espoir que la notoriété de l'émission rejaillira sur elles. Réputés « faciles à décrocher » dans le petit monde des productions télé, ces invités bonnes pâtes, qui acceptent de courir les *talk-shows* sous n'importe quel prétexte, se retrouvent affublés, dans le jargon du microcosme, du titre peu flatteur de « sous-*people* ». « Ils ne font pas rêver, mais quand on n'a personne d'autre sous la main, on est toujours content de se rabattre sur eux », confie anonymement un journaliste. Sans citer de noms, ce qui serait peu élégant, signalons simplement que certains affichent un palmarès télévisuel absolument sidérant au regard de leur carrière. Clémentine Célarié, par exemple. Difficile de se souvenir de son dernier coup d'éclat au cinéma. Pourtant, à la télé, elle a tout fait : de *Vivement dimanche* à *Tout le monde en parle*, en passant par *On ne peut pas plaire à tout le monde* (deux fois en moins d'un an), *Le Fabuleux Destin de...*, *Y'a un début à tout* et *On a tout essayé*. Il faut dire que l'actrice est une vraie bonne cliente, toujours prête à s'esclaffer ou en raconter une bien bonne.

Bien conscients que recourir systématiquement aux mêmes têtes peut finir par lasser, mais incapables de se passer du joker des *people*, certains animateurs ont tenté d'imposer des exclusivités. Courtisé par les deux frères ennemis de France Télévisions – Ardisson et Fogiel – à l'occasion de la sortie de son film *La Beuze*, le comique Michaël Youn a ainsi été sommé de faire un choix. Ayant ouï dire qu'Ardisson appréciait son humour, il a, en toute logique, opté pour son plateau [1]. Tant pis pour ceux qui auraient adoré voir Fogiel

1. France 2, 1er février 2003.

lui mordiller les mollets ! Mais qu'on ne s'y trompe pas. En dépit de ces efforts titanesques pour se démarquer l'une de l'autre, les deux émissions jumelles se sont régulièrement retrouvées avec les mêmes invités. Après avoir assuré la promo de *Swimming Pool* – un film de François Ozon – sur le plateau de *Tout le monde en parle*, l'actrice Ludivine Sagnier, pour ne pas faire de jaloux, est allée à peine quatre mois plus tard faire celle de *La Petite Lilli* – de Claude Miller – dans *On ne peut pas plaire à tout le monde*[1]. Manque de chance, lors des deux émissions, elle s'est retrouvée à côté d'Eddy Mitchell, convié la première fois par Thierry Ardisson pour la sortie de son album et la seconde par Fogiel pour la tournée consécutive au dit album.

Sans doute pour éviter ce genre de déconvenues, les deux animateurs cherchent à fidéliser chacun leur « écurie de *people* ». Chez Ardisson, c'est l'acteur Bruno Solo, régulièrement épaulé par son compère de *Caméra Café* sur M6, Yvan Le Bolloc'h, qui tient le haut du classement avec cinq invitations en un an (novembre 2002 à octobre 2003), contre une « seulement » chez Fogiel. Chez ce dernier, on repère en tête des « abonnés » le fils de Gérard, Guillaume Depardieu, invité trois fois en moins de huit mois (entre janvier et septembre 2003) pour parler de sa triste amputation et de ses démêlés judiciaires. Pour tenter – effort désespéré – de retourner cette situation « bouffonnesque », l'« innovateur » de France 2 – Ardisson – a lancé à la rentrée 2003 le concept de la carte « bon client ». Elle permet aux invités fétiches de s'inviter en plateau à chaque fois qu'ils le souhaitent, pour un coup de gueule ou une énième promo. Quelle créativité !

1. *Tout le monde en parle* (France 2), 17 mai 2003 ; *On ne peut pas plaire à tout le monde* (France 3), 5 septembre 2003.

3
La tyrannie publicitaire

> « Une bonne émission, c'est celle où le lendemain la régie pub t'appelle en te disant que le standard explose et qu'elle a déjà une liste d'attente d'annonceurs pour le prochain numéro. »
>
> André Obadia, cofondateur d'ACTA (Atelier de coach et de training d'animateurs).

Quinze ans après les débuts de la télé commerciale, on s'est tous – ou pratiquement – habitués à ce que l'audience soit l'arbitre des élégances du PAF. Quotidiennement, des journaux, tels que *Le Parisien-Aujourd'hui*, *Le Figaro* ou *France-Soir*, publient le classement de la veille, assorti de quelques mauvais points pour les cancres du jour. À longueur d'interviews, les patrons de la télé se font asticoter sur leurs contre-performances. On se repaît de leurs échecs. On fait des pronostics sur leurs prochains succès. C'est presque comme au tiercé. À la différence près que les « mauvais candidats » de la course à l'Audimat sont aussitôt rayés, sans aucun état d'âme, de la liste des partants.

Parmi les « sacrifiés », souvenons-nous de Christophe Dechavanne, privé d'antenne par TF1 au bout de quatre numéros de *Tant qu'il y aura un homme* fin 2001, de *Tribus*, le *prime time* de Thierry Ardisson, stoppé net par France 2 au bout de deux émissions, ou de Julie Snyder, l'animatrice canadienne recrutée par la chaîne pour son « humour ». En dépit de ses efforts pour attirer l'attention – son fait d'armes restera de s'être déguisée en chèvre pour recevoir Philippe Séguin [1] –, elle fut réexpédiée en coulisse faute d'audience, tout comme Christine Bravo, dont le nouveau concept, *C. pour de vrai*, inauguré à la rentrée 2003, a été enterré au bout d'un mois. Une preuve de plus, s'il en faut, que la première chaîne publique s'est bel et bien convertie au diktat de la part de marché. À en croire Christopher Baldelli, son directeur général, la raison en serait pourtant louable : « France 2 ne doit pas être une télévision élitiste [2]. » Elle doit « s'intéresser à tous les publics [3] ». « Nous ne sommes pas là pour faire la télévision qu'on aime, mais pour faire la télévision dont nous pensons qu'elle peut être appréciée par le plus grand nombre [4] », matraque-t-il d'interview en interview. L'audience, ce serait donc, simplement, la garantie de proposer des programmes attractifs. Comme une sorte d'idéal de démocratie directe dans laquelle le public pourrait voter chaque jour. Merveilleux ! On imagine d'ici les Baldelli et Teissier faire les cent pas dans leurs bureaux à la recherche d'une idée lumineuse susceptible d'égayer les soirées de millions de ménagères exténuées.

Hélas, la réalité est parfois plus triviale. Car l'audience conditionne également les tarifs des écrans de publicité facturés aux annonceurs. Autrement dit, c'est elle qui remplit le tiroir-caisse, qu'il s'agisse des chaînes privées comme de France 2 et France 3, financées respectivement à hauteur

1. France 2, 31 mars 2000.
2. *Le Monde*, 29 juin 2002.
3. *Le Film français*, 23 août 2002.
4. *Libération*, 28 juin 2002.

de 37 % et 25 % par la pub[1]. Ainsi, à l'heure de pointe, vers 20 h 45, autour de la météo, le moindre spot diffusé sur France 2 atteint la somme rondelette de 26 000 euros en moyenne pour un message de... trente secondes. Sur TF1, chaîne leader, c'est presque le triple : 71 700 euros environ toujours pour trente secondes. Les grands jours – quand elle diffuse le film *Taxi 2*, par exemple –, les prix peuvent s'envoler jusqu'à 115 000 euros[2]. Un sommet ! Mais les annonceurs qui acceptent de tels tarifs ont en retour de sacrées exigences. Loin de se contenter de vagues chiffres, ils veulent connaître précisément l'impact de chaque écran publicitaire. Pour comparer l'efficacité des chaînes, ils ont même mis au point un indice – le GRP *(Gross Rating Point)* – mesurant le rapport entre le coût d'un spot de trente secondes et son audience. Ils choisissent également l'heure de diffusion de leurs pubs en fonction du public visé par leur produit. S'il s'agit d'une lessive, ils préféreront se glisser juste avant les émissions favorites des « ménagères » ; pour les friandises et les jouets, ils privilégieront également les programmes enfantins... Prêt à tout pour s'attirer les faveurs des multinationales de la grande consommation, l'état-major des chaînes affiche donc les mêmes priorités que n'importe quel marchand de savonnettes. À savoir :

– *Piéger les zappeurs de pub*. Eh oui, vous avez beau être huit millions à regarder le foot ou le « 20 heures », si vous zappez au moment des réclames, vous ne valez pas un clou auprès des annonceurs. Dans les grilles de programmes, tout est donc calé au millimètre afin de vous piéger au moment stratégique de la pub.

1. Source : France Télévisions, budget 2002.
2. Source : SNPTV (Syndicat national de la publicité télévisée) mars 2003.

– *Draguer la ménagère.* Attention, le constat est cruel : si vous êtes de sexe masculin et, *a fortiori*, si vous avez plus de 50 ans, vous avez beau passer des heures devant le petit écran, payer votre redevance au même taux que les autres, vous n'êtes, aux yeux des chaînes, qu'un citoyen de seconde zone. Votre femme, votre fille, en revanche, valent toutes les attentions. Pourquoi cette discrimination ?

Avant de répondre, souvenons-nous un instant des temps préhistoriques de la télévision, de cette ère reculée où les animateurs arrivaient le lendemain d'un *prime time* sans se jeter fébrilement sur la courbe du « minute par minute » et où l'on pouvait encore emprunter l'ascenseur d'une grande chaîne commerciale comme M6 sans avoir sous le nez tous les scores de la veille. Rassemblons nos souvenirs sur ces mœurs d'un autre âge. C'était il y a quinze ans, à peine. PPDA était déjà aux manettes du « 20 heures », Michel Drucker faisait déjà pousser la chansonnette à des tripotées de stars à paillettes, mais personne, pas plus au sein des chaînes que chez les publicitaires, n'était capable d'évaluer, comme on le fait aujourd'hui, le nombre exact de téléspectateurs. En ces temps archaïques, l'« Audimat » mesurait uniquement les audiences par foyer. Impossible de savoir dans le détail si maman était là devant le poste ou au fond de sa cuisine, si grand-père ronflait ou si les petits étaient déjà couchés.

Ce n'est qu'avec le lancement de la Cinq et la privatisation de TF1, en 1987, que la mode des sondages arriva dans les chaînes. Mises en concurrence, obligées de se battre pour séduire de nouveaux annonceurs, les jeunes télés commerciales se jetèrent dans la course à l'audience, entraînant, bon gré mal gré, dans leur sillage tout le secteur public. Il fallait éplucher les chiffres, compulser les courbes, disséquer le profil des téléspectateurs pour trouver l'argument décisif qui ferait mouche auprès des publicitaires. Peu à peu, les instruments de mesure s'affinèrent. En 1989, on mit au point le Médiamat – de l'institut Médiamétrie –, capable de mesurer l'audience par individu. Grâce à des petits boîtiers, chaque membre des « foyers tests » – trois mille cent aujourd'hui – purent dès lors se signaler en s'installant devant le poste et indiquer quand il quittait la pièce. On allait donc enfin savoir exactement – si tant est que les cobayes n'oublient pas d'appuyer sur leur bouton-poussoir – quel membre de la famille regarde quoi et avec qui. La véritable tyrannie pouvait dès lors s'exercer...

Piéger les zappeurs de pub

Tous les jours, les courbes de Médiamétrie le démontrent. Dès que le *jingle* pub retentit à l'antenne, les téléspectateurs s'éparpillent. Entre les pauses pipi calées sur les pauses pub et le zapping qui redouble, les chaînes peuvent perdre en quelques secondes la moitié de leur public [1]. La hantise des fils de pub ! Dans les pays où la réglementation est quasi inexistante, comme l'Italie ou les États-Unis, les chaînes privées et publiques ont mis au point des parades redoutables. Plutôt que de caser la pub entre les programmes – ce qui, on l'aura compris, favorise le zapping –, elles enchaînent les émissions sans la moindre coupure, lancent le sommaire du jour, entrent dans le vif du sujet. En un mot, elles attendent que leur public soit ferré pour,

1. En moyenne, affirme Médiamétrie, 70,6 % des téléspectateurs âgés de 4 ans et plus regardent en entier les pages publicitaires sur les chaînes nationales. Ça paraît déjà énorme !

à ce moment-là seulement, envoyer le « tunnel » de spots publicitaires.

En France, les télés commerciales se seraient sans doute depuis longtemps inspirées de ces méthodes de gavage si les pouvoirs publics n'avaient posé des limites. Selon la réglementation, « les écrans publicitaires doivent prendre place entre les émissions. » Cependant, les chaînes privées se sont vues autorisées à charcuter leurs programmes par de la pub, à condition de s'en tenir à une coupure pour les films, d'espacer leurs écrans de vingt minutes minimum et de ne pas dépasser un total de douze minutes de pub par heure – ce qui est déjà énorme. Grâce à cette dérogation, TF1 et M6 ont pris le pli d'interrompre à trois reprises la plupart de leurs divertissements et magazines de *prime time*. Pour ne pas rater une miette de leur émission favorite, l'immense majorité des téléspectateurs – jusqu'à 90 %, selon Médiamétrie – restent assis docilement devant leur poste lors de ces pages de pub en sandwich, ce qui permet de justifier des tarifs plus élevés auprès des annonceurs.

Et comme deux précautions valent mieux qu'une, les deux chaînes prennent bien soin d'envoyer avant chaque pause un sommaire en images accrocheuses de la suite des réjouissances. Seins nus, nymphettes en bas résilles, les extraits les plus « déshabillés » des reportages de fin de soirée sont ainsi livrés en zakouski tout au long de certaines émissions, jusqu'au mépris parfois des règles du CSA qui prohibe les séquences étiquetées « moins de 12 ans » avant 22 h 30. Il arrive même qu'on frise l'attentat à la pudeur, comme dans *Défense d'entrer* – ex-*prime time* de TF1 – qui, dès son écran pub de 21 h 40, nous faisait profiter de gros plans de fesses à l'air extraits d'un reportage au *teasing* prometteur – « l'immeuble secret où quarante filles sont filmées vingt-quatre heures sur vingt-quatre » –, qui n'était cependant diffusé qu'autour de 23 h 10. Autrement dit, deux pages de pub plus tard. Les mêmes images « sexy » servaient donc, c'est rentable, à tenir en haleine le spectateur émoustillé le temps de trois coupures et de près d'une heure trente de programme[1].

Franchissant un pas supplémentaire, TF1 s'est risquée, l'été dernier, à réinterpréter la réglementation en sa faveur. Plusieurs week-ends de suite, elle a ainsi renoncé à la pause pub entre le *prime time* et la seconde partie de soirée, pour concentrer son quota de douze minutes par heure à l'intérieur des deux programmes, quand le public est captif. Si le CSA ferme les yeux – ce qui reviendrait de fait à s'asseoir sur le principe français voulant que la pub télé serve avant tout à meubler les temps morts entre les émissions –, on ne sera plus très loin du modèle des télés italiennes et américaines !

Pour le service public, en revanche, le jeu est plus complexe. Soumises à des règles plus strictes que les chaînes privées, France 2 et France 3 sont limitées à huit minutes de pub par heure[2] et ne peuvent pas interrompre leurs programmes par des spots. Mais vivant, elles aussi, largement de la pub, elles ne s'interdisent pas quelques petites astuces. Ainsi, France 2 a eu l'idée de diffuser coup sur coup deux épisodes d'une même série – *Inspecteur Derrick* ou *Urgences* –, ou encore des polars comme *La Crim* et *PJ*. Avantage : le téléspectateur est captif comme s'il s'agissait d'un seul et même programme, mais la loi autorise dans ce cas les chaînes publiques à glisser de la pub au milieu. Cette

1. Exemple de l'émission diffusée le 12 juin 2002.

2. Globalement, France 2 et France 3, comme TF1 et M6, ne peuvent dépasser six minutes de pub par heure en moyenne sur l'ensemble de la journée. Sur France 5, la moyenne est de quatre minutes. Pour limiter la durée des « tunnels », il existe également des plafonds par heures glissantes : huit minutes au maximum sur France 2 et France 3, contre douze minutes sur TF1 et M6.

variante du deux en un a permis à France 2 de faire grimper ses tarifs, jusqu'à 69 000 euros l'écran de trente secondes entre deux épisodes d'*Urgences*.

Autre ruse : multiplier les programmes courts. Ces mini-reportages d'une minute ne comptent pas comme de la pub, mais ils peuvent être sponsorisés par des marques, notamment celles de la grande distribution.

Au grand rendez-vous de la pub, après le journal de 20 heures, France 2 a longtemps souffert d'un handicap : jusqu'à la fin de l'ère Sérillon, elle envoyait régulièrement son générique de fin quelques petites minutes avant sa grande rivale TF1, si bien qu'une part importante de son public se rabattait sur les derniers reportages du JT de PPDA ou Claire Chazal, faisant dégringoler aussi sec le taux d'audience de ses pubs. Pour corriger le tir, la chaîne de service public a donc progressivement, elle aussi, étiré la durée de sa grande messe de l'info. Se marquant à la culotte, les JT concurrents s'éternisent aujourd'hui jusqu'à 20 h 40. Dans les chaînes, beaucoup déplorent que « le journal soit devenu trop long », mais personne ne veut bouger le premier de peur de « perdre » trop de monde. Une vraie guerre de tranchées...

Draguer la ménagère

À entendre les discours des grands patrons du PAF, on finit par se demander ce qu'ils lui trouvent... à cette fameuse « ménagère âgée de moins de 50 ans ». TF1 ne veut voir qu'une seule tête, celle de la « pousseuse de Caddie ». M6, qu'on avait crue « chaîne des jeunes », n'en a en fait que pour les jeunes... ménagères [1]. Seule France Télévisions a tenté de résister aux attraits de la maîtresse de maison en modifiant, courant 2001, la tarification de ses pages publicitaires. À côté de ses prix traditionnels indexés sur l'audience « ménagères », elle a créé une deuxième grille, indexée cette fois-ci sur l'audience plus globale des 25-59 ans, qu'elle applique désormais aux marques plus masculines, comme la banque, l'assurance ou encore l'automobile. Un moyen de s'affranchir du diktat de la mère de famille, mais la régie pub du groupe reconnaît malgré tout que « tant que la chaîne leader (TF1) estimera que le critère est « l'audience ménagère », elle restera la base de référence ».

Il suffit d'ailleurs d'ouvrir son journal pour constater que dès qu'une émission réalise un bon score sur les « jeunes » et les « femmes », ou mieux encore les « jeunes femmes », les responsables de la chaîne le crient sur tous les toits. Les « vieux », eux, comptent pour des prunes. Même le service public continue de cacher comme une disgrâce son public d'âge plus mûr. Pourtant, ils ont du temps, ces retraités, souvent plus que les autres, pour regarder la télé. Ne serait-il pas aussi dans l'intérêt des chaînes – et dans le rôle de celles du service public – de penser un peu à eux ?

Pour en avoir le cœur net, posons donc la question à un pro du marketing télévisuel. Que se passe-t-il ? Le voilà qui lève les yeux au ciel. « À cause des annonceurs. Évidemment ! » s'exclame-t-il comme si ça coulait de source. On en reste incrédule. Gavés d'études, de statistiques et d'enquêtes sociologiques, lesdits publicitaires auraient-ils

1. Pour s'en convaincre, il suffit de jeter un œil à son rapport annuel, où elle se vante page après page d'être la « deuxième chaîne auprès des ménagères de moins de 50 ans », celle qui « progresse le plus sur la cible des ménagères de moins de 50 ans » et qui « creuse significativement l'écart avec France 2 ». (Source : M6, rapport annuel 2002.)

pu passer à côté d'évolutions majeures de ces dernières années ? Ne pas voir qu'à 60 ans, aujourd'hui, on peut encore avoir une famille à nourrir, des envies de sorties, de voyages, de loisirs, en un mot des envies de consommer, CON-SOM-MER, messieurs les annonceurs, le tout, cerise sur le gâteau, avec un compte en banque souvent bien mieux garni que celui des jeunes ménagères pourtant si convoitées ?

Cette question – pour l'instant sans réponse, mais ça ne saurait tarder – pourrait ne passionner qu'un microcosme de « pubeux » avertis si elle n'influait pas aussi directement sur le contenu des programmes que nous avalons tous. En effet, cibler « la ménagère », c'est d'abord négliger les attentes des autres catégories de téléspectateurs. La définir ainsi, comme un groupe homogène, sans se soucier de son milieu – sa CSP, (catégorie socio-professionnelle) disent les statisticiens – ni de ses centres d'intérêt, cela revient également à viser le plus petit dénominateur commun de toute la gent féminine. C'est ne voir en la femme que la mère de famille exténuée qui, après avoir charrié ses kilos de provisions, préparé le repas, fait manger les enfants, s'affale – ouf ! – devant son récepteur pour s'offrir un moment de répit. C'est conclure que pour l'aider à s'évader loin de ses piles de linge et de vaisselle sale, il faut lui proposer des programmes plutôt triviaux : docus, *soap*, fictions déstressantes façon *Julie Lescaut*, et contes de fées modernes à la sauce télé-réalité – « Voilà le prince charmant, mais comment le séduire ? » (*Bachelor* et *Greg le millionnaire*), ou, variante show business : « Que n'ai-je rencontré un producteur vedette au lieu d'un lampiste ! » (*Popstars* et *Star Academy*).

Au risque de s'aventurer dans une métaphore culinaire hasardeuse, avançons que la multiplication de ces programmes de flux assez peu relevés, pour ne pas dire insipides, rappelle un paradoxe bien connu des fabricants de fromages. Alors qu'en moyenne les hommes marquent une nette préférence pour les pâtes fortes et les femmes pour de plus douces, aux textures plus légères [1], les produits que les deux sexes consomment le plus sont en fait le camembert et l'emmental, dont les goûts moins prononcés ont l'avantage de mettre tout le monde d'accord autour du plateau de fromages. C'est la stratégie du plus petit dénominateur commun. Pratiquée par les maîtresses de maison comme par les patrons de chaîne, elle revient à bannir le piquant, les saveurs relevées, pour offrir un menu consensuel qui ne comblera personne, mais ne rebutera personne au point de le faire se détourner.

À la télé, cette stratégie s'explique par le profil des annonceurs qu'on veut faire cracher au bassinet. En effet, sur les grandes chaînes hertziennes où la minute de pub atteint des prix délirants, seules les multinationales de la grande consommation, les Danone, les Procter, les Renault, peuvent s'offrir des écrans réguliers. Et encore, pour que l'investissement soit rentable, elles ne peuvent se permettre de cibler telle ou telle micro-catégorie de téléspectateurs. Il faut ratisser large – des cadres aux ouvriers, de la midinette à la mère de famille. Résultat : plus des deux tiers de la pub diffusée à la télé concernent des produits de base, consommés massivement quels que soient les milieux : yaourts, shampoings, couches-culottes et quelques *blockbusters* musicaux comme Johnny Hallyday ou Jenifer [2]. Pour ce genre d'annonceurs, l'important est donc d'être accolé à

1. Source : Centre interprofessionnel d'information et de documentation laitière (CIDIL).

2. En 2002, les principaux annonceurs télé ont été : l'alimentation (25,1 %), l'édition – essentiellement CD et DVD – (13,7 %), la toilette et la beauté (13,4 %), le transport – essentiellement voitures et deux-roues – (8,9 %), l'entretien (6,8 %). À eux seuls, ces cinq secteurs ont représenté cette année 68 % des sommes totales investies par les annonceurs à la télévision. (Source : SNPTV.)

un programme de masse, touchant un maximum de téléspectateurs. Et les chaînes se calquent sur leur logique.

Toutefois, pour ne pas prêcher dans le désert, ces annonceurs « grand public » tiennent à s'assurer qu'ils imprimeront le cerveau de celui, ou plutôt celle, qui à la fin de la semaine ira remplir le Caddie. Et c'est là qu'on comprend leur obsession de la ménagère ! Car – surprise ! –, même en ce début de troisième millénaire, il semblerait, d'après les études réalisées par les publicitaires [1], que dans 90 % des foyers ce soit encore madame qui s'y colle, soit en personne, soit en donnant à son « jules » des consignes très précises sur les produits à acheter. Autrement dit, c'est elle qu'il faut convaincre, elle qu'il faut attirer devant le poste au moment de la pub et donc elle que les chaînes s'évertuent à séduire avec leurs émissions. L'élue aura idéalement « entre 15 et 49 ans » sur M6, davantage orientée vers les jeunes. Sur le service public, un peu moins midinette, c'est la tranche « 25 à 59 ans » qu'on ira courtiser. Mais, chaînes privées ou publiques, la logique est la même : aux heures de forte audience que visent les annonceurs « grande conso », il est impératif d'afficher des programmes clairement estampillés « ménagères ».

Quant au reste – documentaires, films d'art et d'essai, émissions culturelles –, incapable de drainer ces millions de consommatrices, il a peu à peu fini relégué aux heures les plus tardives, et encore : sur France Télévisions. Du côté de TF1 et M6, en dehors de l'alibi Patrick Poivre d'Arvor avec son *Vol de nuit* – 0 h 30 une fois par mois, le titre est bien trouvé –, on cherche désespérément quelque chose qui ait vaguement l'apparence d'un programme culturel...

Mais le public n'est pas exempt de tout reproche. Comme l'a très bien décrit Bernard Pivot dans son livre

1. Source : SNPTV.

Remontrance à la ménagère de moins de cinquante ans[1], les téléspectateurs – et téléspectatrices – pèchent par paresse. Alors certes, il y a ceux qui sélectionnent judicieusement leurs programmes. « Leur comportement devant le poste est le même que face à l'offre de la librairie, des disques, des spectacles : ils choisissent. Ce sont les personnes qui zappent le moins », explique Pivot. Mais il faut compter avec les zappeurs frénétiques, qui « pendant plusieurs heures parcourent la télévision plus qu'ils ne la regardent, qui souvent n'en attendent rien de plus qu'une occupation de leur esprit vacant ou un remède à l'ennui ». Sans parler de la majorité – vous et moi, qui aimerions être plus exigeants, mais qui le soir, terrassés par une journée de travail, butinons d'une chaîne à l'autre sans idée arrêtée, jusqu'à ce qu'instinctivement une image forte nous accroche.

Alors, évidemment, on peut être dégustateur averti à ses heures et bouffeur boulimique le reste du temps. On peut être par moments cette jeune femme cultivée qui sélectionne son film et, à d'autres, cette fameuse ménagère – on l'imagine encore le fichu sur la tête – sans autre horizon que celui de verser quelques larmes sur le conte de fées moderne de la *Star Academy*. Seul problème, les télés commerciales ne s'intéressent qu'à cette seconde facette de nous-mêmes. Et cela pour nous bombarder de pubs tant et plus...

Bien que la réclame ait déjà envahi les programmes aux heures de grande écoute, la spirale Audimat-matraquage publicitaire devrait encore s'accélérer dans les années à venir. Car beaucoup rêvent d'alléger la réglementation, qu'ils jugent « trop contraignante ». Avec l'arrivée de nouveaux annonceurs à la télévision, une brèche vient de s'ouvrir. Pour satisfaire aux injonctions de Bruxelles, la presse vient d'être autorisée à y aller de ses spots. L'édition

1. Plon, 1998.

et la grande distribution sont encore cantonnées au câble et au satellite. Mais d'ici 2007, les Carrefour, Leclerc ou Intermarché, qui sont déjà les principaux annonceurs de la presse régionale et de la bande FM, deviendront pourvoyeurs d'argent frais pour toutes les chaînes herziennes. Sous prétexte qu'il faudrait faire de la place à ces nouveaux annonceurs, le lobby des agences de communication, AACC (Association des agences conseils en communication) en a profité pour lancer une campagne en faveur de l'allongement des pages de pub à la télé. « Les investissements publicitaires à la télé française, de deux tiers inférieurs aux montants investis en Allemagne ou en Grande-Bretagne, sont insuffisants [1] », affirme leur porte-parole.

Pour ne rien arranger, la puissante corporation des pubeux a trouvé une oreille attentive en la personne du nouveau ministre de la Communication, Jean-Jacques Aillagon : « Je crois que l'ouverture des secteurs interdits à la publicité télévisée nous donnera l'occasion de réfléchir aux évolutions possibles de la durée de la publicité sur l'ensemble des chaînes », déclarait-il, début septembre 2003, dans le magazine spécialisé *Écran total*. Quelques semaines plus tard, *Le Figaro* [2] apportait des précisions sur les projets du gouvernement, qui envisagerait de supprimer le « verrou des huit minutes de publicité par heure glissante » sur le service public, d'augmenter la « durée de la publicité sur les chaînes commerciales », qui passerait de douze à quinze minutes, et de permettre aux opérateurs privés de pratiquer une deuxième coupure dans les films. Bien que Bercy ait aussitôt démenti « catégoriquement » plancher sur cette réforme [3], le débat semble bel et bien lancé. Ça promet !

1. *Le Monde*, 5 septembre 2003.
2. 21 octobre 2003.
3. *Libération*, 22 octobre 2003.

4

Les mercenaires du PAF

« Durs en affaires, ils le sont tous. Et d'année en année, le fric ne les arrange pas. »

Bertrand Mosca,
directeur des programmes de France 3.

Ce sont les rois du PAF ! Un pied dans chaque chaîne, une émission dans chaque grille, les animateurs-producteurs sont toujours prêts à mouiller leurs costumes Cerruti pour redresser les audiences en échange d'un gros chèque. Même Canal+, aux abois, n'a pas trouvé d'autre solution que signer quelques contrats juteux aux bateleurs multicartes : Marc-Olivier Fogiel, l'« insolent » de France 3, qui produit désormais son magazine *+ Clair*, Jean-Luc Delarue, le « gendre idéal » de France 2, pour sa tranche du midi, et surtout Emmanuel Chain, l'« économiste sympa » de M6, qui a repris la case stratégique de *Nulle part ailleurs*, contre une somme qui a aussitôt fait couler quelques hectolitres d'encre. Rendez-vous compte : 120 000 euros par jour ! Sortant leurs calculettes, les journalistes du *Point*[1] ont estimé qu'avec un tel budget, quatre fois supérieur à celui de *C dans l'air*, le concept similaire d'Yves Calvi sur France 5 (33 000 euros par jour), *Merci pour l'info* dégageait

1. 12 septembre 2003.

une marge plantureuse de près de 50 %. Et tout cela pour une audience rikiki (environ 4 %, soit guère plus de 600 000 téléspectateurs).

Mais le baobab *Merci pour l'info* n'est que l'arbre qui cache la forêt des privilèges consentis aux animateurs vedettes. Des privilèges secrets. Car, contrairement à Canal+ qui a sans doute voulu mettre la pression au transfuge de M6 en révélant le montant de son contrat, la plupart des diffuseurs préfèrent signer les leurs à l'abri des regards indiscrets. À tel point que le grand public sait à peine qui produit quoi. Et cela bien qu'ils ne soient désormais qu'une poignée à se partager le gâteau des magazines.

Hormis Emmanuel Chain, mis sur orbite par le privé – M6, puis TF1 où il produit *Sept à huit* –, la plupart des divas ont biberonné dans le service public, ce qui ne les empêche pas – pourquoi se priver ? – de manger à tous les râteliers. Incarnation de cet œcuménisme : l'incontournable Jean-Luc Delarue. Enracinée sur France 2, où il anime et produit *Ça se discute* et *Jour après jour*, sa société Réservoir Prod, spécialiste des magazines de témoignages, a d'abord essaimé sur France 3 avec *C'est mon choix*, lancé fin 1999. Controversée pour ses débats « racoleurs », l'émission s'est toutefois imposée comme un rendez-vous des ménagères. L'animateur est ensuite parvenu à placer ses concepts sur les télés privées. Après *Stars à domicile* et *Vis ma vie*, sur TF1, il a franchi un pas de plus à la rentrée 2003 en s'implantant sur Canal+ avec une quotidienne, et tout cela sans rien lâcher dans le service public qui semble avoir du mal à garder ses têtes d'affiche pour lui seul.

Même l'icône de France 3, Marc-Olivier Fogiel – le seul animateur de la chaîne à avoir sa photo placardée à l'entrée du bureau du directeur des programmes –, multiplie les infidélités. Après s'être fait les canines avec son *talk-show On ne peut pas plaire à tout le monde*, il occupe désormais la case ultra-stratégique des *prime* dominicaux, produit le magazine quotidien *Le Fabuleux Destin de...*, mais cela ne l'empêche pas, *via* sa société Paf Productions, de développer ses affaires sur Canal+ et de mettre un premier pied sur M6 avec une énième émission de télé-réalité : *On a échangé nos mamans.*

Autre étoile de France Télévisions, Thierry Ardisson. Animateur de *Tout le monde en parle*, détenteur des droits d'*On a tout essayé*, présenté par Laurent Ruquier, il officie toujours sur Paris Première et a bien failli, comme Jean-Luc Delarue, traverser la Seine pour animer en personne des émissions sur TF1. Rattrapé de justesse par France 2 qui a dû y mettre le prix, l'homme en noir justifie le jeu de la surenchère sur le service public : « C'est comme toi avec ton patron. Si on te propose ailleurs un boulot mieux payé, tu fais monter les enchères. Puisque le service public se finance largement par la pub, il est normal qu'il applique une logique de marché. »

D'après les professionnels, tout irait donc pour le mieux dans le monde de la saine concurrence... et pourtant. À voix basse, chacun dénonce en *off* les privilèges des autres. Fin juin-début juillet, au moment où les négociations pour la rentrée télé battent leur plein dans les chaînes, de nombreux producteurs en ont gros sur la patate. Les « petits », à qui les diffuseurs ne font pas de cadeaux, s'insurgent contre les pratiques d'« affermage » qui permettent aux plus gros de mettre la main sur des « cases » avant même de savoir ce qu'ils vont y programmer. « Comment expliquer autrement que par le favoritisme que Delarue ait obtenu deux jeux cet été [2003] – *Trivial Poursuit* sur France 2 et *Hit Story* sur France 3 –, alors qu'il n'est absolument pas spécialiste de ce genre de programmes ? » s'insurge un producteur, trop heureux de souligner que « ces deux jeux ont fait un bide colossal ». Mais malgré ce fiasco, en pleine période de signature des contrats, Delarue a encore décroché le *jackpot.*

Début juillet 2003, le petit monde des producteurs savait déjà qu'il conserverait la seconde partie de soirée dominicale de France 2, et cela bien que la chaîne ait pris la décision de ne pas reconduire l'émission qu'il produisait jusque-là dans cette case, *Y'a un début à tout*, présentée par Daniela Lumbroso. « La chaîne lui a fait savoir qu'elle n'était pas contente du magazine. On ne sait pas encore ce qu'ils mettront à la place, et pourtant il est déjà acquis que ce sera à nouveau Réservoir qui emportera le morceau, sans qu'il y ait d'appel d'offres auprès d'autres producteurs », expliquait, anonymement, un concurrent de Jean-Luc. Début septembre, confirmation à l'antenne : la nouvelle émission produite par Réservoir et présentée par la même Daniela Lumbroso s'intitule *Les Coulisses du pouvoir*.

Moins jalousés que Delarue, qui concentre sur son unique personne une bonne part des aigreurs, Ardisson et Fogiel ne sont pas épargnés par le *off* ravageur. « Marco » ? « C'est un pote de Mosca [le patron des programmes de France 3], alors, évidemment, c'est plus facile pour lui ! » persifle un producteur. Ardisson ? « Avec la succession de *prime* catastrophiques de la saison dernière – *Tribus* et *Le Grand Blind Test* sur France 2 –, il est incompréhensible qu'il ait encore sa chance en première partie de soirée, grince-t-on dans une autre chaîne. Voilà donc pour l'ambiance. Passons maintenant aux faits. *Flash back*.

Les « voleurs de patates »

Il était une fois quelques animateurs adorés du public qui eurent une idée géniale pour remplir leurs tirelires... Plutôt que rester de simples salariés des chaînes de télévision, ils créèrent leurs propres sociétés de production, établirent des relations de clients à fournisseurs avec leurs ex-patrons et eurent de plus en plus d'émissions. Surtout lorsque France 2 se mit en tête de se faire aussi grosse que TF1.

Nous sommes en 1994. Après les vieux routiers, Michel Drucker et Jacques Martin, des petits jeunes aux dents longues s'établissent eux aussi à leur compte. Coup sur coup, Arthur, débauché d'Europe 1, et Delarue, de Canal+, créent leurs petites entreprises grâce aux contrats juteux concoctés par Jean-Pierre Elkabbach, alors patron du pôle public. Le premier, après avoir constitué sa société, Case Production, en juillet 1994, passe un contrat annuel avec France 2 d'un montant de 19 millions de francs (prix pour vingt émissions *Les Enfants de la télé*), assorti d'une avance sans intérêts de 12,5 % [1]. Le montage est reconduit pour son second contrat, portant cette fois sur la somme de 396 millions de francs pour trois saisons (de mai 1995 à juin 1998), et pour ceux de Jean-Luc Delarue : 404,5 millions de francs pour trois saisons (1994-1997). Comme Arthur, Delarue bénéficie d'avances (29 % du montant prévisionnel des commandes sur la saison 1994-1995), qui permettent à sa société privée, Réservoir Prod, de financer gratuitement ses premières installations.

Outre ces facilités de trésorerie accordées sur des deniers publics, les nouveaux divertissements qui envahissent la grille de France 2 sont payés bien plus cher que les émissions auxquelles ils se substituent : *Le Bêtisier du samedi* d'Arthur, 5 millions de francs – soit 29 % de plus que *Surprise sur prise* ; *Ça se discute* de Jean-Luc Delarue, 1,27 million de francs – soit 37 % de plus que *Savoir plus* ;

1. Rapport de la Cour des comptes, 1997.

ou encore *Taratata* de Nagui, 900 000 francs – soit deux fois et demie le prix de *Bouillon de culture*[1].

Quelques rares journalistes soulignent déjà les risques de ce choix très « paillettes »[2], mais Jean-Pierre Elkabbach fanfaronne. *People*, il pose avec la romancière Nicole Avril pour les pages du *Figaro Magazine*[3]. Gestionnaire, il se pique de remettre « France Télévisions à l'heure de la rigueur[4] », d'instaurer des « relations transparentes avec les producteurs ». Et se flatte rapidement d'avoir redressé l'audience de France 2, passée « de 24,7 à 25 % de parts de marché », comme l'expliquent les spécialistes des médias de *Libération* Philippe Kieffer et Marie-Ève Chamard, qui voient déjà Patrick Le Lay « sur la défensive[5] ». « S'il poursuit sur sa lancée, le groupe public ne tardera pas à menacer directement les bénéfices que le groupe Bouygues tire de la propriété et de la gestion de TF1[6] », prévoient-ils, oubliant, comme beaucoup à l'époque, de poser une question, LA question : à quel prix ?

Il faut dire que le secret est jalousement gardé au cœur du saint des saints de France Télévisions. Les contrats sont signés entre quatre yeux, sans que la plupart des cadres dirigeants en connaissent le détail. S'agissant d'une entreprise publique, elle doit toutefois rendre des comptes aux élus ou, du moins, à une poignée d'entre eux. Au rapporteur de la commission des finances de l'Assemblée nationale, par exemple, lequel a dans ses prérogatives la possibilité de consulter le détail des comptes de l'audiovisuel public. Jusque-là, ce pouvoir était très théorique.

1. *Ibid.*
2. Notamment Ariane Chemin, *Le Monde*, 25 août 1994.
3. 23 juillet 1994.
4. *La Tribune*, 26 avril 1994.
5. *Libération*, 17 janvier 1995.
6. *Ibid.*

Mais, en 1995, le député UDF Alain Griotteray, nouvellement désigné à ce poste, décide de mettre son nez dans la cuisine des contrats de France 2. Face au refus de la chaîne de lui transmettre ces documents classés « confidentiels », il débarque en personne et exige de les consulter sur place[1].

Horrifié par les tarifs accordés au gotha d'animateurs vedettes, il décide d'en révéler le détail dans le cadre de son rapport. Un tabou est levé. C'est le début du scandale des « voleurs de patates », selon la grande expression des *Guignols de l'info*. Jean-Pierre Elkabbach s'insurge contre la rupture du « secret des affaires[2] » *(sic)*, certains animateurs, comme Jacques Martin, tentent de se justifier : « Les chaînes ont compris qu'il leur coûtait moins cher de faire produire leurs émissions à l'extérieur », affirme-t-il. Le mal est fait. Acculé, le patron de France Télévisions se résout à demander, dans le courant du mois de mai, le soutien de ses salariés. Outrés par la « gabegie », l'« ampleur de ces dérives », ils répondent par une motion de défiance votée le 29 mai 1996. À peine deux jours plus tard, Elkabbach démissionne. L'honnêteté de sa gestion mise en cause, l'ex-patron sera toutefois blanchi par la cour de discipline budgétaire et financière de la Cour des comptes, laquelle

1. Contrairement aux autres parlementaires, les rapporteurs spéciaux de la commission des finances de l'Assemblée et du Sénat ont le pouvoir de consulter les comptes des chaînes publiques. Les responsables des chaînes se voient alors contraints de leur fournir l'ensemble des documents – contrats, devis... – qu'ils réclament. S'agissant de données jugées confidentielles, ces responsables ont toutefois le pouvoir de s'opposer à ce qu'aucune de ces copies ne sorte de leurs locaux. Les rapporteurs doivent alors établir leurs quartiers dans les chaînes pour éplucher le tout, ce qui complique sérieusement leur travail.

2. *La Tribune Desfossés*, 6 novembre 1995.

conclut, en juillet 2001, qu'il n'y a pas lieu de poursuivre Jean-Pierre Elkabbach[1].

Soupçonné, quant à lui, de nourrir quelques arrière-pensées politiques, d'avoir voulu la tête d'Elkabbach ou d'œuvrer en sous-main pour déstabiliser un peu plus les chaînes de service public dans le but de les privatiser, Alain Griotteray s'est, à la suite de son rapport, défendu dans un livre, *L'Argent de la télévision*[2] : « À redevance échue transparence due. Tel est mon principe. J'estime que les citoyens et les usagers de la télé ont le droit d'être informés sur l'utilisation des impôts et de la redevance qu'ils acquittent. » Quelles étaient ses vraies motivations ? Difficile de trancher. Reste que la Cour des comptes, moins suspecte *a priori* de sombres arrière-pensées, a elle aussi sorti, à froid, après des mois d'enquête et d'« épluchage » des comptes, un rapport tout aussi accablant pour le service public, dans lequel elle démonte pièce par pièce la logique de la course à l'Audimat des dirigeants de France 2. « Fixés en l'absence de tout devis[3] et sans qu'une quelconque clause autorise France 2 à opérer un contrôle sur les dépenses effectives de ses cocontractants », ces contrats ont permis aux dits animateurs d'empocher des marges exorbitantes. Jusqu'à « 80 % pour chaque *Ça se discute*, et 460 %[4] pour *Les Enfants de la télé* », rapporte la Cour des comptes, s'appuyant sur les propres estimations du directeur de production de France 2.

Pourquoi diable la chaîne a-t-elle accepté de verser de telles sommes ? Simplement parce qu'un programme « fédérateur » génère de bonnes audiences et donc des

1. *Le Monde*, 13 juillet 2001.
2. Éditions du Rocher, 1996.
3. À l'exception des contrats signés avec Air Production, la société de Nagui.
4. Évaluation excluant la rémunération des producteurs et des présentateurs.

recettes pub, ont alors plaidé les responsables de France 2. Un argument de bon sens, mais, hélas, totalement erroné, selon la Cour des comptes, dont le rapport établit qu'« à trois exceptions près, *Studio Gabriel* et *Bas les masques* pour les années 1994 à 1996, ainsi que *Les Enfants de la télé* pour 1995, aucune des émissions des animateurs-producteurs n'a pu être intégralement financée au moyen des recettes publicitaires qui lui étaient imputables ». Pire encore : « De 1992 à 1995, tandis que le coût de la grille de France 2 connaissait une hausse de 514 millions de francs, la progression des recettes publicitaires collectées par la chaîne n'a été que de 426 millions. En outre, les émissions achetées aux animateurs-producteurs n'ont pas été les principales bénéficiaires de cette progression. » Conclusion : même en termes strictement financiers, la méthode Elkabbach fut un désastre. Sans parler du contenu...

Comme le rapport Griotteray, la prose de la Cour des comptes a donné lieu à des dizaines de commentaires bien sentis dans la presse. Après cette prise de conscience collective des dérives, indiscutablement, une page devait se tourner. Successeur de Jean-Pierre Elkabbach, Xavier Gouyou-Beauchamps n'avait-il pas juré, la main sur la zappette, de réduire le montant des contrats de ses animateurs-producteurs ? Nagui n'était-il pas parti, sa « brosse à dents » sous le bras, tenter en vain de faire de l'audience sur la Une, comme Arthur, qui y avait adapté ses *Enfants de la télé* ? Rescapé du trio sur France 2, Delarue n'avait-il pas promis de « faire de gros efforts financiers [1] » ? Peut-être ! Mais, comme le dit la sagesse populaire, les promesses n'engagent que ceux qui les écoutent.

Résultat : décembre 1998, pile un an après la sortie du

1. Interview de Jean-Pierre Cottet, directeur des programmes de France 2, *Libération*, 26 août 1996.

rapport ravageur de la Cour des comptes, on apprenait le retour en grâce de Delarue sur France 2, qui non seulement lui signait un contrat sur trois ans – usage que la Cour des comptes avait pourtant dénoncé au motif qu'il « ligote » à l'offre d'un producteur –, mais encore acceptait de lui reprendre *Ça se discute* au prix fort – 1,2 million de francs l'unité, soit pratiquement le même prix que sous Jean-Pierre Elkabbach – et de lui octroyer, cerise sur le gâteau, un nouveau magazine en *prime time* facturé 2,9 millions de francs l'unité. Alpagué dans la presse sur ce retournement de veste magistral, Patrice Duhamel, à l'époque responsable des programmes de France 2, tenta de se justifier en invoquant le contenu de *Ça se discute*, une « émission de qualité » assortie de « plateaux excellents » [1], permettant de « traiter des questions difficiles – les maladies rares, la crise des vocations... », mais aussi – tiens, tiens, tiens – d'atteindre des « résultats d'audience exceptionnels » (32 % de parts de marché, soit dix points au-dessus de la moyenne de la chaîne, à l'époque) [2].

Mis en pièces par le rapport de la Cour des comptes, dénoncé, fustigé, l'argument de la course à l'Audimat n'en continua pas moins de prospérer dans le service public. À qui la faute ? À la décharge des patrons de France 2, précisons que les pouvoirs publics ont aussi contribué à la dérive en diminuant progressivement la part de la redevance dans le budget de la chaîne : moins de la moitié des recettes en 1997, contre 60 % quelque quatre ans plus tôt. Un « lâchage » de l'État au sujet duquel la Cour des comptes fut également sévère, estimant qu'il était en partie responsable du « net infléchissement de la politique des

1. *Ibid.*, 23 décembre 1998.
2. *Le Monde*, 4 janvier 1999.

programmes, à partir de 1994, dans un sens tourné plus résolument vers la recherche des gains de parts de marché ».

Pour faire chuter la part des recettes pub dans le budget des chaînes, la loi Trautmann, en 2000, a réduit la durée maximale des écrans diffusés sur le service public de douze à huit minutes par heure. En contrepartie, l'État a légèrement augmenté les crédits budgétaires de France Télévisions, qui sont passés de 1,26 milliard d'euros en 2000 à 1,47 en 2002. Mais ces ressources restent très inférieures à celles des autres grandes chaînes publiques européennes : environ trois fois moins que la BBC anglaise et quatre fois moins que le pôle ARD-ZDF en Allemagne, subventionnés à près de 80 % par la redevance [1], contre 64 % pour France Télévisions en 2002. Chroniquement sous-financées par l'État, les chaînes publiques françaises demeurent donc très dépendantes de la pub et continuent à faire des pieds et des mains pour tirer le maximum des écrans qui leur sont alloués. Résultat : après avoir baissé en 2001, suite à la loi Trautmann, les recettes « publicité et parrainage » de France Télévisions sont remontées en 2002 (675 millions d'euros, contre 625 millions en 2001). Dans son rapport annuel, le groupe se félicite de cette hausse, qu'il impute notamment à la « bonne tenue des audiences ». Mais ce contexte n'incite pas les chaînes publiques à jouer les téméraires en testant de nouveaux fournisseurs et conforte la rente d'une poignée de vedettes installées sur leur matelas de programmes à succès.

Depuis l'époque controversée d'Elkabbach, cette situa-

1. La part de la redevance représentait, en 2000, 81 % des recettes de la BBC (soit 4,13 milliards d'euros sur un budget de 5,1) et 80 % de celles des chaînes publiques allemandes ARD (4,37 milliards d'euros sur un budget de 5,4 milliards) et ZDF (1,24 milliard d'euros sur un budget de 1,57). (Source : USPA [Union syndicale de la production audiovisuelle, septembre 2002].)

tion de quasi-monopole s'est encore accentuée. Alors qu'au temps du scandale des « voleurs de patates » ils n'étaient pas moins de six à se partager le gâteau sur France 2 – Arthur, Nagui, Mireille Dumas, Jean-Luc Delarue, Michel Drucker et Jacques Martin –, chacun en charge d'une ou deux émissions, aujourd'hui ils ne sont plus que trois à truster le gros des cases stratégiques de France 2 et France 3 – Delarue, Fogiel et Ardisson, avec sa productrice Catherine Barma. Épinglée par la Cour des comptes en 1997, Mireille Dumas officie toujours sur France 3. Mais avec un unique magazine, *Vie privée, vie publique*, elle ne fait pas partie du cercle des favoris. Quant à Michel Drucker, il continue de travailler pour France 2, mais sans sa société DMD, vendue au groupe Expand en 2000.

Les chaînes privées, TF1 et M6, ont elles aussi été confrontées à la toute-puissance des animateurs-producteurs. Au moment de la déferlante de la télé-réalité – courant 2001 –, Endemol, le groupe tentaculaire dirigé par Arthur, s'est ainsi payé le luxe de faire monter les enchères. Après avoir fait décoller M6 avec *Loft Story* et encaissé un gros chèque pour produire de la télé-réalité sur TF1 – 83 millions d'euros par an dans le cadre d'un partenariat de cinq ans, selon les chiffres sortis dans la presse –, l'animateur a pu passer un temps pour le roi du pétrole. Mais le retour de bâton ne s'est pas fait attendre. Pour être moins dépendantes d'Endemol, les deux chaînes ont rapidement fait monter au créneau leurs propres filiales spécialisées. Glem, propriété de TF1, après avoir débauché une des marraines du *Loft*, Angela Lorente, s'est fait une nouvelle spécialité de la télé-réalité (*L'Île de la tentation*, *Greg le millionnaire*). Quant à M6, elle s'est dotée, début 2003, d'une nouvelle filiale, W9, qui a notamment produit *Bachelor*.

Qu'est-ce qui empêche les chaînes publiques d'en faire

autant ? Leurs contraintes budgétaires, une certaine inertie statutaire et la peur d'embaucher semblent les paralyser. Brandissant leur obligation de produire un quota d'émissions en externe, elles vont même jusqu'à laisser dormir leurs outils de production existants. Alors que la loi autorise France 2 à recourir à ses propres moyens pour la moitié de ses heures de programmes (hors fictions et journaux d'information), et France 3 pour les trois quarts, les deux chaînes ne les utilisaient respectivement qu'à hauteur de 24 % et 31 % en 2002.

Quant à France 5, la dernière-née du groupe public, elle a été lancée avec l'interdiction de produire en interne. Toute sa grille est sous-traitée par contrats de quelques mois à des sociétés privées. Un moyen astucieux de se débarrasser des grèves et des conflits qui pourrissent l'existence des patrons de France Télévisions. Mais un choix dangereux ! Car lorsqu'il s'additionne à des contraintes d'audience – ce qui, à l'heure actuelle, est surtout le cas pour France 2 et France 3 –, il rend les chaînes publiques prisonnières de leurs producteurs vedettes... et de leurs exigences financières.

Mais quel est leur degré de dépendance ? Quand on veut aborder la question des gros sous, on constate qu'en dépit des bonnes résolutions peu de progrès ont été accomplis depuis l'ère Elkabbach en matière de transparence. Non seulement les chaînes ne communiquent toujours pas de chiffres à la presse – « Je ne vois pas pourquoi j'irais communiquer le montant de mes contrats à TF1 », se justifie le directeur des programmes de France 2, François Tron –, mais, plus grave, elles rechignent à répondre aux demandes d'informations formulées au sein même de leur conseil d'administration. Qu'ils soient représentants du personnel, nommés par le CSA ou élus du Sénat, les administrateurs de France Télévisions joints au cours de cette enquête reconnaissent tous faire chou blanc à chaque fois qu'ils essaient d'obtenir des précisions sur le montant des contrats passés à l'extérieur : « La direction refuse de nous répondre, invoquant la confidentialité des négociations commerciales », rapporte l'un d'eux. « La seule obligation légale qu'ont France 2 et France 3 est de communiquer à leurs Conseils d'administrations respectifs le montant de leurs contrats pluriannuels et elles s'en tiennent à ça », confirme le sénateur Louis de Brossia, autre administrateur de France Télévisions. Mais voilà, les contrats de nombreuses stars, comme Ruquier ou Delarue sur France 2, sont reconduits de saison en saison, ce qui permet de tenir à l'écart les curieux.

Dans ce contexte, informer le public relève de la gageure. Et ne parlons pas des marges, qui demeurent le tabou absolu. Sur la poignée de personnes susceptibles de contrôler ces sommes, les rapporteurs de la commission des finances de l'Assemblée nationale et du Sénat, respectivement Patrice Martin-Lalande (UMP) et Claude Belot (UMP), n'ont pas le moins du monde l'intention de tirer les choses au clair : « À la différence d'Alain Griotteray, je ne suis pas dans une logique de déstabilisation de la télé publique, expose le sénateur. Je fais confiance à Marc Teissier [le P-DG], qui a redressé les comptes de France Télévisions. Aujourd'hui ils ne sont pas flambants mais ils sont en équilibre. Pour le reste, je ne cherche pas à entrer dans le détail des contrats. À chacun son métier. Dès qu'on touche au domaine du spectacle, la valeur est difficile à estimer. C'est aux patrons des chaînes de décider ce qui peut plaire au public et dégager de l'audience. »

Pour tout un tas de raisons, plus ou moins bonnes, on préfère donc aujourd'hui faire comme si les relations entre les chaînes publiques et leurs producteurs vedettes n'étaient plus un problème. Pourtant, quand on y regarde de près, on se rend compte que la course à l'audience continue de générer quelques aberrations et que les sommes raflées par une poignée de stars restent mirobolantes, même si les Ardisson, Delarue et Fogiel ne sont pas logés à la même enseigne.

Le trio gagnant

Contrairement à ses aînés, Marc-Olivier Fogiel, 34 ans, n'a pas le tabou de l'argent. Au moment de son transfert de Canal+ à France 3, en septembre 2000, il a aussitôt communiqué son budget : 137 000 euros pour chaque *On ne peut pas plaire à tout le monde*. Mais il précisait d'emblée : « Je dépense plus d'argent que la chaîne me donne [1] *(Sic)*. » Multiplication des reportages – une dizaine au lieu de cinq ou six prévus initialement –, émissions enregistrées en direct pouvant durer deux heures au lieu de quatre-vingt-dix minutes : inconscient, le jeune prodige du *talk-show* ? Certainement pas. Réputé dur en affaires, Fogiel sait investir pour asseoir son audience, avant de serrer les coûts pour engranger des profits. Une fois son rendez-vous installé, l'animateur a réduit les dépenses. Le nombre de reportages – comptez 3 000 euros minimum pour un sujet de cinq minutes – a sérieusement diminué. Mais devant le succès de l'émission – près de 20 % de parts de marché dès la première saison, 23 % ensuite, alors que sa clause d'audience était à 12 % –, Bertrand Mosca n'a pas envisagé un instant de rogner son budget. Au contraire. Sa petite entreprise, Paf Productions – dont un des actionnaires est quand

1. *Le Figaro*, 5 octobre 2001.

même le géant Endemol –, a rapidement vu affluer les commandes. Dès la deuxième saison, il se voyait confier un magazine de *prime time*, *Un an de plus*, dont il donnait là encore aussitôt le budget : « 1,8 million de francs [274 400 euros] par numéro, hors coût du plateau et frais techniques qui sont directement pris en charge par France 3 [1]. » Las, la formule n'a pas convaincu. Elle a été biffée des programmes au bout de quelques mois. Mais Fogiel businessman s'est très vite consolé : France 3, pas rancunière, lui a confié, dès septembre 2002, un nouveau rendez-vous, *Le Fabuleux Destin de...*, émission quotidienne présentée par Isabelle Giordano. Prix estimé : 40 000 euros par numéro.

Avec un « portefeuille d'émissions » à la hausse, « Marco » est aujourd'hui un manager comblé. Les journalistes l'adorent car, « au moins, il répond aux questions ». Ses salariés disent de Paf qu'il s'agit d'une « bonne boîte ». Chose suffisamment rare dans le monde des « prods » télé pour être signalée. Mais que penser des tarifs qu'il facture à la chaîne de service public ? Pour se faire une idée, comparons-les à ceux d'un documentaire, en principe plus coûteux qu'une émission de plateau tournée au kilomètre et amortie sur une saison. À ce petit jeu, la production typique de Fogiel – *On ne peut pas plaire à tout le monde*, programmé jusqu'en décembre 2003 – se paie deux fois plus cher qu'un film de cinquante-deux minutes nécessitant des mois de préparation et l'achat de nombreuses archives. Peinant à joindre les deux bouts, en dépit des aides publiques – CNC (Centre national de la cinématographie), FAS (Fond d'action sociale), PROCIREP (Société civile des producteurs de cinéma et de télévision) – allouées aux films de création, les producteurs de documentaires ont

1. *Paris-Match*, 15 février 2001.

beau faire le même métier pour la même chaîne que « Marco », ils ne vivent pas dans le même monde. Mais, du point de vue de France 3, c'est une fois de plus l'audience qui justifie de tels écarts : « On dit que Fogiel coûte cher. Mais au regard de ce qu'il génère en audience et en image, j'estime que ça vaut le prix », affirme Bertrand Mosca, qui rappelle que sur France 2 les budgets des magazines produits à l'extérieur sont encore plus élevés.

Allons donc à la rencontre de Thierry Ardisson. Après s'être longtemps énervé contre le jeune ambitieux de France 3 qu'il accuse de lui avoir piqué ses idées, l'aristo libertaire, quinquagénaire assagi, joue les désintéressés. Installé au bar de l'hôtel Bristol – il ne manquerait plus qu'il reçoive comme un vulgaire patron assis derrière son bureau ! –, il cultive son image de créatif : « Moi, mon truc, c'est d'être un inventeur, comme le type qui a inventé le sparadrap pour *Blacks*. C'est simple et génial. Je me fiche de devenir un patron. À 30 ans, ça me faisait rêver. Aujourd'hui, avoir une secrétaire qui vient me demander des augmentations de salaire à la machine à café, ça ne me dit plus rien. Je n'ai plus de société de production. J'ai monté une *task-force* pour créer des concepts que je propose aux chaînes. Lorsqu'ils sont acceptés, je choisis le producteur qui sera le plus à même de les réaliser. » L'argent, les ambitions vulgaires, tout ça n'est pas pour lui. Sans que son nez s'allonge, il affirme même ne pas connaître le budget de son émission vedette, *Tout le monde en parle* : « Pour les questions d'argent, appelez Catherine Barma [la productrice]. » Et reconnaît tout juste – il faut bien vivre quand même ! – refacturer son salaire d'animateur ainsi que des droits d'auteur pour un montant « variable, extrêmement variable ». Bref, qu'on ne se risque pas à le mettre dans la même case que les roquets ambitieux, lui qui affirme de toute façon ne pas être assez puissant pour dicter ses conditions aux chaînes : « L'affermage, ça marche si tu t'appelles Delarue ou Courbit [l'associé d'Arthur]. Moi, je n'ai pas ce pouvoir. La preuve, je n'ai réalisé que cinq *prime* sur France 2 durant la saison 2002-2003, au lieu des dix prévus initialement. »

Ardisson serait-il aujourd'hui moins en cour que ses grands concurrents ? Peut-être. Il a connu des échecs. L'audience de *Tout le monde en parle* s'est un peu effritée. Son influence décroît. Des éditeurs grimacent qu'il fait « vendre moins de livres » qu'il y a quelques années. Mais son rendez-vous du samedi reste quand même l'un des plus courus de France 2 (pas loin de 30 % de parts de marché). De plus, l'animateur a été plusieurs fois courtisé par TF1 – en 2000 et 2002, quand l'émission était au sommet –, ce qui lui a permis de négocier ses contrats en position de force.

Comme beaucoup d'animateurs, Ardisson affirme rester dans le service public par choix philosophique. Mais il semble que le dandy du PAF ait bel et bien été à deux doigts de rallier le privé. Au printemps 2000, TF1 connaît quelques soucis. Son audience du samedi soir pâtit de la concurrence « ardissonienne ». Et le dimanche, la case phare de 19 heures ne cesse de dégringoler. Après l'arrêt de *7 sur 7*, présenté par Anne Sinclair, Michel Field et Ruth Elkrief s'y sont brûlé les ailes. Dans le plus grand secret, Étienne Mougeotte imagine alors un coup. Faire venir Ardisson pour tenter de redresser cette « tranche » en perdition et s'enlever, par la même occasion, une sérieuse épine du pied le samedi soir. Avec Emmanuel Chain – jeune producteur fringant qui vient alors de créer sa société –, un concept d'émission est mis au point dans l'urgence : des interviews *punchy* dans le genre de ce que sait faire Ardisson. « Vu l'audience calamiteuse du dimanche, Étienne Mougeotte ne risquait plus grand-chose », se souvient un témoin. Seule précaution à prendre : signer le contrat au plus vite, sans que la chose s'ébruite, pour éviter que France 2 ne fasse monter les enchères. C'est à ce moment-là que tout aurait capoté. Très tenté d'accepter, Ardisson se serait alors confié à Catherine Barma, sa productrice sur France 2. Prise de panique, celle-ci aurait immédiatement alerté Michèle Cotta, à l'époque directrice générale de la chaîne, qui se serait mise en quatre pour le retenir.

Deux ans plus tard, rebelote. L'animateur manque à nouveau de franchir la Seine, cette fois-ci « pour une émission comparable à *Tout le monde en parle* », admet Catherine Barma. Mais il décide finalement de resigner sur France 2. Qu'a-t-il obtenu en échange ? Sur ce point, sa productrice reste plus que discrète : « C'est à la chaîne de donner des montants. » France 2 ne répond pas. Mais d'après plusieurs sources ce contrat négocié pour deux ans (de septembre 2002 à juin 2004) serait extrêmement généreux : 183 000 euros pour chaque *Tout le monde en parle*, soit 30 % plus cher que son concurrent de France 3, Marc-Olivier Fogiel *(On ne peut pas plaire à tout le monde)*, alors que l'émission ne compte aucun reportage et qu'elle est préenregistrée le jeudi pour le samedi, ce qui en diminue théoriquement le coût.

Outre cet hebdomadaire, Ardisson a signé pour dix *prime* par saison à plus de 500 000 euros pièce. Faute d'audience, il n'en a finalement réalisé que cinq en 2002-2003. Mais il est loin d'avoir tout perdu. Car si la chaîne lui a effectivement retiré les dix *prime* initialement négociés pour la saison 2003-2004, l'animateur aurait toutefois obtenu quelques compensations : la commande de cinq nouvelles émissions d'un concept inédit, ainsi que trois numéros supplémentaires de son magazine vedette, *Tout le monde en parle*, dont la fréquence augmente de trente-cinq à trente-huit diffusions par saison en 2003-2004 et 2004-2005.

Grâce à ces engagements, la baisse du chiffre d'affaires de la « PME Ardisson » restera donc modique, en dépit des ratés. Des privilèges énormes, pensez-vous ? Mais sur France 2, il y a encore plus chouchouté : Jean-Luc Delarue.

Principal mis en cause dans le scandale des « voleurs de patates », l'animateur a trouvé la parade : éviter les médias. Ça exonère de répondre aux questions embarrassantes. Dorénavant, la vedette n'accorde ses interviews qu'au compte-gouttes et dans quelles conditions ! Un journaliste, un des rares ayant eu le « privilège » d'être reçus, en parle comme d'une expérience singulière : « Après avoir fait le siège de son attaché de presse pendant des semaines, j'ai enfin décroché l'entretien, à condition toutefois de faxer le détail de mes questions à l'avance. Quand je suis arrivé, Delarue avait déjà préparé par écrit les réponses. Il les a lues devant moi en relevant de temps en temps la tête : "Notez bien ça. C'est intéressant, ce que je viens de dire." Mégalo ! »

Il faut dire que l'animateur a parfois la folie des grandeurs. Grisé par le succès en 2000, en pleine folie de la nouvelle économie, il se diversifie en créant deux nouveaux départements de sa société de production : Réservoir Net (filiale Internet) et Réservoir Sport (gestion d'images et production de reportages sportifs). Il prévoit également de lancer une chaîne câblée (Toast) et envisage de se lancer dans la TNT (télévision numérique terrestre). Rien que ça ? Non. Prêt à tout, il affiche même l'ambition de lancer des produits dérivés, par exemple... des chaussures à son nom. Pour développer ces multiples activités, il embauche à tout va, y compris trois cadres dirigeants à des salaires voisinant 15 000 euros mensuels. Sur ses propres deniers, il s'associe également cette même année à une figure de la nuit parisienne – Hubert Boukobza – pour ouvrir deux restaurants branchés près des Champs-Élysées, le Korova et le Nobu.

Seul maître à bord, comme à son habitude, il joue les chefs de cuisine et convoque des réunions au sommet pour décider de la carte, dont l'attraction est alors le poulet au Coca-Cola.

Aujourd'hui, cette période de folles initiatives est révolue. Après l'avortement de sa chaîne câblée, suivi de la faillite, courant 2002, de Réservoir Net et Sport, ainsi que de ses deux restaurants, le gendre idéal de France 2 a connu des fins de mois difficiles. À combien se monte l'ardoise pour Réservoir Prod ? Impossible de savoir. Adepte de la transparence à l'écran, Delarue, le patron, ne dépose pas les comptes de ses sociétés, en dépit de la réglementation. On a appris, en revanche, lors de la banqueroute du Korova et du Nobu, que les deux sociétés avaient accumulé, à elles seules, un passif de 5,5 millions d'euros [1]. Détenteur de 50 % des parts et caution de son associé Hubert Boukobza, Delarue a vu les créanciers se retourner vers lui. Début 2003, *Le Figaro* révèle que l'un d'eux, le brasseur Heineken – qui réclame plus de 600 000 euros –, a demandé la saisie de ses actions dans Réservoir Prod [2]. Un coup dur, qui aurait amené l'animateur à renoncer au versement de dividendes pour s'octroyer à la place, tous les trois mois, une prime sur le chiffre d'affaires.

Heureusement, il lui reste la télé pour se refaire une santé ! Au printemps 2002, au moment où ses affaires plongeaient, l'animateur a su faire jouer la concurrence entre France 2, où il prospérait depuis dix ans, et TF1, où Guillaume de Vergès, alors directeur des programmes, essayait de l'attirer depuis des mois. Des connaisseurs du dossier confirment que le contrat a bel et bien été à deux doigts d'être signé. À TF1, on l'attendait déjà. Pour lui libérer de

1. *Le Figaro Entreprises*, 14 octobre 2002.
2. *Le Figaro*, 17 février 2003.

la place dans la grille, la direction de la chaîne aurait même envisagé, au printemps 2002, de sacrifier son duo de choc, Bataille et Fontaine, dont le magazine de l'époque – *Y'a pas photo* – arrivait en bout de course. « Sans crier gare, TF1 les a sommés de proposer une nouvelle émission, se souviennent deux témoins. Quand ils sont revenus avec ce concept importé de l'étranger : *Y'a que la vérité qui compte*[1], la chaîne l'a accepté illico. Sans même prendre la peine de fabriquer un « pilote », elle a passé commande d'un numéro zéro diffusable à l'antenne à peine trois semaines plus tard. Les deux animateurs en étaient sidérés. Puis on les a laissés se débrouiller tout seuls. Personne ne les a aidés. À TF1, on était persuadé qu'ils allaient se planter et qu'on ne les reverrait pas en septembre... » Finalement le magazine, qui a fait un vrai tabac, est toujours à l'antenne. Mais, à l'époque, TF1 ne pensait qu'à régler les détails du contrat Delarue, qui devait être signé en avril, durant le MIP TV, salon professionnel organisé à Cannes. « Parmi les chefs, tout le monde était partant, ajoute un des témoins. Mais au dernier moment, Patrick Le Lay s'est ravisé. » Selon toute hypothèse, le *big boss* aurait finalement estimé les exigences de la star trop élevées et l'affaire portant sur un nombre d'heures de programme trop important, à peine un an après le contrat faramineux signé avec Endemol.

Marc Teissier a-t-il eu vent de la marche arrière de TF1 ? A-t-il réellement eu peur d'être privé de celui que les sondages désignent comme le « chouchou des Françaises[2] » ? Toujours est-il que France Télévisions a accepté de lui octroyer quelques petits bonus : plus 15 % sur France 2 et 12 % sur France 3. Soit un total de 42 millions d'euros

1. Voir le chapitre 1.
2. Sondage paru dans *Télé Star*, 3 mai 2003.

pour les deux chaînes, selon des chiffres sortis à l'époque [1]. Décidément compréhensives, les chaînes publiques ont également permis à Delarue de créer de nouvelles émissions sur TF1, au risque de galvauder ses concepts de débat de société – *C'est mon choix*, sur France 3, et surtout *Ça se discute*, sur France 2 – qu'elles paient pourtant fort cher.

« C'est mon choix », ou l'art de la culbute

Avant *C'est mon choix*, France 3 diffusait déjà un *talk-show* (*Paroles d'expert* de Valérie Expert) facturé 23 000 euros. Au départ peu gourmand, Delarue a accepté le même prix. Mais quand, au bout d'un an, il a pu se flatter d'avoir doublé l'audience de la case qui jusque-là se traînait à 11 %, il a revu son tarif à la hausse. Trop contente d'avoir trouvé un spectacle qui plaise aux ménagères, France 3 a resigné, en doublant pratiquement le budget de chaque émission (près de 40 000 euros l'unité). Mais cette hausse exceptionnelle n'aurait pas empêché Delarue de saler encore la note lors des rentrées suivantes, pour friser 45 000 euros en 2003. Un montant très élevé pour une émission de plateau quotidienne, dont les coûts s'amortissent bien plus vite que ceux d'une hebdomadaire.

Comme on imagine mal qu'un producteur aussi dur en affaires ait pu accepter de produire à perte, sa marge sur ce magazine – dont le concept n'a guère bougé en dépit des rallonges successives – atteindrait donc 50 %. Sans compter les nombreuses rediffusions facturées de 15 000 *(Best-Of été)* à 25 000 euros *(Best-Of dimanche)*, pour un coût de production proche de zéro – tout juste nécessitent-elles quelques heures de montage. Bertrand Mosca, qui ne

1. *Le Monde*, 8 juin 2002.

conteste pas ces chiffres recoupés auprès de plusieurs sources, tient toutefois à justifier ces largesses : « Grâce à cette émission qui attire les annonceurs, nous pouvons financer des programmes culturels moins porteurs d'Audimat comme *Culture et Dépendances.* »

Mais quand on l'interroge sur le montant de l'excédent réellement dégagé par *C'est mon choix*, il répond qu'il l'ignore. La régie publicitaire de France Télévisions affirme, quant à elle, qu'il est très difficile de faire correspondre un écran à un programme, en raison du zapping. On peut, pourtant, considérer que les pubs dont le prix et l'audience dépendent le plus directement de *C'est mon choix* sont celles que la chaîne diffuse juste avant l'émission, quand les fidèles attendent leur rendez-vous. En fonction des tarifs affichés par la chaîne, on peut alors se livrer à une estimation. Fin septembre, mois où la pub se vend bien après le creux de l'été, le passage d'un spot de trente secondes à cette heure sur France 3 valait 6 400 euros [1]. D'une durée de quatre minutes trente environ, l'écran rapportait donc 57 600 euros maximum. Un peu moins, sachant que les annonceurs négocient généralement des rabais. Il couvrait donc tout juste le coût de l'émission et ne permettait pas de payer des heures de *Culture et Dépendances*.

« Ça se discute » : prix record pour un talk *de fin de soirée*

Fin 1998, *Ça se discute* a été reconduit pour trois saisons à 1,2 million de francs l'unité (183 000 euros). Réévalué au fil des ans – et de l'inflation –, son prix dépasserait

1. Source : France TV Publicité. Tarifs des jeudi 25 et vendredi 26 septembre 2003 appliqués aux annonceurs du secteur 1 (biens de grande consommation).

aujourd'hui 200 000 euros, ce qui en ferait l'un des *talk-shows* – sans doute même le *talk-show* – de seconde partie de soirée le plus grassement payé de la télé française. Même TF1, qui recueille des audiences plus élevées et devrait donc, logiquement, accepter des tarifs supérieurs, serait plus économe. Ses émissions de fin de soirée avoisineraient 140 000 euros l'unité. Avec quelques exceptions comme *Vis ma vie*, par exemple, qui, après une rallonge obtenue par Jean-Luc Delarue, aurait atteint en 2002-2003 le prix record de 205 000 euros. Un montant qui s'expliquerait par la fabrication des reportages, à la fois longs et onéreux, que compte le magazine. Difficile, en revanche, de justifier le chèque de *Ça se discute*, dont les coûts de production sont tirés vers le bas : peu de tournages à l'extérieur et enregistrement des plateaux deux par deux, tous les quinze jours, ce qui divise d'autant les frais techniques.

Comment peut-il, dans ce cas, présenter de telles factures ? Quoique le secret des contrats de Delarue soit aussi bien gardé que les plans de la bombe atomique, voici, en guise d'exemple, le détail du devis de *Ça se discute*, relatif au contrat portant sur les saisons 1999-2000, 2000-2001 et 2001-2002. Signé par Marc Teissier, ce document a été validé par la chaîne. Il ne faut pourtant pas très longtemps pour se rendre compte que les dépenses induites par l'émission ont été soumises à la gonflette.

Les marges cachées de « Ça se discute »

Officiellement, la marge affichée par Jean-Luc Delarue sur ce devis est de 20 % brut et de 8 % net, après frais généraux, d'assurances, d'imprévus... Elle est supérieure à ce qu'empochent de nombreux producteurs – notamment de documentaires, où les marges plafonnent à 4 % les bons jours. Mais elle reste admissible. Une étude attentive du devis laisse pourtant soupçonner de nombreuses marges cachées. Cri du cœur d'une productrice à la lecture du document : « Incroyable ! Il se donne du mou partout. » Et quel mou !

Sur les *frais de plateau*, de loin le plus gros poste du devis, Delarue annonce, pour le studio 102 de Radio-France, un coût total de 23 475 euros par émission, tout compris : régie, matériel, salaires des techniciens... Le contrat précisant que les émissions seront bien enregistrées deux par deux le même jour, il dépenserait donc pour chaque journée de tournage 46 950 euros de frais de plateau, auxquels il ajouterait notamment 4 570 euros de montage et démontage du décor. Total : 51 520 euros par journée de location du studio.

N'est-ce pas trop cher payé ? N'importe quel responsable de France 2 prenant la peine d'appeler la société France 102 Studio – filiale de France Télécom assurant la location clés en main du plateau – pourrait se rendre compte qu'il ne lui coûte d'évidence pas ce prix-là. Même un client ponctuel, ne bénéficiant d'aucune remise spéciale et souhaitant *grosso modo* le même genre de prestations que Delarue – sept caméras, sept cadreurs, cinq électriciens... –, se voit offrir un tarif forfaitaire de 27 170 euros la journée, comprenant l'installation du décor. Pratiquement deux fois moins que Delarue l'estime dans son devis, alors que sa société y met en boîte plusieurs émissions – *C'est mon choix* deux journées par semaine et *Stars à domicile*. Comme les autres bons clients du studio, elle doit donc obtenir une remise de 20 % environ. Rien que sur le poste « plateau », Delarue se ménagerait donc près de 60 % de marge cachée.

Autre gros poste : les *frais de recherche et de documenta-*

tion, facturés 12 336 euros par émission. Délirant ! Delarue, qui ne se mouche pas du pied, n'hésite pas à compter, par exemple, 6 860 euros par émission pour des achats d'archives, ce qui correspond en gros à huit minutes d'images. De mémoire de téléspectateur, personne ne se souvient d'avoir vu tant d'archives dans le cadre de *Ça se discute* ! Croquignolet aussi, le décompte de deux documentalistes facturées à plein temps sur l'émission. Et que dire du poste « moyens de documentation : presse et informatique », estimé 2 280 euros par émission – 9 120 euros par mois ! On sait qu'en France la presse est hors de prix, mais quand même... Approximativement, la marge cachée grimperait, là encore, à près de 50 %.

Pour *préparer l'émission*[1], Réservoir Prod facture à France 2, outre le salaire d'animateur de Jean-Luc Delarue – 4 570 euros brut par émission –, ceux de quatre rédacteurs en chef et douze « journalistes » – six « seniors » à 3 800 euros brut par mois et six « juniors » à 3 000 euros. Même si la société a la réputation de payer correctement, un petit jeune à 3 000 euros par mois, ça paraît quand même beaucoup. Des ex-« juniors » de Delarue ont plutôt le souvenir d'une feuille de paye de 2 100 euros brut. La marge cachée se monterait donc à 2 550 euros par émission. Soit un total de plus de 100 000 euros, charges comprises, sur l'ensemble de la saison.

Et comme il n'y a pas de petites économies, terminons ce bref passage en revue par la case « consommables » : les *cassettes d'enregistrement*. Une petite société de production, ne bénéficiant donc pas du même poids auprès de ses

1. Ce décompte de personnel n'inclut pas les équipes – JRI (journalistes-reporters images), preneurs de son, monteurs... – en charge du tournage des reportages diffusés dans le cadre de l'émission. Les conditions de production semblent donc très confortables.

fournisseurs que Réservoir, facture aux chaînes ses cassettes Betacam Digital (cent vingt-quatre minutes) – le format le plus cher – 71 euros l'unité. Delarue, lui, prétend payer ces mêmes cassettes 122 euros pièce. Dérisoire ? Mais à raison de neuf bandes par émission, le total atteint quand même 459 euros. Même chose pour les cassettes de tournage Beta SP (trente minutes). Facturées 23 euros au lieu de 13, à raison de vingt-deux par émission, elles permettraient de dégager une marge de 220 euros.

À eux seuls, ces quatre postes dégageraient environ 24 000 euros de marge cachée. Grâce à eux, Delarue, qui affiche royalement 12 220 euros de marge nette par émission, triplerait ses bénéfices. Compte tenu des autres dépenses prévues sur le devis – réalisation, reportages... –, les quelques producteurs qui l'ont examiné estiment la marge brute à 40 % minimum. Qui dit mieux ?

Sollicité à ce sujet, Jean-Luc Delarue n'a pas souhaité commenter ces chiffres. À France 2, le directeur des programmes, François Tron, assure quant à lui payer ses émissions le prix qu'elles valent : « On ne rédige pas les contrats sur un coin de table. Tous les documents sont soumis au contrôleur d'État avant d'être signés. Du moment qu'il me dit banco, je dis banco. » Au doigt mouillé, ce responsable de la chaîne estime que la marge brute de Delarue n'excède pas 25 %.

Les « méthodes » Delarue

À la suite des dérives de la période Elkabbach, les contrats des producteurs comportent désormais une « clause d'audit » qui permet de contrôler sur pièces le détail des dépenses réellement engagées. En théorie, France 2 devrait donc pouvoir mettre son nez dans les comptes de Delarue et vérifier qu'il n'empoche pas des marges cachées. François Tron assure d'ailleurs que « dès que la chaîne a un doute, elle effectue désormais un audit ». « Il y a deux ans, nous avons épluché les comptes d'un de nos gros producteurs et nous n'avons rien trouvé », spécifie-t-il. Voilà qui devrait rassurer, mais, hélas, pas question de connaître l'identité de ce bon gestionnaire.

Dans le cas du contrat de *Ça se discute* ici décortiqué, on constate cependant que cette fameuse « clause d'audit » ne semble pas être là que pour sauver les apparences. Car il y est stipulé que le contrôle ne peut s'exercer que sur « la première émission de chaque saison ». Sur les trente-neuf restantes, France 2 ne s'autorise donc aucun droit de regard. Dispositif bidon ! D'autant que les émissions sont enregistrées deux par deux. Contrôler les dépenses pour une seule est donc un exercice improbable. À croire que les responsables de la chaîne de service public ont préféré se voiler la face et laisser faire.

Ce laxisme est d'autant plus choquant que d'autres producteurs, dans le documentaire notamment, sont soumis à un contrôle très strict de leurs dépenses, et cela bien que les sommes qu'ils obtiennent soient loin de leur permettre de faire du gras. « Pour chaque documentaire nous sommes tenus de remettre les comptes définitifs, avec le détail des archives utilisées, ainsi que les feuilles de paye des auteurs quand nous avons touché, ce qui est souvent le cas, une aide du CNC », explique une productrice. Concrètement, cela laisse très peu de marge de manœuvre à ceux qui seraient tentés de charger la barque. « On peut gonfler un peu le coût de location de certains matériels, celui de quelques cassettes. Pas plus », assure-t-elle.

À France 3, on se défend d'accorder des régimes de

faveur. Les producteurs vedettes des émissions vedettes sont en théorie soumis au même régime que les autres. Bertrand Mosca soutient même que « chaque centime d'euro dépensé doit être justifié ». Et il est vrai que, comme France 2, la chaîne emploie des « administrateurs d'unité », dont le travail est précisément de suivre au jour le jour les dépenses des producteurs et de freiner des quatre fers quand ceux-ci demandent en cours d'année des rallonges qu'ils jugent injustifiées. Dans les faits, ils auraient cependant bien du mal à faire valoir leurs arguments auprès de certains, comme le puissant Jean-Luc Delarue qui, selon un habitué des locaux de France Télévisions, pratiquerait la « politique de la terreur » : « Quand il est dans le bureau d'un administrateur, que la discussion coince, que celui-ci résiste à ses souhaits, sa technique est d'appeler aussitôt à l'échelon supérieur le directeur des programmes, voire parfois Marc Teissier. Pensant qu'il y a le feu, ils le prennent au téléphone. Delarue hurle : "Dis-lui que tu es d'accord avec moi." Pour éviter les conflits sur des points qui ne sont pas essentiels, ils cèdent aux injonctions », affirme-t-il.

La mine compatissante et les douces paroles réconfortantes du gendre idéal de France 2 ne seraient-elles que des poses télévisuelles ? Au sein de sa société, beaucoup pensent que si le vrai Delarue s'aventurait sur le plateau de *Ça se discute* ou *C'est mon choix*, il en ressortirait sous les quolibets du public. Car dès que les caméras cessent de tourner, le gentil animateur semble se transformer en patron tout-puissant, voire même caractériel. Et loin de s'arranger avec l'âge, son humeur s'est encore dégradée ces derniers mois, depuis qu'il a connu des soucis en affaires. Pour certains salariés de Réservoir Prod, la vie est même devenue un cauchemar. Une documentaliste qui avait osé se plaindre de ses conditions de travail – Delarue l'aurait soupçonnée d'avoir appelé l'inspection du travail – s'est ainsi vu infliger en représailles une séance d'humiliation publique. Devant ses collègues, l'animateur vedette, hors de lui, l'a abreuvée d'insultes ordurières. La responsable financière, une femme de la cinquantaine dévouée à la maison depuis sa création, a été soumise à ce régime pendant des mois. Sur les rotules, au bord de la dépression, elle a fini la saison 2003 en arrêt-maladie avant d'être licenciée dans le courant de l'été. Et elle n'est pas la seule ! Une dizaine de collaborateurs, après avoir été quelque temps chouchoutés par Jean-Luc, ont été écartés sans ménagements. Désabusés, plusieurs décrivent un patron « tout-puissant », « cyclothymique », qui « s'entiche des gens pendant quelques mois, puis les jette comme de vulgaires Kleenex ».

Désormais, certains ex-salariés fourbissent leurs armes aux prud'hommes. D'autres, virés un peu plus tôt, ont déjà décroché de coquettes indemnités. Parfois en négociant, comme cet ex-cadre dirigeant – un de ceux embauchés à près de 15 000 euros par mois – qui a obtenu un an de salaire, 180 000 euros ! Ou encore par décision de justice, comme ce présentateur devenu, par le biais d'une succession de CDD (Contrat à durée déterminée), rédacteur en chef, puis consultant, avant que la société ne rompe toute relation avec lui. En mars 2002, le tribunal a condamné Réservoir Prod à lui verser 56 886 euros d'indemnités [1]. Si les décisions à venir sont tranchées dans le même sens, Delarue va devoir sortir son carnet de chèques. De quoi dépenser sûrement quelques milliers d'euros octroyés par France 2. Mais que les contribuables se rassurent. Tout le monde le leur répète : l'argent de la redevance est bien utilisé !

1. Chiffres publiés dans *L'Expansion*, février 2003.

5

Témoin numéro 1

> « Les gens ont de plus en plus de temps pour s'observer, pour prendre conscience de leurs richesses intérieures, et désespèrent de ne pouvoir en faire quelque chose. Être médiatisés représente pour eux une chance de changer le cours de leur existence à travers le regard des autres. »
>
> Serge Tisseron, psychanalyste,
> *France-Soir*, 4 juillet 2003.

Dans toutes les rédactions, on avait soigneusement recopié son numéro de portable. Agenda lettre C, comme « Claire Carthonnet ». Son nom ne vous dit rien ? Pourtant vous l'avez sans doute vue batailler sur les plateaux télé contre une brochette d'experts – flics, médecins ou journalistes – qui ne comprenaient rien, disait-elle, à la vie du trottoir. Car Claire est une prostituée. Mais pas n'importe laquelle. Pas vraiment. À tout juste 30 ans, son CV a de quoi faire pâlir les vedettes des médias : *Vie privée, vie publique* (France 3), *Zone interdite* (M6), *Riposte* (France 5), *Ça se discute*, *Envoyé spécial* et *Tout le monde en parle* (France 2), le journal de Canal+... On en reste perplexe. Mais pourquoi, alors que nos trottoirs seraient désormais arpentés par vingt mille prostituées, n'a-t-on invité qu'elle sur les plateaux télé ? Est-ce par facilité ? Les journalistes seraient-ils, comme on le prétend souvent, à ce point paresseux ?

Avant de les accabler, faites un petit effort pour comprendre leur malheur. Vous, téléspectateurs, qui passez en moyenne trois heures vingt-deux par jour devant votre petit écran [1], le savez parfaitement : la prostitution fait partie de ces sujets « vendeurs » qui permettent de scotcher le public. À la moindre occasion, arrivée des « filles de l'Est », nouvelles « filières africaines », préparation de la loi Sarkozy, chaque magazine y sacrifie. Avec un fantasme : dénicher la perle rare, à la fois mignonne et éloquente, qui accepte de venir témoigner devant les caméras. Car disons-le tout net : aucun rédacteur en chef digne de ce nom ne peut envisager de traiter le sujet sans avoir, sur sa liste d'invités, au bas mot une ou deux « prostituées authentiques ».

Et c'est là que ça se corse pour les pauvres journalistes chargés de l'enquête. Après une dizaine de coups de fil à des associations susceptibles de les mettre en contact avec quelques jeunes femmes, ils comprennent leur malheur. Que ce soit par honte ou par peur d'éventuelles représailles, la majorité d'entre elles refuse de témoigner. Celles qui acceptent exigent pour la plupart qu'on masque leur visage. Les équipes de télé préfèrent donc, généralement, se raccrocher aux très rares prostituées médiatiques qui veulent bien s'exprimer ouvertement. Un bon point pour l'audience. Mais que disent-elles au juste ? En vraie pro de la com', Claire Carthonnet entonne invariablement le même refrain : « Je préfère vendre mon corps que de gagner 5 000 francs par mois » (*Zone interdite*, *C'est mon choix*, dimanche midi avec Paul Amar) ; « Je suis libre, autonome » *(Ça se discute)*... Surprenant ! Elle brosse un tableau

1. Source : Médiamétrie, pour l'année 2003.

idyllique du métier, à mille lieues des constats alarmants faits par les spécialistes – associatifs, policiers – qui côtoient tous les jours de nombreuses prostituées.

Alors qui a raison ? À l'image, l'impact du vécu l'emporte largement sur tous les grands discours. « J'y étais, moi, monsieur. Je sais de quoi je parle. » Voilà les arguments qui suscitent l'adhésion du public. Pourtant une question demeure : sur un plateau télé, exposée aux regards de millions de téléspectateurs, que peut dire une prostituée ? « Quand elles parlent dans l'urgence du direct et sous les projecteurs, tout sauf la vérité », affirme Claudine Legardinier, journaliste à la revue *Prostitution et Société*, éditée par le mouvement du Nid[1]. « Stigmatisées par la société, victimes de leur mac, parfois de leurs clients, elles n'ont pas d'autre choix pour se légitimer que de s'afficher comme des femmes épanouies. À l'occasion de débats télévisés, j'en ai rencontré certaines qui, après avoir décrit en coulisse leur vie comme un enfer, soutenaient le contraire devant les caméras. »

Ajoutez à cela que Claire Carthonnet est aussi militante de l'association lyonnaise Cabiria, prônant la banalisation de la prostitution, et qu'elle a suivi un véritable *media training* – formation aux techniques de communication dont raffolent grands patrons et politiques – avant de s'aventurer sur les plateaux télé, et vous comprendrez que son omniprésence ne doit rien au hasard. Point d'orgue de son parcours : son livre publié après sa consécration médiatique, en avril 2003. Intitulé *J'ai des choses à vous dire*[2], il contient une vraie révélation : celle qui a pendant des mois monopolisé les ondes pour soutenir que les femmes pouvaient s'épanouir dans la prostitution dévoile qu'elle est en

1. Association d'aide aux prostituées.
2. Chez Robert Laffont.

fait… un transsexuel. Un homme devenu femme ! Le scoop n'a pourtant guère retenu l'attention. Hormis Marc-Olivier Fogiel, qui l'a reçue sur le plateau d'*On ne peut pas plaire à tout le monde*, les échotiers du PAF ne lui ont pas déroulé le tapis rouge. Piteux ou agacés de s'être fait avoir, certains de ses ex-hôtes regrettent d'avoir offert une telle tribune à quelqu'un d'aussi peu légitime pour rendre compte du point de vue des prostituées du sexe faible. Ils se sont cependant bien gardés de le dire à l'antenne. La plupart des téléspectateurs ne connaîtront donc pas le fin mot de l'histoire.

Le dénouement illustre bien les dangers de la quête du témoin à tout prix. Sous prétexte de donner un visage, du vécu à une information, on en vient à propulser sur le devant de la scène des porte-parole plus ou moins légitimes. Avec leur étiquette « 100 % authentique », ils marquent cependant davantage les esprits que le discours théorique des experts.

Sans scrupules

Des témoins, Réservoir Prod, la société de production de Jean-Luc Delarue, en dégote à la pelle pour garnir chaque semaine les plateaux de sa brochette d'émissions « sociétales » : *Ça se discute*, *Jour après jour*, *Vis ma vie* (TF1) et *C'est mon choix* (France 3). Pour dénicher ces personnages hauts en couleur, cette PME prospère a ses petites recettes, qu'elle se garde évidemment de crier sur tous les toits. Secret de fabrication ! C'est la loi de la « saine concurrence » qui règne à la télé. Mais comme ces témoignages affichent la prétention de refléter la vraie vie des vrais gens, on peut légitimement se demander s'ils ne seraient pas de temps en temps un petit peu mis en scène, histoire de garantir le spectacle. Dans *C'est mon choix*, notamment, comment Évelyne Thomas, l'animatrice, s'y prend-elle pour que, quotidiennement, le débat tourne à la bataille rangée ? Grâce aux explications de quelques anciens de la maison, voici quelques recettes exclusives de tante Évelyne et de tonton Jean-Luc...

Bien que les sujets abordés soient souvent farfelus – j'aime les poils (et j'en suis fier), je ne pardonne jamais (et j'en suis fier), je suis radin (et j'en suis toujours fier) –, la grosse difficulté de *C'est mon choix* n'est étonnamment pas de trouver des personnes qui acceptent de se confier. Il suffit en général de faire défiler les thèmes des émissions à venir dans le générique de fin pour qu'accourent, ventre à terre, des témoins potentiels, alléchés à l'idée d'un passage à l'antenne. Environ cent cinquante volontaires par jour ouvrable. Accueillis par un répondeur vocal, ils sont alors priés de décliner leur nom et l'objet de leur appel, pour permettre, par la suite, de les rappeler en fonction des besoins. C'est à ce moment-là que commence le vrai travail du casting.

Pour s'assurer que les fameuses engueulades sous les huées du public auront bien lieu en plateau, une laborieuse préparation s'impose. Tout d'abord, on construit la trame de l'émission *a priori*. Avant d'avoir déniché le moindre témoin, on dresse la liste de profils à inviter avec un objectif : qu'ils se chamaillent au maximum. Pour une émission sur la pilosité (pour ou contre le poil), on décidera, par exemple, d'inviter un homme terriblement velu et bichonnant sa toison, qu'on confrontera à un « ancien velu » qui aura, lui, choisi de recourir à une épilation électrique. Après avoir ainsi défini une demi-douzaine de témoins types pour chacune des émissions, on demande aux journalistes – des enquêteurs travaillant en binômes – de partir à la pêche. Comme il faut aller vite, ces binômes se répartissent les tâches. Pendant que le binôme A recherche les « pour » (dans ce cas, les « pro-poils »), le binôme B se met en quête des « contre » (dans ce cas, les « anti-poils »). C'est la bonne vieille méthode de la taylorisation du travail appliquée aux grands débats de société.

Chaque binôme prend contact avec les « personnages » correspondant au profil dont il est responsable. Au cours d'un long entretien téléphonique, les impétrants doivent raconter avec force détails un certain nombre d'anecdotes susceptibles d'étayer leur position en plateau. Exemple : un ex-poilu se souviendra du jour où une jeune femme l'a plaqué, horrifiée par sa toison.

Si le témoin est jugé « bon client » – c'est-à-dire doté de qualités aussi télégéniques que l'instinct du pathos ou le sens du psychodrame –, le binôme soumet ses anecdotes au rédacteur en chef.

Après avoir mis sur la table les historiettes susceptibles d'être relatées par les uns et les autres, on choisit pour chaque témoin une anecdote principale – éventuellement, quelques autres secondaires – qu'il faudra coûte que coûte lui faire « cracher » en plateau. La construction dramatique de l'émission est ensuite préécrite, en fonction des saillies pittoresques et des points de discorde susceptibles de créer un affrontement.

Quelques heures avant l'enregistrement, chaque enquêteur rappelle « ses » témoins pour un ultime *briefing*. Il leur indique la liste des anecdotes « intéressantes » qu'il faudra raconter en plateau et simule avec eux le débat : « Imaginons que quelqu'un vous affirme que se faire épiler reflète un manque de personnalité [un autre témoin est déjà prévu pour ce rôle]. Que lui répondez-vous ? » On discute de la réponse, soupèse les arguments.

En dernier lieu, les témoins et leurs laïus sont mis en fiches à l'attention de l'animatrice. Munie de ces pense-bêtes, Évelyne Thomas s'emploiera à bien les recadrer. À l'autre bout de l'oreillette, le rédacteur en chef, Stéphane Rak, lui soufflera quelques conseils. Et vive le spectacle ! Car, ces méthodes de casting « scientifiques » le démontrent, il s'agit bel et bien de produire un spectacle, non pas de tendre d'hypothétiques miroirs de la société qui aideraient la ménagère à mieux comprendre son prochain. Un argument pourtant utilisé par France 3 pour défendre la place de l'émission dans le service public.

Concernant les crêpages de chignons de *C'est mon choix*, personne n'est vraiment dupe. En revanche, on s'offusquera davantage en constatant que les mêmes ficelles sous-tendent aujourd'hui l'émission phare de Jean-Luc Delarue, *Ça se discute*, dont les témoins ressemblent, année après année, de plus en plus à des caricatures. Revenons sept ou huit ans en arrière. À l'époque, les invités avaient encore l'allure de citoyens ordinaires. Dans une émission sur la « première fois », par exemple, diffusée en 1995 [1], on découvre des gens comme Gabrielle, qui a eu une « éducation du siècle dernier », Charlotte, qui, pour forcer le dialogue avec papa-maman, est rentrée d'une « surboum » à 7 heures du matin, ou Olivier, qui vient d'une famille où l'on « parle beaucoup » et dont la petite copine a toujours pu dormir à la maison...

Huit ans plus tard [2], sur le même thème, changement de style. Si deux ou trois témoins incarnent encore l'ado moyen, la plupart ont eu une « première fois » pour le moins

1. 6 juin 1995. À cette époque, les débats se déroulaient pendant deux jours. Sur le thème « premières amours », Delarue avait reçu le premier soir des parents et le lendemain des jeunes.

2. 26 février 2003.

hors du commun : affolée d'être encore vierge passé l'âge de 20 ans, Corinne a mis une petite annonce pour trouver l'homme providentiel ; Christophe a eu recours dès 15 ans aux services d'une prostituée ; Blandine s'est fait violer dans une soirée à 17 ans ; et Charlotte, dépucelée par deux garçons à la fois, a contracté une maladie sexuellement transmissible (MST) qui a failli la laisser stérile et même la tuer...

À entendre ces témoins, plus atypiques les uns que les autres, on se demande vraiment où Jean-Luc Delarue est allé les dénicher. Sur Internet ? Peut-être. Car, comme tous les magazines de sa catégorie, *Ça se discute* inonde la toile d'appels à témoignage. Ainsi, sur deux sites – ados.free.fr et topsanté.fr –, on pouvait lire quelque temps avant « Les premières fois », version 2003, cette annonce envoyée par une collaboratrice de l'émission :

> Nous préparons une prochaine émission sur le thème de *la* première fois pour laquelle nous recherchons des témoignages.
>
> – Si votre première fois a été exceptionnelle, atypique ou traumatisante,
> – Si vous avez été enceinte ou vous avez contracté une maladie lors de votre premier rapport,
> – Si vous avez eu recours à une prostituée,
> – Si vous avez plus de 20 ans et vous êtes encore vierge,
>
> Contactez-nous...

À l'arrivée, carton plein. Quelques semaines plus tard, tous les profils recherchés figureront sur le plateau : première fois traumatisante (Blandine), maladie contractée (Charlotte), recours à une prostituée (Christophe) et vierge à plus de 20 ans (Corinne)... Question à Jean-Luc Delarue et à son équipe : *Ça se discute* est-il encore un magazine de société ou l'étalage de phénomènes de foire ?

« Elle est bonne ? »

Le « bon client » est roi. Même dans les magazines d'info. Sur M6, grande défricheuse du marketing journalistique, les reporters de *Zone interdite* n'envisagent plus d'interviewer un quidam qui ne rentre pas dans cette catégorie. La chaîne ciblant un public jeune, il est en outre de bon ton que « les reportages montrent le monde comme s'il était peuplé de belles blondes et d'éphèbes », précise un journaliste. Officiellement, bien sûr, les « clients » vieux et moches ne sont pas interdits d'antenne. Mais quelques anecdotes colportées dans les couloirs de la petite chaîne qui monte en disent long sur son état d'esprit. L'exemple vient d'en haut. « Nicolas de Tavernost, le grand patron, est coutumier d'une blague, rapporte un journaliste. Quand on lui parle d'une femme filmée dans un reportage, il demande : "Elle est bonne ?" C'est de l'humour. On le sait. Mais cela appelle malgré tout une réponse positive. » Et puis il y a ce jour où Thomas Valentin s'en est vertement pris à un reportage de *Capital* en en stigmatisant le « casting » : « C'est pathétique *[sic]* d'avoir commencé le sujet par l'interview d'un petit vieux. »

Pas étonnant, après ce genre de coups d'éclat, que dans la chaîne on entende des jeunes journalistes claironner qu'ils ont « fait leur casting ». Entendez par là qu'ils ont établi la liste des personnes qu'ils prévoient d'interviewer dans le cadre de leur reportage. À ce stade, il ne leur reste qu'à aller les mettre en boîte, en respectant, bien sûr, les codes de la télé. À M6, où l'on ne fait rien à moitié, les recettes de tournage sont extrêmement précises. Pour éviter de « lasser le public », il est de la plus haute importance que les interviewés soient sans cesse en mouvement. Contrairement aux chaînes américaines qui n'hésitent pas à se « poser » pour de grands entretiens, dans les reportages français on passe son temps à voir des gens entrer, sortir et claquer les portes, sans que ces activités apportent quoi que ce soit au propos. Mais il faut que « ça bouge ». Un point, c'est tout.

Depuis plusieurs années M6 a mis au point des techniques aujourd'hui reprises par toutes les chaînes : commencer par filmer les personnes en pleine action – en train de mettre la table ou de pousser leur Caddie – et, à ce moment-là seulement, leur poser une question. Mais pas n'importe laquelle, une question à la fois en rapport avec le sujet du jour et ce qu'ils sont en train de faire. Bref, le cauchemar pour les pauvres reporters, quand il s'agit, par exemple, d'évoquer un sujet aussi théorique que le Pacs dans le salon d'un couple d'homos – « Depuis que vous vous êtes paxés, avez-vous investi dans un nouveau canapé ? » – ou de parler des réductions d'impôts avec un fonctionnaire de Bercy.

La stratégie du « pauvre »

À la télé bien plus que dans la presse écrite, le reportage est « chronophage ». Il faut appeler des dizaines de personnes avant de dégoter le bon témoin, organiser un tournage dans un lieu emblématique, etc. Or le temps, c'est justement ce dont on manque le plus à la télévision, notamment dans les JT où l'essentiel des sujets est tourné à peine quelques heures avant la diffusion. Pas question dans ce cas de peaufiner son planning de rendez-vous. Et pourtant... En dépit de l'urgence, les rédacteurs en chef n'imaginent plus de livrer la moindre info sans l'illustrer par une interview en situation. Impossible de divulguer une statistique sur l'alimentation des Français sans tournage sur le « terrain », dans les jupes d'une brave mère de famille qui ouvre son frigo. Impossible d'évoquer l'épidémie de grippe sans « interroger » deux ou trois vrais patients en train de cracher leurs bronches dans une salle d'attente comble, comme d'évoquer le financement des retraites sans solliciter le point de vue des plus grands spécialistes de la question : les retraités eux-mêmes ! Vilipendée par les chevaliers blancs de l'info pure et dure [1] qui y voient la mort du journalisme au profit du café du commerce, cette culture dite du « micro-trottoir » est en soi défendable. Après tout, n'est-ce pas le meilleur moyen de refléter l'air du temps ? Restent deux difficultés : ne pas se contenter d'aligner des propos de comptoir et savoir à qui tendre son micro.

Même si, *a priori*, ces témoins du quotidien se ramassent à la pelle, les journalistes pris par le temps et houspillés par leurs chefs impatients de « boucler », recourent au système D – quitte à choisir parfois des témoins qui ne témoignent plus de rien. Quand on travaille pour une chaîne de télé située entre Boulogne-Billancourt (TF1) et le pont du Garigliano (France Télévisions), le plus simple et le moins onéreux est encore d'aller promener sa caméra dans l'Ouest parisien, c'est-à-dire au pied de son immeuble. Lorsque, quelques mois après la mise sur le marché des premiers lecteurs de DVD, France 3 a voulu faire le point sur la

1. François Ruffin, *Les Petits Soldats du journalisme*, Les Arènes, 2003.

tendance des ventes, elle a naturellement sollicité le commentaire du patron d'une boutique située avenue de Versailles, dans le XVIe arrondissement, à deux pas du bureau. Que le pouvoir d'achat et le « taux d'équipement » des familles de ce quartier huppé de l'Ouest parisien soient sans commune mesure avec ceux de la moyenne des Français ne semblait pas poser de problèmes. Pas plus que tourner la plupart des reportages consacrés à la crise du groupe Buffalo Grill (décembre 2002) dans le restaurant de la chaîne rue Saint-Charles, dans le XVe arrondissement, à côté du quartier des télés. Parfaitement intégré au paysage de cette rue commerçante, il n'a rien du Buffalo de base avec son toit pentu au bord des nationales. Mais c'est tellement pratique pour tourner des images en urgence !

Même pour les très prévisibles reportages consacrés à l'ouverture des cadeaux de Noël, il n'est souvent pas question d'aller perdre une journée et le prix du transport pour tourner à l'autre bout de la France. Le 25 décembre 2001, par exemple, TF1 nous emmenait sous le sapin d'une famille de Saint-Germain-en-Laye – banlieue BCBG de l'Ouest parisien –, pendant que France 2 optait pour Suresnes – autre banlieue BCBG de l'Ouest parisien. Résultat à l'antenne : deux images de bonheur style *Figaro Madame*, avec de jolis meubles, une moquette impeccable et des enfants modèles à la syntaxe parfaite. Le tableau était plutôt réussi, mais tant pis pour la représentativité sociologique.

Cette tendance à nous faire des images tout droit sorties d'un spot de pub résulterait aussi d'un vrai choix éditorial. À TF1, où chaque sujet est pensé plan par plan pour faire de l'Audimat, les efforts de casting existeraient jusque dans les reportages du JT. Parole de journaliste : « Quand tu rentres de tournage et que tu regardes tes rushes, il y a souvent un chef qui arrive par-derrière pour te faire remarquer un truc du style : “Dis donc, la petite blonde, c’est intéressant ce qu’elle raconte. La grosse là, en revanche, c’est pas terrible.” Tout est dans le non dit, mais quand on te répète ça deux fois, trois fois, dix fois, à la fin tu retiens que les petites blondes disent en règle générale des choses plus captivantes que les grosses ou les moches », affirme cet ex-reporter de TF1, aujourd’hui dans la hiérarchie de France 2 où il soutient que ce genre de conseils n’est jamais prodigué.

Obnubilées par l’idée fixe de farcir, quel que soit le sujet, les reportages de réactions sur le vif, il arrive que les deux rédactions basculent dans le même travers : préférer les témoignages bidons à l’absence de témoignages. Prenons le cas du « marronnier » des vacances : la lutte contre les cambriolages. Pour faire un bon reportage, formaté selon les critères des grands journaux télé, il faut impérativement l’interview de la brave Mme Michu en train de mettre en route son alarme avant de claquer sa porte. Mais qui sera suffisamment dévoué à la cause de l’info pour accepter de faire cette démonstration devant la France entière ? À première vue ce couple, présenté dans le « 13 heures » de TF1 comme venant de « s’installer dans un quartier où les cambriolages sont fréquents », faisait très bien l’affaire. Serrure trois points, volets fermés et surtout mise en route de l’alarme même au premier étage, le maître de maison se sentait rassuré par le dispositif : « Si c’est du petit vandalisme, la personne partira vraisemblablement. » Petit détail quand on scrute le synthé : à côté du nom de l’interviewé, sa profession – vendeur de systèmes d’alarme. Ce qu’on appelle un témoin objectif !

Il y a quelques années, un journaliste de France 2 semblait, quant à lui, avoir tiré le gros lot en la personne de Nadine. Présentée à l’antenne comme la Parisienne lambda, elle nous faisait découvrir les prouesses de son système d'alarme domestique en ponctuant tous ses gestes d'un discours percutant : « Je ferme ma porte. Je mets mon alarme. Si quelqu'un entre, je suis appelée. Sinon la police vient. Je trouve ça beaucoup plus simple. » Beaucoup plus simple... en effet pour faire la promotion des alarmes à la télé, ce qui était précisément le job de Nadine Davesne, responsable d'une agence de communication, Info Presse, qui avait justement comme client l'entreprise fabriquant les alarmes vues dans le reportage. Cette fois, le journaliste n'avait pas pris la peine de signaler ce « détail », d'autant plus embarrassant que, selon l'attachée de presse, c'était lui qui l'avait appelée en catastrophe à la veille du week-end du 15 août pour qu'elle trouve au pied levé un témoin acceptant de se prêter au jeu.

Habitués à travailler main dans la main avec les attachés de presse, de nombreux spécialistes de la « conso » auraient un peu tendance à les considérer comme des fournisseurs de sujets clés en main. Que ces « communicants » soient payés par les marques pour faire leur promotion n'a pas l'air de poser de cas de conscience. Et comme dans les agences on est toujours partant pour un petit passage au « 20 heures », on a vite pris le pli de répondre aux demandes les plus folles. Dans cette société chargée de la promotion des jeux Hasbro, c'est un pannel de « collectionneurs de Monopoly » qu'on tient en permanence à la disposition des journalistes. « Ce genre de cas atypiques intéresse beaucoup les rédactions, qui y trouvent l'occasion de petits reportages ludiques », explique-t-on. Dans cette autre qui s'occupe de la communication de Lego, on sait maintenant trouver, gratuitement et à la demande, des bambins pour illustrer des reportages sur les jeux de la marque. « On appelle des amis ou des gens de chez Lego qui ont des jeunes enfants », commente une jeune attachée de presse, fière d'avoir mis la main, en l'espace de deux semaines, sur trois enfants du même âge pour un petit sujet sur un jouet Lego destiné au « 13 heures » de France 2.

Mais qu'on ne s'y trompe pas : dans tous ces reportages il ne s'agit, jurent les intéressés, que d'un banal échange de services entre un journaliste pressé et une attachée de presse charitable, qui pourra se vanter auprès de son client d'avoir fait parler de lui à la télévision. Le tout sans que quiconque débourse un centime.

Les témoins les plus chers de la télé

Dans certains cas, pourtant, les témoins clés en main se négocient très cher. Changement de catégorie. On ne parle plus ici des jeunes femmes qui nous font visiter leurs maisons sous alarme pour meubler les JT, mais des confidences exclusives que les journaux s'arrachent.

Otages, disparus, victimes d'erreurs judiciaires, de tout temps les héros de faits divers ont été courtisés par la presse... jusqu'ici, pensait-on, gratuitement. Mais l'un des multiples rebondissements liés à l'affaire Alègre a été la « découverte médiatique » que l'une des prostituées de Toulouse, Fanny, avait été payée par Karl Zéro. Sommé de s'expliquer, l'animateur du *Vrai Journal* a démenti avoir acheté l'interview et plaidé qu'il ne s'agissait là que d'une banale avance de droits d'auteur pour un livre qu'écrirait Fanny. Il n'empêche ! Apprendre qu'un protagoniste d'une affaire aussi noire a pu toucher de l'argent contre son témoignage a créé un scandale. Articles de presse, interviews, l'image de Karl Zéro en a pris un sacré coup. Pourtant cette pratique ne date pas d'hier...

Automne 2000. Les journalistes du magazine *Sept à huit*

(TF1) qui enquêtent sur l'affaire des disparues de l'Yonne font une étrange découverte. Les uns après les autres, les témoins qu'ils contactent se dérobent. En dépit de leurs efforts de persuasion, aucune des familles de victimes n'accepte d'interview, ce qui les rend perplexes. Pourquoi ces gens, qui pendant des années se sont appuyés sur les médias pour relancer l'enquête enterrée par la justice, refusent-ils de parler au moment où l'affaire refait enfin surface ? Quelques familles leur lâchent enfin un début d'explication. Il leur faut honorer un « accord d'exclusivité » passé entre le président de l'association des disparues de l'Yonne, Pierre Monnoir, et l'agence de presse Sunset, qui prépare un reportage pour *Zone interdite*, sur M6.

Coincé, *Sept à huit* se contente d'un sujet sur la défense d'Émile Louis, le principal suspect. Pendant ce temps, *Zone interdite* se paie non seulement le luxe d'interviewer tous les proches des disparues, mais aussi de tourner un vrai *thriller* en suivant pas à pas le détective privé Jean-François Abgrall, dont l'enquête a permis de rouvrir le dossier. Face aux demandes d'explication, Corinne Hermann, juriste au cabinet d'avocats des familles, finira par justifier le *deal* dans un livre[1], expliquant qu'il a permis à ces gens, issus de milieux très modestes, de financer le travail du détective. Précisément : 2 750 euros sont revenus directement à l'association des victimes et 12 200 euros ont été versés pour rémunérer le travail de Jean-François Abgrall, bombardé consultant de l'émission.

Compréhensible du point de vue de ces familles modestes qui s'inspirent des pratiques anglo-saxonnes, choquante du point de vue de la déontologie journalistique, cette pratique du « témoignage payant » va prendre de l'ampleur avec la

1. Corinne Hermann et Philippe Jeanne, *Les Disparues d'Auxerre*, Ramsay, 2001.

médiatisation d'un autre fait divers : la libération de Patrick Dils. Condamné à perpétuité pour le meurtre de deux petits garçons, à l'issue d'une enquête exclusivement à charge, le jeune homme est rejugé une première fois à Reims en juin 2001. Le procès est couvert par l'ensemble de la presse. On s'attend à le voir acquitté. En coulisse, la guerre fait déjà rage pour décrocher la confession exclusive du futur libéré. Avant même le verdict, maître Florand, avocat de Patrick Dils, prévient les heureux élus. *Sans aucun doute*, l'émission de Julien Courbet diffusée sur TF1, met la main sur l'exclusivité télé, tandis que *Le Figaro Magazine* empoche la mise dans la catégorie presse écrite. À quel prix ? Motus et bouche cousue. D'autant qu'en définitive Patrick Dils ne sera pas libéré. Et donc aucune somme versée.

Mais le manège reprend au bout d'un an, lors du troisième procès. Cette fois-ci, Patrick Dils est blanchi. Deux jours plus tard, on le retrouve, en vedette, sur le plateau de Julien Courbet[1]. Alors combien ? Au *Figaro Magazine*, où le nouveau patron, Patrick de Carolis, a refusé de jouer la surenchère, un journaliste accepte de lâcher un prix : 100 000 francs (15 245 euros) l'interview exclusive de Patrick Dils s'il était sorti lors du procès de Reims. En revanche, le secret reste entier quant à la somme allongée par Julien Courbet. L'animateur a refusé d'entrer dans ces considérations, et maître Florand, coach de la carrière télé de Patrick Dils, est resté plus qu'évasif : « Une somme substantielle. Quelques milliers de francs. Comprenez, depuis sept ans que je gère le dossier, j'ai dépensé près de 1 million de francs. La famille est modeste. Elle ne m'a pas payé. Il faut bien se rémunérer quelque part », expliquait-il après la libération de son client. L'argument est peut-être défendable. Mais les téléspectateurs de *Sans aucun doute*, eux, n'ont

1. *Sans aucun doute*, TF1, 26 avril 2002.

eu droit qu'à la version édulcorée de l'histoire. Invité sur le plateau avec Patrick Dils, maître Florand a justifié la présence du jeune homme par le fait que Courbet avait été l'un des premiers à croire en son innocence. Aucune allusion à une quelconque somme d'argent, pas plus dans l'émission que dans le générique, à la différence d'une pratique en cours aux États-Unis.

Dans les assemblées générales révolutionnaires de Mai 68, il était courant d'interrompre un orateur en lui demandant : « D'où parles-tu ? » À regarder les témoins se bousculer sur les plateaux télé, on se prend quelquefois à rêver d'un tel rituel.

6

L'esprit maison

> « Olivia, non seulement vous êtes une animatrice indispensable de la chaîne, mais en plus vous sortez un disque. »
>
> Extrait d'*Incroyable mais vrai* sur TF1, 9 août 2003.

Quand une émission de télé – qui n'est pas sur TF1 – souhaite inviter un animateur ou un journaliste qui, lui, travaille pour TF1, elle a de fortes chances d'essuyer un refus au motif que « les collaborateurs de TF1 ne font pas concurrence à TF1 ». Eh oui ! Car si Jean-Pierre Foucault, par exemple, s'avisait de passer dans le magazine d'une chaîne concurrente, il pourrait y attirer des fidèles de TF1. Donc nuire à son audience. C'est ainsi qu'on raisonne ! À de rares exceptions près – PPDA notamment, qui, fort de son statut de présentateur vedette, se dispense de la bénédiction de ses chefs lors de ses escapades sur des plateaux rivaux –, les animateurs de la Une doivent se vouer corps et âme à la chaîne. Et il faut dire qu'ils ont beaucoup à faire. Dans la bible maison, si le premier devoir de chacun est de faire de l'audience, le deuxième, juste derrière, est de prouver son esprit d'entreprise en soutenant envers et contre tout les programmes de leur chaîne. Des salariés osent parler d'« état d'esprit sectaire ». Ainsi, lors des débuts difficiles de la télé-réalité à la sauce TF1 – à l'automne 2001 –, quelques têtes de gondole furent invitées à se mêler au public de la *Star Academy*, pour tenter de faire de la réassurance auprès des téléspectateurs. Message subliminal envoyé par ces plans fugitifs des Pernaut et Foucault, visiblement ravis de passer leur samedi soir à écouter Jenifer et consorts écorcher quelques tubes : « Puisqu'ils aiment la *Star Ac*, vous qui les appréciez en raffolerez aussi ! » Un système d'autopromotion redoutable, dont le but est aussi d'écouler auprès de millions de fidèles des tombereaux de produits dérivés.

Le principe n'est pas neuf. Dès la fin des années 80 – 1989 exactement –, TF1 eut l'idée de mettre du beurre dans les épinards en lançant, *via* sa filiale Une Musique, des disques estampillés « tubes de l'été ». Lambada et autres rengaines entêtantes furent diffusées en boucle, en échange du versement d'un pourcentage des bénéfices par la maison de disques – accord de co-exploitation. Grâce à ces opérations, la chaîne a découvert qu'il y avait d'autres moyens pour gagner de l'argent que la vente d'écrans publicitaires, quand on a le privilège de pénétrer tous les soirs dans le salon de huit millions de Français. Mais il fallut attendre le lancement de la télé-réalité pour que la machine passe à la vitesse supérieure. Car le gros avantage d'une émission comme *Star Academy* est d'offrir, quatre mois par an, neuf heures hebdomadaires – émissions quotidiennes et *prime time* le samedi – de vitrine promotionnelle gratuite à une ribambelle de gadgets : disques des candidats – co-exploités par TF1 –, magazines sous licence, appels téléphoniques surtaxés...

Comme si ça ne suffisait pas, TF1, décidément experte en matraquage, réquisitionne en outre ses autres émissions pour soutenir tour à tour les *single*, les albums et enfin les tournées des bébés de l'*Academy*. *Stars à domicile*, *Sagas*,

120 Minutes de bonheur, les gagnants ont systématiquement droit à une promo d'enfer... jusqu'au cœur des journaux télé. Qui osera dire après que la *Star Ac* n'est pas un événement ? Parmi les plus grands fans de Jenifer et Nolwenn : Jean-Pierre Pernaut et Claire Chazal, dont le zèle à « informer » les téléspectateurs des moindres soubresauts de leur carrière balbutiante mérite d'être signalé. Après deux reportages sur la victoire de Jenifer – au « 13 heures » et au « 20 heures » –, le lendemain de la finale du jeu, la gagnante de la promo 2002 a de nouveau droit aux honneurs du JT de la première chaîne française à peine une semaine plus tard, à l'occasion d'une grande sortie mondaine : escortée d'une caméra, la brunette se rend au défilé de haute couture Torrente et Carven. Et quand, sept jours plus tard, elle gagne ses galons de « marraine de l'opération Pièces jaunes » – dont TF1 est partenaire –, elle a le privilège de montrer sa frimousse en direct dans le journal. Haute couture et bonnes œuvres, elle a déjà tout d'une star. Il ne reste qu'à annoncer la sortie de son album, deux mois plus tard, toujours dans le « 20 heures » pour la mettre durablement sur orbite [1].

Même si le procédé a de quoi faire bondir les gardiens de la déontologie journalistique, aux étages élevés de la tour TF1 on est trop satisfait des retombées du programme pour chipoter avec ces états d'âme. Pensez donc ! Dopées par la *Star Ac*, les recettes de la « diversification *(sic)* » assurent désormais 28 % du chiffre d'affaires de la chaîne [2]. Sans compter que, grâce à ce radio-crochet géant, elle a conquis un annonceur de plus : la maison de disques

1. Ces reportages ont été respectivement diffusés le 13 janvier 2002, au lendemain de la finale, les 19 et 26 janvier 2002, et enfin le 22 mars 2002 pour la sortie de l'album.

2. Sur le premier semestre 2003.

Universal Music. Productrice des apprentis chanteurs de TF1, elle est devenue en 2002 son troisième acquéreur d'écrans publicitaires, juste derrière Nestlé et Danone[1].

Grisée par le succès, la Une voit encore plus loin. Lors de sa dernière conférence de rentrée, le 25 août 2003, son vice-président, Étienne Mougeotte, ne s'est même pas donné la peine d'habiller son discours de quelques grandes formules sur le sens et l'intérêt pédagogique de sa grille. Devant un parterre d'annonceurs et de journalistes triés sur le volet, l'ancien journaliste a joué aux apprentis sorciers du marketing : « Nos programmes sont des marques à travers lesquelles s'incarne TF1. » Fini l'artisanat, nous voici bel et bien dans l'ère industrielle de la télé. La *Star Ac* rejoint Coca et Ariel. Et Mougeotte se fend d'un discours digne d'un patron de l'agroalimentaire. Après la diffusion d'un clip ébouriffant présentant les « produits phares » – émissions et animateurs stars –, on a vu apparaître la nouvelle signature de la chaîne : « TF1 : à vos marques. » Quel slogan !

À l'évidence, le modèle M6 fait des émules. Car la petite chaîne qui monte reste celle qui a poussé le plus loin la logique de l'autopromotion. Sa force ? Avoir su à merveille exploiter l'impact de ses programmes pour fabriquer des « stars », coproduites et distribuées par le groupe. À la différence de TF1, la chaîne joue donc le rôle d'une vraie maison de disques. Avantage : le *jackpot* de la vente des produits dérivés – disques, DVD, concerts... – atterrit directement dans les caisses de sa filiale M6 Interactions. De Leslie, chanteuse pour « lolitas » propulsée par l'émission *Graines de star*, à L5, groupe pop de cinq nanas fabriqué de toutes pièces par *Popstars*, en passant par les tubes de Félicien, Marlène et autres lofteurs, cette recette du billard à trois bandes a fait plus que ses preuves. En 2001,

1. Source : Secodip.

année de lancement du *Loft* et de *Popstars*, le pôle disques du groupe a multiplié ses ventes – 11 millions d'exemplaires au total, contre 4,5 en 2000. Traduction dans les comptes : M6 Interactions a augmenté son chiffre d'affaires de près de 60 % cette année, pour dépasser le tiers des recettes du groupe [1].

Convaincue d'avoir trouvé le filon pour être moins dépendante de la pub, qui varie fortement selon la conjoncture économique, la direction de la chaîne n'a cessé depuis lors de pousser la vente de ces « produits ». En 2002, elle franchit un nouveau cap. Magazines, disques, films, spectacles, pour la première fois les « diversifications » franchissent le seuil de 40 % du chiffre d'affaires de M6 (41,3 % exactement) [2]. Un succès que la chaîne se devait de faire valoir auprès de ses actionnaires. Pudiquement baptisée « interactivité », cette nouvelle faculté d'utiliser l'antenne comme une rampe de lancement pour les produits maison est longuement détaillée dans le rapport annuel 2002. Dans le jargon fleuri des plaquettes financières, les crânes d'œufs parlent de « valoriser l'indice d'affinité entre M6 et son public *(sic)* » et ajoutent : « Cette création de valeur qui a d'abord profité à la télévision gratuite a peu à peu été adoptée par les différents métiers du Groupe qui se consolident et se complètent [re-*sic*]. D'abord développé en télévision gratuite, sur M6, un programme événementiel peut aujourd'hui être, en parallèle, exploité par les diversifications du Groupe (en magazine, sur le Web, en Audiotel et en SMS), puis être accompagné par des émissions

1. 294 millions d'euros pour un chiffre d'affaires consolidé de 845 millions d'euros (soit 34,8 % du total) en 2001, contre 205 millions d'euros sur un total de 742 millions d'euros (soit 27,6 %) en 2000. (Source : M6.)

2. 391,9 millions d'euros pour un chiffre d'affaires de 948,5 millions d'euros en 2002. (Source : M6.)

complémentaires sur les chaînes [câblées]. » Et pour les actionnaires durs à la comprenette, on trouve même un beau graphique joliment baptisé « cercle vertueux de l'interactivité », dans lequel est expliqué en images comment le jeu *J'ai décidé de maigrir*, fort d'une part de marché de 23,4 % auprès des ménagères, a permis de leur refiler, *primo*, des magazines – 100 000 exemplaires –, *secundo*, des conseils par Audiotel – 20 000 appels en sept semaines – ou SMS – 100 000 messages – et, *tertio*, quelques programmes subsidiaires sur les chaînes payantes du groupe.

Les pauvres mères de famille hantées par leurs kilos ne seraient-elles que de vulgaires « vaches à lait » aux yeux de ces cols blancs ? C'est ce qu'a reconnu, avec une satisfaction presque naïve, le directeur général de M6 Interactions, Régis Ravanas, dans plusieurs interviews : « Nous avons réellement inventé un nouveau modèle d'économie de la télévision *[sic]*. Lorsque mes collègues des programmes conçoivent une émission, nous sommes impliqués très en amont pour imaginer des produits dérivés [1]. » Ou encore : « Chaque produit crée de la promotion pour les autres. C'est un cercle vertueux [2]. » Bingo ! Quand on sait que le monsieur a été propulsé directeur général adjoint des programmes, on comprend que M6 a clairement l'ambition de transformer ses programmes en rayons garnis de produits à sa marque.

Pourtant l'engagement signé par les patrons de la chaîne avec le CSA lors du renouvellement de leur concession leur impose noir sur blanc des garde-fous : « Lorsque la société présente à l'antenne, en dehors des écrans publicitaires, des activités d'édition ou de distribution de services de communication audiovisuelle, développées par une personne

1. *Management*, 1er mars 2003.
2. *Le Monde*, 29 octobre 2002.

morale avec laquelle elle a des liens capitalistiques significatifs [c'est-à-dire, par exemple, une filiale phonographique], elle s'attache, notamment par la modération du ton et la mesure dans l'importance accordée au sujet, à ce que cette présentation revête un caractère strictement informatif[1]. » Quand des programmes télé font systématiquement de la retape pour des produits payants développés par la chaîne, ne franchit-on pas la ligne blanche ? Et, plus généralement, quand un groupe comme M6 réalise plus de 40 % de son chiffre d'affaires sur la vente de produits dérivés, reste-t-il une chaîne de télévision ou devient-il une entreprise industrielle qui exploite une vitrine cathodique à des fins mercantiles ?

Après s'être longtemps contenté de pointer quelques écarts ponctuels, le CSA a esquissé une riposte en sortant, le 6 juin 2003, une étude approfondie consacrée aux autopromotions dans le domaine musical[2]. Ce pavé n'est pas tendre pour M6. On y apprend par exemple qu'en juillet 2002, après la fin du *Loft*, les Félicien, Marlène et autres « stars maison » représentaient à eux seuls « 12,5 % des artistes musicaux invités ou faisant l'objet de sujets dans les différentes émissions ». Plus révélateur encore de ce *merchandising* : « Un tiers des artistes promus – dans le cadre des éléments de programmes musicaux : *Success Story*, *Lumière sur*, *D comme découverte*, *S comme son* – étaient en fait produits ou coproduits par la filiale M6 Interactions », estime le CSA, qui a passé au crible les programmes de trois mois clés de 2002 – juillet, novembre et décembre. Pour essayer de stopper ces dérives, le régulateur du PAF préconise de créer un nouvel organisme – l'Observatoire de la musique –

1. Article 25 de la convention de M6.
2. « Étude sur les relations entre TF1 et M6 et la production phonographique » CSA, juin 2003.

chargé d'imaginer des moyens de contrôler la diversité musicale sur les chaînes. Il pourrait ainsi se prononcer sur le choix « artistique » qui a conduit M6 à passer soixante-dix fois durant le seul mois de décembre 2002 la dernière vidéo des Popstars[1].

Reste à savoir si ces propositions visant à limiter le matraquage commercial ont des chances d'aboutir. À première vue, le pronostic est plutôt réservé. Tout d'abord parce que les sommes en jeu pour M6 sont énormes. On peut donc prendre les paris que la chaîne ne va pas s'incliner au moindre froncement de sourcils du gendarme de la télé. Pour qu'elles soient efficaces, ses remontrances devraient être assorties de sanctions financières exemplaires, ce que le CSA ne fait que très rarement. Au chapitre dit de la « pub clandestine », on constate qu'en deux ans M6 n'a été verbalisée qu'une fois : 150 000 euros d'amende pour avoir, dans une émission du *Loft*, présenté avec trop de complaisance des voyages d'un partenaire du jeu, le Club Med[2]. La rareté de la sanction la rend donc assez peu dissuasive. De plus, le CSA ne s'est jamais arc-bouté sur le respect d'un principe pourtant inscrit dans le cahier des charges des diffuseurs privés : « Lorsque la chaîne parle des activités développées par des sociétés avec qui elle entretient des liens capitalistiques, elle indique au public la nature de ces liens. » Aujourd'hui, les animateurs de TF1 comme de M6 se gardent bien d'en faire mention. On pourrait toutefois imaginer de nouvelles signalétiques. Par exemple, à chaque apparition d'un produit ou d'un artiste rapportant de

1. En décembre 2002, le clip *Plus haut* des Whatfor, groupe formé à l'issue de l'émission *Popstars 2*, a battu le record de diffusion sur l'antenne de M6 : soixante-dix passages, loin devant le second clip diffusé : seize passages.

2. Source : bilans 2000 et 2001 de M6. La sanction de 150 000 euros a été infligée le 4 juin 2002.

l'argent à la chaîne, le CSA exigerait qu'un avertissement écrit apparaisse à l'écran. Gageons que pas mal d'émissions de M6 ou de TF1 en seraient truffées !

Dernier problème : le CSA s'est, pour l'instant, cantonné aux conflits d'intérêts des programmes musicaux. Mais les fameuses « synergies » tant vantées par les patrons de M6 contaminent toute la grille, jusqu'au cœur des journaux télévisés, qui mélangent de bon cœur l'info et la promo. Suivi chaque soir par trois millions de téléspectateurs, proposé par une rédaction de journalistes, c'est-à-dire des personnes dotées d'une carte de presse et censées effectuer – c'est toujours bon à rappeler – leur métier en toute indépendance, le *6 Minutes* prend souvent des allures de bande-annonce. Parfois cette pub se voit comme le nez au milieu de la figure. Exemple : le 5 mai 2003, un reportage se donne pour but de rameuter du public pour une soirée spéciale *Yannick Noah and Co*, diffusée en *prime time* le soir même. « Grande soirée caritative », « des dizaines d'artistes », « Lorie, Laam, etc. », le sujet ressemble à s'y méprendre à un vrai spot promo, à la différence près qu'il se trouve inséré dans le cadre du JT, ce qui lui confère la légitimité d'une vraie information.

Mais le pire advient quand ces pubs maison oublient de dire leur nom. Sur le cinéma par exemple, début 2003, le *6 Minutes* consacrait une série de reportages élogieux à quatre films : *La Beuze*, de François Desagnat et Thomas Sorriaux, cataloguée « comédie délirante avec Michael Youn [ex-animateur du *Morning Live* sur M6] [1] », *Rire et Châtiment*, d'Isabelle Doval, vanté comme « une comédie à découvrir dès demain dans les salles [2] », *Ni pour, ni contre (bien au contraire)*, de Cédric Klapisch, encore un film « à

1. *6 Minutes*, 4 février 2003.
2. *6 Minutes*, 21 janvier 2003.

découvrir dès demain dans les salles[1] », et enfin *Gomez & Tavarès*, de Gilles Paquet-Brenner, « un western urbain où l'on retrouve toutes les recettes du film d'action : cascades et fusillades. L'humour en plus[2] ». Seul détail omis dans ces reportages : signaler, comme l'exige le CSA, que ces chefs-d'œuvre ont tous comme point commun d'avoir été coproduits par M6, *via* sa filiale M6 Films. Un détail important puisqu'il semble donner droit à un coup de pouce sympathique dans ses bulletins d'info.

Quand on se rend sur le site Internet de M6, comme nous y engage le cartouche « Plus d'info sur M6.fr » à la fin du journal, c'est encore à une louche de promo qu'on a droit. À la rubrique « Spectacles incontournables », une comédie musicale récolte les superlatifs : *Autant en emporte le vent*, là encore coproduite par M6 sans qu'on trouve mention de cette relation. À la page cinéma, revoici en bonne place « La sortie du mois » (de mai) : *Gomez & Tavarès*, suivi d'un commentaire extatique : « Notre reporter est sortie ravie du cinéma. Elle vous raconte... » De fait, elle raconte tout, « pitch », casting, mais oublie, elle aussi – décidément –, de préciser que ce bijou du septième art a été coproduit par M6 avant d'être distribué par l'une de ses filiales, SDN. Dans ce bel édifice autopromotionnel à la gloire de *Gomez & Tavarès*, signalons également la petite pierre de *Capital*. Réputé pour son indépendance, le magazine a invité une des actrices du film, l'ex-mannequin Noémie Lenoir, à réagir en plateau dans le cadre de l'émission « Le business de la beauté[3] ». Un mannequin pour parler de la beauté, pourquoi pas ? Mais que sur les dizaines d'ex-princesses des podiums qui arpentent les plateaux on

1. *6 Minutes*, 4 mars 2003.
2. *6 Minutes*, 6 mai 2003.
3. 6 avril 2003.

choisisse justement celle qui sera à l'affiche, à peine un mois plus tard, d'une production maison, avouez que c'est un curieux hasard.

Au sein de la rédaction, de nombreux journalistes se désolent des fréquentes apparitions de ces vedettes maison sur les plateaux des émissions de la chaîne : « Accueillir Steevy [du *Loft*] sur le plateau de *Zone interdite*[1] ou Michael Youn sur celui de *Capital*[2] revient à jouer le jeu de la promo. C'est à la fois mauvais pour notre crédibilité et pour notre image de marque », affirme l'un d'eux. Mais la direction, qui voit en sa rédaction avant tout une force d'appoint au service du business, attend des journalistes qu'ils passent outre la déontologie. Dès 2000, lors de la convention de la chaîne à Bordeaux, elle indiquait la voie en présentant, devant tout le personnel, un film d'entreprise répondant à la question cruciale : comment la chaîne peut aider la chaîne ? Stupeur ! Des journalistes qui assistaient à la démonstration se sont pincés en découvrant la panoplie d'astuces destinées à farcir les programmes d'autopromotion : « Un passage montrait comment un numéro du magazine *Zone interdite* avait permis de faire la pub d'un long métrage sur les adolescents coproduit par la chaîne, *Mauvaises Fréquentations*[3]. On y voyait, présenté comme un exemple à suivre, l'animateur, Bernard de La Villardière, lancer la bande-annonce de ce film sans dire, bien entendu, que M6 le finançait », se souvient l'un des participants. « Cette convention a été un des tournants commerciaux de la chaîne. Pour la première fois on nous disait clairement : "Faites du fric" », analyse, après coup, un ancien reporter

1. 28 octobre 2001.
2. 18 mai 2003.
3. Film de Jean-Pierre Améris, production M6 Films-PGP Production, 1999.

qui estime que « les dérives n'ont cessé d'empirer par la suite ».

Fin 2002, après la diffusion dans le cadre du *6 Minutes* d'un reportage annonçant le concert des Popstars, la SDJ (Société des journalistes) s'est émue auprès de la direction. Un rendez-vous fut pris avec le responsable des programmes, Thomas Valentin. Sans aucun résultat ! Un fiasco qui n'a rien d'étonnant puisque les journalistes de M6 veulent laver leur linge sale en famille. En procédant de la sorte, ils se privent hélas de leur meilleure arme : organiser des fuites dans la presse, qui pourraient, elles, donner à réfléchir aux grands patrons de la chaîne.

Chers actionnaires

Nicolas de Tavernost, le *big boss* de M6, n'a pas une haute estime des journalistes. Mais il a quelquefois des tuyaux à leur communiquer. Un jour, à son instigation, le directeur de l'information, Philippe Labi, demande à la rédaction de *Zone interdite* de réfléchir à des idées de reportage sur Shanghai. Ravis de voir le président se passionner, une fois n'est pas coutume, pour des sujets lointains, les journalistes ne tardent pas, cependant, à flairer l'entourloupe.

Le directeur de l'information veut que l'équipe parte très vite et ne semble s'intéresser que très vaguement au contenu du sujet. Une reporter propose de faire le bilan de la politique de l'enfant unique en Chine. Tope là ! L'idée est aussitôt acceptée. Mais, au fil de son enquête, la pauvrette va aller de surprise en surprise. Se pliant aux consignes de sa hiérarchie, elle commence par contacter une certaine

Mme B., à Shanghai, censée lui fournir toute une série de contacts. Étrangement, celle-ci ne l'entreprend que sur le groupe Suez – ex-Lyonnaise des eaux, alors actionnaire de référence de la chaîne – et sur son grand patron, Gérard Mestrallet. Bien que toujours officiellement chargée d'enquêter sur les enfants uniques, la journaliste est ensuite adressée, pour son accréditation, au bureau de presse chargé de promouvoir la candidature de Shanghai pour l'organisation de l'Expo universelle 2010, à l'époque sur le point d'être votée. En arrivant dans le pays, elle découvre le pot aux roses : les Chinois qui l'attendent s'imaginent qu'elle vient faire un reportage à la gloire du Shanghai moderne et la fameuse Mme B., chargée de lui dégoter des interlocuteurs, est en fait une « lobbyiste » de Suez, justement – quel hasard ! – en pleine négociation pour obtenir un énorme marché de l'eau dans la ville.

De là à en déduire que la direction du groupe ait pu faire miroiter à la ville quelques beaux reportages de promo sur Shanghai à la télé française en gage de sympathie, il n'y a qu'un petit pas que plusieurs journalistes de la chaîne n'hésitent pas à franchir aussitôt. L'ambiance tourne à l'orage. Pour calmer les esprits, le directeur de l'info sort alors une idée de son chapeau : que la journaliste réalise son sujet sur les enfants uniques comme elle l'avait prévu, mais qu'elle fasse mine, par ailleurs, de tourner son reportage sur le Shanghai du nouveau millénaire. « Elle n'a qu'à faire tourner la caméra sans cassette », aurait-il suggéré. Envoyer une journaliste faire un reportage d'opérette simplement pour agréer au patron, voilà une bien étrange conception de l'éthique du métier de la part du responsable de l'information d'une grande chaîne !

L'anecdote en dit long sur les tentations que peuvent éprouver les grands industriels qui possèdent les chaînes de télé. Fait unique en Europe, les trois grandes chaînes privées françaises sont la propriété de groupes tentaculaires, d'où la gêne pour les journalistes, qui finissent nécessairement par buter sur les nombreux et puissants intérêts de leurs actionnaires. Si, dans les chaînes, on fait valoir que les « téléguidages » de sujets destinés à servir le business des actionnaires se font de plus en plus rares, les tabous, en revanche, eux, demeurent.

Sur M6, les téléspectateurs attentifs ont ainsi pu constater que certains thèmes étaient curieusement absents des sommaires des magazines. Le marché de l'eau, notamment. C'est un sujet « concernant », un enjeu pour le consommateur, une bagarre sans merci entre les géants du secteur. Corruption, coups bas, stratégie politique pour obtenir de nouveaux contrats, de quoi alimenter quelques vastes enquêtes de *Capital*, qui pourtant n'a jamais évoqué de près ou de loin la question. Le fait que le groupe Suez, mastodonte de la distribution d'eau, est aussi actionnaire de la chaîne explique-t-il le silence ? Y a-t-il une omertà ? « Officiellement à M6, il n'y a pas de liste noire de sujets, pas d'entreprises amies », explique Denis Boutelier, ex-journaliste de M6 et ancien président de la SDJ de la chaîne. Cependant, un responsable du magazine reconnaît : « On a toujours considéré qu'il y a un sujet qu'on ne peut pas traiter : celui de l'eau. Soit on en dit du bien et c'est pris comme de la "com", soit on en dit du mal et ça devient une gageure. » Et ce qui vaut pour l'eau semble valoir pour le reste du groupe. À l'exception notoire de la mention rapide d'une de ses nombreuses filiales dans le cadre d'une enquête sur les marchés publics de la Ville de Paris [1], en treize ans d'existence le magazine économique de M6 n'a jamais abordé les sujets touchant de près ou de loin aux affaires de la maison mère de la chaîne. « Dans la rédaction,

1. 3 décembre 2000.

il a toujours été implicitement admis qu'on ne parlerait pas de la Lyonnaise des eaux, admet Denis Boutelier. De temps en temps, pour la forme, l'un ou l'autre journaliste essaie de proposer un reportage concernant l'une de ses activités. Mais il sait par avance que le combat est perdu. Que, pour toutes sortes de raisons plus ou moins recevables, le sujet finira par être abandonné. »

Mêmes déboires avec un reportage consacré au milliardaire du luxe François Pinault, dont le parcours rassemble pourtant les ingrédients d'une belle saga à la sauce *Capital* : destin hors norme – l'homme le plus riche de France est issu d'une famille très modeste –, empire constitué de marques qui font rêver – Yves Saint Laurent, Gucci, Printemps –, guerre sanglante avec Bernard Arnault, autre grand nom du luxe... Pensant tenir une superbe *story*, à l'automne 2001 *Capital* se lance sur le sujet. Un journaliste, Gilles Delbos, enquête plus de six mois, dont quatre à plein temps sur le dossier. Il rencontre des témoins, enregistre des interviews, obtient même le feu vert de Pinault, qui, contre toute attente, accepte d'ouvrir sa porte à l'équipe de tournage... Pourtant, en février 2002, patatras ! Brutalement, l'intérêt des rédacteurs en chef faiblit pour le sujet. Officiellement, pas question d'enterrer le projet, mais il semble qu'au huitième, à l'étage des grands chefs, il ne plaise plus vraiment. « Pinault n'intéresse personne. Ça ne fera pas d'audience », avance-t-on. Au mois de juin, le sujet étant toujours gelé, des journalistes profitent d'un séminaire de fin d'année de *Capital* pour demander quelques explications à Nicolas de Tavernost. Réponse du patron : « Tant que Pinault sera actionnaire de Bouygues [propriétaire de TF1], il ne pourra pas y avoir de reportage le concernant sur M6. Si le sujet est sympa, il sera interprété comme une tentative pour nous rapprocher de TF1 [1]. S'il tape dur, on le percevra comme un règlement de comptes. » L'« on » dont parle ici Nicolas de Tavernost exclut bien entendu l'essentiel des téléspectateurs, à mille lieues de soupçonner ces enjeux stratégiques. Comme quoi les arguments relatifs à l'audience peuvent aussi devenir un prétexte pour tuer des sujets politiquement gênants.

Mais mettons-nous un instant à la place de ces patrons stressés qui, en plus de la défense de leurs parts de marché et de leur cours à la Bourse, doivent faire face aux prétentions de ces fichus journalistes qui, au lieu de se comporter en salariés dociles, se piquent de jouer aux investigateurs en dépit des ennuis que cela peut attirer à l'entreprise qui les nourrit. Longs à réaliser, coûteux, bien souvent peu porteurs d'Audimat et à même de gêner les affaires de la chaîne, certains reportages peuvent aussi valoir quelques jolis procès. Et quand l'un deux, comme celui de *Capital* sur l'affaire Elf, cumule à lui seul ces tares, c'est l'hystérie collective. Grande enquête au titre prometteur – « Qui a volé les milliards d'Elf ? » –, le sujet égratignait au passage de nombreux politiques, notamment Jacques Toubon. Parmi les séquences fortes, cette interview de l'ancien ambassadeur de France au Gabon expliquant que le groupe Elf avait « versé beaucoup d'argent à Bongo [président du Gabon], qui le reversait ensuite, notamment au RPR, par le biais d'associations amicales franco-africaines ». À l'appui, une lettre était produite. Adressée à Toubon par Bongo, elle demandait qu'on lui « renvoie l'ascenseur ». Bien que le reporter soit allé recueillir la réaction de Toubon sur ces allégations, le passage n'en demeurait pas moins très à charge.

1. Précisons que depuis la décision de M6 de lancer *Loft Story*, au printemps 2001, les deux chaînes sont à couteaux tirés.

Dès le premier visionnage, la direction de la chaîne se braque contre la séquence. « Suite à un échange de coups de fil avec Toubon, elle a d'abord envisagé de couper purement et simplement le passage », se souvient Denis Boutelier. À quatre jours de la diffusion prévue, elle organise dans l'urgence une mini-réunion de crise au sommet. Face à la résistance d'Emmanuel Chain et de son rédacteur en chef, François Ducroux, Thomas Valentin renonce à la censure. Le sujet est diffusé en l'état. Mais il vaut deux procès à M6 – le premier intenté par Toubon, le second par Jean-Marie Le Pen, également mentionné dans le commentaire. Ajoutez à cela une audience décevante, et voilà le résultat : « Tavernost en était fou furieux, se rappelle un journaliste. Lors de notre séminaire de fin d'année, il s'en est ouvertement pris au reportage, expliquant qu'il était "tout l'exemple de ce qu'il ne fallait pas faire", avant de nous expliquer quelques minutes plus tard que nous serions mieux inspirés de traiter de sujets touchant la vie quotidienne. Par exemple, du marché de la pomme de terre. »

Résultat : entre les contraintes d'audience, les risques juridiques et la « frilosité » des patrons, pas facile de démêler les causes de l'enterrement de première classe des enquêtes politico-économiques à la télévision. Quand TF1, filiale du groupe de BTP Bouygues, fait l'impasse, le 10 juin 2003, sur le vote à l'Assemblée nationale d'une mesure extrêmement contestée sur les conditions d'appel d'offres pour les marchés publics des collectivités, est-ce parce que cette mesure risque de rendre plus opaque le choix des entreprises de travaux publics, dont fait partie le groupe Bouygues ? Ou est-ce parce que TF1 considère simplement que ce sujet technique risque de « plomber », comme on le dit dans le jargon, son audience ?

Même question au sujet de la guerre en Côte-d'Ivoire. Alors que TF1 « tartinait » presque chaque soir sur le sort de nos pauvres expatriés, pas un mot concernant les affaires du premier groupe français implanté dans le pays, Bouygues justement, qui avait obtenu, lors des privatisations du début des années 90, rien de moins que les contrats de fourniture d'eau et d'électricité, par le biais de ses filiales SODERCI, CIE, CIPREL, ainsi que la construction de grosses infrastructures, notamment le port et le pont d'Abidjan... Quelles seront les conséquences du conflit sur les affaires du groupe ? Quel peut être son impact sur le renouvellement des concessions accordées par l'État ivoirien [1] ? Autant de questions passionnantes qui restaient sans réponses pour le public de TF1. Serait-ce pour éviter d'embarrasser l'actionnaire ? Face à de tels soupçons, PPDA se fâche tout rouge : « La présence de Bouygues dans le pays n'a été l'angle d'attaque d'aucune chaîne. Et je me fiche de savoir si mon propriétaire, que je n'ai jamais au téléphone, a des intérêts là-bas », réplique-t-il. Au risque de passer pour un professionnel plutôt léger !

De l'enquête, de la vraie, à la télévision sur des sujets sensibles et des personnes puissantes, il n'y a qu'une émission qui en ait tenté le pari durant ces derniers mois : *90 Minutes* sur Canal+, lors de son rendez-vous mensuel, « Enquête de personnalité ». Le magazine s'était fixé une mission un peu folle pour qui a intégré l'extrême frilosité de la télé : proposer des portraits non autorisés de figures de l'*establishment*. Créateur de l'émission, le patron de l'agence de presse Capa, Hervé Chabalier, a d'ailleurs eu un mal fou à trouver un diffuseur. Après avoir essuyé un premier refus de Canal+, à l'époque où le directeur des programmes s'appelait Alain de Greef, il a frappé à la porte de France Télévisions qui, à son tour, a repoussé le concept,

1. Accordée pour quinze ans, la concession obtenue par CIE concernant l'électricité arrivera à échéance en 2005.

effrayée à l'idée d'assumer des portraits potentiellement critiques. Car qu'on ne s'y trompe pas : en programmant un tel ovni, tout patron sait d'avance qu'il sera harcelé de coups de fil furibards qui le mettront face au dilemme cornélien : soit céder aux pressions, au risque d'endosser la casquette du censeur en cas de fuite dans la presse, soit défendre ses troupes, au risque de se faire des ennemis parmi les plus puissants.

Finalement, en septembre 2002, Dominique Farrugia, l'ex-humoriste des *Nuls*, à cette date aux manettes des programmes de Canal+, met l'émission à l'antenne. Selon Paul Moreira, rédacteur en chef de *90 Minutes*, « il ne mesurait pas, à l'époque, combien elle pouvait être source d'ennuis ». Il s'en est, en tout cas, assez vite rendu compte.

Après quelques semaines de rodage sur Sagan, Bové ou le roi d'Arabie Saoudite, Fahd ibn Abd al-Aziz Al-Saud, le magazine décide de s'attaquer dans un même numéro à deux monstres d'influence : l'écrivain-philosophe Bernard-Henri Lévy et le patron des patrons, Ernest-Antoine Seillière[1]. Subitement, les nuages s'amoncellent. Le premier à s'émouvoir du projet se nomme Xavier Couture, à l'époque grand patron de Canal+. Connu pour son mariage éclair avec la vedette de TF1 Claire Chazal, l'homme serait également un proche du monde des lettres. Auteur d'un roman, *Coma*, publié au printemps 2001 chez Grasset, il se dit lui-même l'ami d'une star de la maison... BHL. Comment réagit-il en découvrant que celui-ci va se faire étriller sur la chaîne dont il est le patron ? « S'agissant d'un ami, on est toujours inquiet », concède-t-il, se défendant toutefois d'une quelconque intrusion. « Je me suis simplement enquis auprès d'Hervé Chabalier si je devais avertir BHL qu'un portrait désagréable serait diffusé sur lui. » Une

1. Émission diffusée le 27 janvier 2003.

version contredite par un des responsables du magazine, qui affirme, sous couvert d'anonymat, que « le reportage a purement et simplement failli être interdit ». Après cette première alerte, les ennuis continuent. « Une fois le sujet achevé et les cassettes envoyées, selon l'usage, à la presse pour susciter des articles, il y a eu des fuites. Plusieurs témoins qui avaient accepté de nous parler ont subitement voulu se rétracter. D'après ce qu'ils nous ont dit, ce revirement faisait suite aux pressions de BHL, averti par des âmes charitables du contenu du reportage », explique un journaliste. Le sujet manque donc d'être à nouveau amputé de plusieurs séquences à charge. Mais le pire reste à venir.

Après la diffusion de l'émission, les foudres de la direction ne tardent pas à s'abattre pour de bon sur la rédaction. Cette fois-ci les remontrances concernent Ernest-Antoine Seillière, malmené par le second reportage de la soirée. « Je ne connais pas Seillière. Je ne suis pas militant au Medef, assure Xavier Couture, mais j'ai trouvé que ce portait démolissait l'homme. C'était un procès stalinien *[sic]*, une charge démagogique qui ne reposait pas sur des faits objectifs [1] », s'insurge-t-il, témoignant par là même d'un seuil de tolérance assez faible en matière d'impertinence journalistique, surtout au vu du reportage, reposant sur des faits précis et étayés de témoignages variés. Évidemment, Canal+ épinglait au passage quelques petites vanités, comme le grand attachement du patron des patrons à son titre de baron, un temps remis en cause par le Bottin mondain. Mais ces petites égratignures faisaient précisément le sel du reportage. Enlevez-les, et il deviendra aussi fade que n'importe quel portrait autorisé !

Face à ces premiers assauts visant à infléchir la ligne éditoriale d'« Enquête de personnalité », la rédaction tient

1. Entretien du 5 juillet 2003.

bon. Mais quand les journalistes commencent à aborder des sujets touchant le cœur du business de Canal+, à savoir le foot et le cinéma, les ciseaux de la censure s'activent pour de bon. Février 2003, quelques jours après la diffusion de l'épisode litigieux sur le tandem Seillière-BHL, la direction se manifeste à nouveau. Cette fois ci, c'est le directeur de l'antenne Dominique Farrugia qui exige, ni plus ni moins, qu'on suspende le tournage d'un portrait consacré à Gérard Depardieu. L'enquête est pourtant déjà très avancée. Plusieurs cassettes d'interviews sont tournées. Bien mené, le sujet a de quoi devenir une vraie mine sur les liens entre l'acteur et le milliardaire algérien Khalifa, son business dans le vin, etc. Mais l'ordre est sans appel. Très proche du milieu du cinéma, Farrugia ne tolère pas qu'on épingle une star au bras si long. *Exit* donc le reportage sur Depardieu, tout comme celui sur Guy Roux, entraîneur du club de foot d'Auxerre, lui aussi dézingué par le patron de l'antenne[1].

Ces incidents répétés ne restent pas sans suite. Après cinq petits mois de liberté, l'agence Capa se voit repréciser les limites de l'exercice. « On nous a clairement dit de ne plus toucher ni au foot, ni au cinéma, ni aux hommes politiques influents. Autrement dit, à tout ce qui pourrait embarrasser le groupe, rapporte un reporter. Le marché était simple. Si nous n'acceptions pas, l'émission s'arrêtait. Nous avons donc accepté. » Pas facile de se retrouver sans job au milieu de la saison ! Mais trouver des sujets en tenant compte des contraintes imposées par la chaîne devient vite un casse-tête.

Pour contourner l'obstacle, l'émission multiplie les enquêtes sur des personnalités étrangères – l'Italien Silvio

1. Ces informations ont été recoupées auprès de plusieurs sources. Dominique Farrugia, en revanche, n'a pas souhaité répondre à mes questions.

Berlusconi et le papa de « Dodi », Mohammed al-Fayed – moins à même d'activer leurs réseaux auprès de la direction. Côté français, le choix se porte sur des *people* aussi éloignés que possible de la sphère Canal+ : le designer Philippe Stark, l'athlète Marie-José Pérec et le politique Jack Lang – paraît-il (l'info lui fera plaisir) moins influent qu'auparavant. Au printemps 2003, l'éviction successive des deux têtes de la maison, Xavier Couture et Dominique Farrugia, ne chamboule pas la donne. Sitôt en poste, la nouvelle direction fait redescendre la consigne : « Pas de vagues ! ».

À la rentrée suivante, l'émission est toutefois reconduite. Persévérante, l'agence Capa cherche à regagner quelques marges de liberté. Faute de pouvoir programmer son reportage sur Gérard Depardieu, elle obtient le feu vert pour un portrait du ministre de l'Éducation nationale, Luc Ferry. Un responsable du magazine se félicite alors : « Il ne faut pas voir d'un côté les méchants financiers et de l'autre les gentils saltimbanques. Jusqu'ici, le pire censeur du magazine a été Dominique Farrugia... » Mais le répit est de courte durée. En octobre 2003, le portrait de Luc Ferry est suspendu. Dans la foulée, Canal+ informe Capa qu'elle souhaite purement et simplement stopper la diffusion d'« Enquête de personnalité ». Cependant, la fin du magazine est négociée en douceur. Le contrat du producteur n'est pas remis en question car la chaîne a pris soin de commander deux formats de reportages : des portraits, mais aussi des enquêtes centrées sur des événements et donc moins susceptibles de chatouiller l'ego des « grands » de ce monde. « Désormais, nous ne travaillerons plus que sur les secondes », se résigne un journaliste. Voilà comment un des programmes les plus grinçants du PAF a été enterré à la sauvette, sans que personne ne moufte.

Touche pas à l'annonceur

Dans la presse écrite, l'essentiel des pressions subies par les rédactions vient d'annonceurs susceptibles qui ne supportent pas qu'un journal dans lequel ils achètent de la pub se montre critique à leur égard. À la télé, elles sont plus rares pour la simple raison que les chaînes se gardent généralement d'égratigner les entreprises qui les font vivre. C'est l'omertà publicitaire. Un coup d'œil sur les grilles suffit à le vérifier. Rien, *nada*, *niet*. Sauf à considérer que les « tunnels » publicitaires dont nous abreuvent les chaînes sont à même d'informer le public sur les marques qu'il consomme, force est de constater que ces programmes sont absents. TF1, comme sa filiale câblée LCI qui vise pourtant un public accro à la Bourse et au monde de l'entreprise, n'a curieusement pas jugé opportun d'étoffer ses programmes d'une ou deux émissions décryptant les discours marketing et la gestion des entreprises. Quant au service public, si incroyable que cela puisse paraître, pas plus France 2 que France 3 ou France 5 n'ont jugé opportun d'aborder des sujets d'intérêt général. Seule M6 fait figure d'exception avec *Capital* et *Culture Pub*, deux magazines consuméristes qui, malgré leur succès, n'ont suscité aucune vocation chez les concurrents.

Reste à savoir pourquoi la petite chaîne qui monte a pris le risque de lancer ces magazines, qui lui ont occasionné par la suite tant d'ennuis ? Paradoxe, ce fut initialement pour attirer les annonceurs. Car en 1987, lorsque démarre *Culture Pub*, M6 n'est encore qu'une micro-chaîne, âgée de quelques mois, qui peine à décrocher des budgets publicitaires. Produite par Christian Blachas, le fondateur du magazine professionnel *CB News*, entouré d'une bande de journalistes bien connus pour n'avoir pas leur langue dans leur poche – Pierre Carles, Didier Porte, Pascale Clarke, Véronique Jacquinet... –, l'émission s'impose vite par sa liberté de ton. Elle met le doigt sur les vilaines manips, décortique le discours des grandes marques, mais personne dans la chaîne ne trouve à y redire. « Avec *Capital*, nous sommes très vite devenus les cache-sexe de M6, analyse un ancien de *Culture Pub*. Notre image, assez haut de gamme, parvenait à faire oublier que le reste de la grille était trusté de fictions américaines bon marché. Nicolas de Tavernost nous a même un jour dit qu'il "ne remercierait jamais assez *Capital* et *Culture Pub* de lui permettre de regarder le CSA dans les yeux". »

Officiellement, un mur infranchissable est censé séparer la rédaction de la régie publicitaire. Mais à M6, il se fissure dès 1994, quand le géant italien de la confiserie Ferrero – Nutella, Kinder, Mon chéri – obtient, en menaçant de retirer ses budgets, la censure d'un reportage tournant en ridicule la ringardise de ses spots – par exemple, les réceptions réussies de M. l'Ambassadeur grâce à des sucreries. Après cette reculade, les choses rentrent dans l'ordre. Moyennant quelques franches explications et la réécriture d'une poignée de commentaires jugés trop insolents, *Culture Pub* va à nouveau de l'avant.

Pourtant un ex-journaliste se souvient : « Les pressions exercées par la chaîne sont allées *crescendo* avec l'augmentation de ses parts de marché. » À l'automne 2002, c'est le clash. Fin septembre, M6 commence par amputer l'émission d'une courte séquence concernant un litige entre Areva et Greenpeace : poursuivie par le géant du nucléaire français pour avoir détourné son logo, l'association écolo a gagné son procès. Dès la semaine suivante, les dessous de cette censure sortent dans *Le Canard enchaîné*. M6, décrypte le palmipède, « est sponsor de la prochaine coupe de l'America, course de voile où le bateau tricolore le *Défi français* est lui-même parrainé par Areva, lequel espère ainsi se donner une image écolo ». Contrairement à l'incident Ferrero, cette affaire intervient à un moment où l'équipe de *Culture Pub* n'est plus en position de force. Son audience s'est érodée. Et les « historiques », témoins des temps bénis de la liberté, ont quitté l'émission. Face à l'absence de réactions – même la fuite dans *Le Canard* ne viendrait pas de *Culture Pub* mais de Greenpeace –, la direction de la chaîne se croit autorisée à mettre son nez dans les sujets.

Mike Le Bas, directeur des magazines opportunément recruté chez Darty[1], fait merveille. Quand il s'installe devant son magnétoscope, fin novembre 2002, pour jeter un coup d'œil aux reportages de *Culture Pub* censés être diffusés le lendemain, ses cheveux se dressent tout droits sur sa tête. Au menu de ce numéro spécial « Sécurité routière », un reportage démontant les pubs des constructeurs automobiles. Son angle : prouver que les marques continuent de faire en douce l'apologie de la vitesse, en dépit de la réglementation. Est-ce parce que les constructeurs comptent parmi les très gros annonceurs de la télé ? Toujours est-il que le reportage livré par *Culture Pub* n'est pas du tout, mais alors pas du tout du goût de Mike Le Bas. Cette séquence, par exemple, qui met en cause une pub nous montrant un aveugle au volant d'une voiture. Pas terrible comme message ! Devant la caméra, le BVP (Bureau de vérification de la publicité), qui a laissé passer le spot, se justifie maladroitement. Ironique, le reportage rappelle fort à propos que le BVP est financé par les annonceurs. Bref, dénonce une grosse hypocrisie. Mais Mike Le Bas ne voit décidément pas où est le problème : « Cette manière

1. Mike Le Bas a été remplacé au printemps 2003 par Régis Ravanas, ex-patron de M6 Interactions.

de traiter les personnes interviewées, de vouloir systématiquement les tacler par-derrière, je trouve ça franchement insupportable », argumente-t-il alors. Que cette impertinence soit la marque de *Culture Pub* depuis sa création le laisse imperméable. Même si c'est grâce à ce style sarcastique que l'émission a pu se tailler une place sur une chaîne 100 % commerciale.

Malgré le baroud d'honneur de l'équipe de *Culture Pub*, le directeur des magazines se saisit d'une grande paire de ciseaux pour réduire lestement le sujet de moitié. Il se défend toutefois de la moindre complaisance envers les annonceurs : « Si nous étions frileux, l'émission n'existerait plus depuis longtemps. » En attendant, elle a toutefois perdu de son mordant. « Il ne se passe pratiquement plus une semaine sans que la chaîne intervienne pour modifier tel ou tel passage qui pourrait nuire à ses intérêts commerciaux », soupire un journaliste[1]. Exemple : début 2003, M6 a amputé un reportage sur Danone – encore un gros annonceur – de l'interview d'un spécialiste relativisant les bienfaits diététiques d'Actimel, argument principal de la pub.

Résister, c'est « Capital »

Fragilisée par la précarité de son statut de producteur extérieur – le contrat *CB News* est reconduit chaque saison –, la rédaction de *Culture Pub* n'a pas pu résister bien longtemps aux desiderata de M6. Mais quand la direction a voulu s'attaquer à la ligne éditoriale de son magazine vedette, *Capital*, produit par des permanents, elle a été

1. Entretien avec l'auteur, avril 2003.

confrontée à une vraie résistance : « Notre stratégie, c'est de montrer les dents en permanence pour que là-haut, au huitième [étage de la direction], ils y regardent à deux fois avant de nous demander de couper un seul plan de reportage, une seule phrase de commentaire », soutient un journaliste. Pendant longtemps, l'émission a profité de l'entregent de son créateur-présentateur, Emmanuel Chain : « Emmanuel était un peu le fils spirituel de Nicolas de Tavernost. Il savait faire tampon et piquer un coup de gueule quand ils allaient trop loin, rapporte un des anciens de *Capital*. Du jour où il a pris le large pour monter sa propre société de production [Éléphant & Cie, créée en 1999] et ne rester à M6 que comme simple présentateur, on a très vite senti la différence. »

Le premier vrai conflit date de 1999. Tranquillement installés devant leur télé un dimanche soir d'octobre, les journalistes « écos » découvrent, interloqués, qu'une séquence de l'émission consacrée à Ikea a été supprimée au montage. Ces images interdites remettent en cause, tests à l'appui, la solidité des meubles en kit suédois[1]. Dès le lendemain, l'équipe de *Capital* fait le siège de la direction. Redoutant un scandale et des fuites dans la presse, Thomas Valentin imagine alors de consacrer une émission entière aux tests des produits de grande consommation afin de recycler la séquence Ikea. L'émission est diffusée le 20 février suivant. L'incident semble clos. Échaudés, les journalistes se dépêchent cependant de monter une SDJ (Société des journalistes). L'objectif est alors de « défendre la ligne éditoriale de *Capital* dans une chaîne pour qui l'information n'est qu'un produit », explique Denis Boutelier, qui en fut le premier président.

Signe que la direction semble bel et bien avoir décidé de

1. Émission diffusée le 31 octobre 1999.

sonner l'heure de la fin de la récré, le nouveau directeur de l'info, Philippe Labi, fait installer son bureau dans le même immeuble que *Capital.* Autrefois séparés de la direction par un bon pâté de maisons, les journalistes se retrouvent donc désormais avec l'« œil de Moscou » braqué sur eux. « Son objectif était évidemment de mieux nous surveiller. C'est-à-dire, concrètement, de visionner chaque sujet le plus en amont possible, avant qu'il ne soit mixé, afin de désamorcer toute séquence susceptible de poser des problèmes avec les annonceurs », affirme un journaliste. Prenant son rôle extrêmement au sérieux, mais ayant, semble-t-il, négligé de réviser le *b.a.-ba* du métier, l'ex-patron du magazine *people Gala* ne tarde pas à donner la mesure de son talent. Fin 2001, *Capital* prépare une émission sur le passage à l'euro et s'interroge sur les mastodontes de la grande consommation : n'ont-ils pas profité de la monnaie unique pour augmenter leurs prix ? Après enquête, la journaliste Véronique Blanc constate qu'effectivement quelques-uns ne se sont pas gênés. Par exemple L'Oréal, géant du cosmétique et, accessoirement, gros annonceur de M6. Son diagnostic est étayé par les relevés de prix du mensuel *Que choisir ?* et confirmé par une interview du virulent discounter Michel-Édouard Leclerc. Même si la direction de L'Oréal ne lui a répondu que par un fax lapidaire, la journaliste estime avoir mené à bien son enquête... jusqu'au jour fatidique du visionnage par le *boss.*

Avant même que le rédacteur en chef de l'émission n'ait pu faire ses commentaires, Philippe Labi déboule dans la salle de montage, électrique. Échaudé par les représailles de l'opticien Afflelou, qui vient de supprimer à M6 10 millions de francs de budget publicitaire, suite à un reportage de *Capital*, le directeur de l'info semble bien décidé à édulcorer le montage. « Vous donnez l'impression que les marques se goinfrent ? Est-ce journalistiquement acceptable *[sic]* ? » se serait-il insurgé, selon le récit de plusieurs membres de l'équipe. Devant les journalistes médusés, l'ex-rédacteur en chef de *Gala* se serait alors lancé dans un cours de déontologie journalistique de haut vol, d'où il serait ressorti que, faute de réponse précise de L'Oréal, il fallait supprimer du montage toute mention de la marque. Emporté par son élan, il aurait cependant fini par lâcher son argument massue : « Le marché publicitaire est en baisse. Ne sciez pas la branche sur laquelle nous sommes assis. » Les journalistes présents n'en croient pas leurs oreilles : « Dans une émission d'investigation économique comme *Capital*, la logique de l'information va souvent à l'encontre des intérêts de la chaîne. Le problème, c'est de savoir ce qui prime. Pour nous, jusqu'à présent, c'était l'information. Mais voir ainsi la pression commerciale s'exercer en direct, sans qu'il n'y ait plus le moindre tampon, ça nous a fait un choc », confie l'un d'eux. Quelques jours après cet incident, Philippe Labi, interviewé par *Libération* [1], donne sa version de l'affaire. Démentant avoir mentionné les annonceurs, il rétorque : « J'ai simplement dit qu'il fallait être respectueux des hommes et des marques *[sic]*. » Les journalistes de *Capital* maintiennent, eux, leur version. Même si le rédacteur en chef, François Ducroux, affirme s'être rangé à l'avis du patron de l'information : « Il n'y a pas eu de censure. J'ai accepté la coupe. » Nuance !

Mais ne déduisons pas de cette prise de bec que les conflits se sont multipliés par la suite. Il y eut bien ce coup de chaud de Thomas Valentin à la vue de l'interview d'une « blouse blanche » clamant que, contrairement aux messages publicitaires – encore eux –, ce n'est pas le dentifrice mais l'action mécanique du brossage qui donne des dents plus blanches. Au motif que les jeunes auraient pu en

1. *Libération*, 16 janvier 2002.

déduire qu'il est inutile de se brosser les dents – seraient-ils si bêtes que ça ? –, le directeur des programmes exigea qu'on supprime cette séquence. Face au scepticisme général, il aurait même plaidé la « responsabilité sociale » des grandes chaînes comme M6. Depuis, plus rien. Mais est-ce vraiment bon signe ? Car *Capital* a perdu son mentor, Emmanuel Chain, parti tenter l'aventure sur Canal+, ainsi que plusieurs journalistes chevronnés et tatillons. Pour ne rien arranger, l'émission, qui se sait sous surveillance, prend moins de risques qu'auparavant. « Tant qu'on fera de l'audience, ils nous ficheront à peu près la paix. Mais le jour où elle baissera, on sait qu'ils reprendront tout en main », analyse un reporter.

Début 2000, interviewé par *Télérama*[1], un membre de l'équipe faisait ce constat : « Si M6 décidait de créer *Capital* aujourd'hui, elle ferait un concept, des études de marché, et ça donnerait une émission de divertissement. » Quatre ans plus tard, la question serait plutôt de savoir si la chaîne ne risque pas, purement et simplement, de passer à la trappe ses magazines d'info qui « ne lui rapportent que des emmerdes », selon le constat amer d'un jeune journaliste de *Capital*. « Au vu des scores atteints par certains divertissements – télé-réalité et consorts –, on ne peut s'empêcher de penser que la chaîne tient déjà la relève », ajoute-t-il. Quand on peut faire de l'audience et gagner de l'argent sans prendre le moindre risque, pourquoi s'enquiquiner ?

1. 8 mars 2000.

7

La science de la fiction

> « La télévision, vivant de la publicité, doit faire des succès prévisibles. Si on fait un succès mais que les annonceurs ne viennent pas, à quoi bon ? »
>
> Claude de Givray,
> ex-responsable des fictions de TF1.

Six soirées sur sept, un téléspectateur muni de sa zappette peut se gaver de téléfilms. Le dimanche, il se repose avant de repartir pour un tour [1]. Entre *Joséphine, ange gardien*, la petite fée qui miraculeusement vient à bout des tracas quotidiens, le lundi (TF1), *L'Instit*, le Zorro de l'Éducation nationale, le mercredi (France 2), *Julie Lescaut*, la fliquette terrassant aussi bien les criminels que les tâches ménagères, le jeudi (TF1), et *PJ*, les assistantes sociales de la police, le vendredi (France 2), on pourrait s'attendre à quelques signes de lassitude. Pas du tout ! Les fictions continuent d'aligner les cartons avec une régularité de métronome. Sur TF1, les polars du jeudi réunissent régulièrement 9 millions de téléspectateurs – environ 40 % de parts de

1. Lundi soir : TF1 (comédie ou prestige) et France 2 (patrimoine) ; mardi : France 3 (série) ; mercredi : TF1 et France 2 (sujets de société) ; jeudi : TF1 (polar) ; vendredi : France 2 (polar) ; samedi : France 3 (minisérie, comédie ou prestige).

marché, alors que la moyenne de la chaîne est de 31,5 %. Sur France 2, *L'Instit* frise souvent les 7 millions – de 30 à 35 % de parts de marché, les bons soirs –, alors que la moyenne est de 20,5 %[1].

Grâce à cette panoplie de héros anxiolytiques, les fictions euphorisent non seulement le public, mais aussi les publicitaires qui peuvent tabler d'avance sur une audience élevée. On frôle le nirvana du « succès prévisible ». Une oasis de calme pour les têtes pensantes du PAF, qui connaissent ces temps-ci quelques soucis avec d'autres programmes. Alors que pendant des années les immuables rendez-vous de fin de semaine, tels que *Champs-Élysées*, remplissaient les canapés, le genre est moribond. Selon un expert de chez Médiamétrie, Patrick Ballarin, la variété traditionnelle serait même « morte » : « Désormais la mode est aux soirées-événements, où l'on empile des chansons, des reportages, des lieux exceptionnels, etc. » Seul problème, ces concepts raffinés s'avèrent très compliqués à produire chaque semaine. D'où des « trous » dans les grilles. Pendant un temps, on a bien cru que la télé-réalité prendrait le relais. Mais après avoir atteint des sommets, elle est revenue à des audiences plus banales, voire parfois carrément décevantes, comme *Nice People* sur TF1 durant l'été 2003. Quant aux vieilles valeurs sûres des soirées cinéma, elles aussi font moins recette qu'avant. Car, désormais, les films n'arrivent sur les grandes chaînes qu'en bout de course, après être sortis en DVD, VHS, et sur les chaînes thématiques[2]...

Dans cet océan de courbes aléatoires les fictions font

1. En 2003, chez les téléspectateurs de 4 ans et plus.

2. L'audience moyenne des films est tombée de 18,6 points d'audience (en 1992) à 13,7 (en 2002) sur TF1, et de 11,7 à 8,6 sur France 2 (pendant la même période). (Source : CNC.) Un point d'audience représente 530 000 téléspectateurs environ. À ne pas confondre avec les parts de marché, qui rendent compte d'un pourcentage de téléspectateurs.

donc figure d'exceptions. Le *hic* est qu'elles coûtent cher. Très cher. Près de trois fois le prix d'un bon divertissement (1,3 million d'euros en moyenne pour un téléfilm [1]). Et cela même en comprimant les coûts au minimum (vingt et un jours de tournage, contre au moins une quarantaine au cinéma, par exemple). De plus, alors que les chaînes privées saucissonnent allègrement leurs programmes avec de la pub – trois coupures en moyenne dans un *prime time* –, la réglementation n'autorise qu'une seule interruption pour les films. Devant cette somme de contraintes, M6 a botté en touche. Elle préfère racheter bon marché des séries étrangères et remplit ses quotas de production d'œuvres françaises en partie avec des émissions comme *Popstars*.

Plus haut de gamme, Canal+ s'était aventurée sur le terrain glissant des thèmes dits « difficiles ». Pensez donc ! Un film sur le scandale du sang contaminé à travers l'histoire du professeur Garretta, un autre sur l'abolition de l'esclavage par Victor Schœlcher qu'on projette encore dans les écoles. Après une pause, la chaîne a relancé, début 2003, des projets ambitieux : films sur la Gestapo, le Service d'action civique (SAC), la répression sanglante des manifestations pro-algériennes du 17 octobre 1961... Mais avec une énième réorganisation au sommet, fin 2003, Canal+ pourrait bien à nouveau changer de cap.

Quant à France 3, après s'être longtemps contentée de cibler les « foyers ruraux de plus de 50 ans » – c'est l'expression consacrée –, elle s'aventure maintenant dans le film historique (*Mata Hari*, *Les Beaux Jours* – sur les premiers congés payés en 1936). Mais avec moins de soirées dédiées à la fiction, moins de « films-événements » et des objectifs

1. TF1 verse un peu plus – autour de 1,5 million d'euros –, France 2 et France 3 généralement un peu moins.

d'audience moins élevés, elle ne boxe toujours pas dans la même catégorie que France 2...

Aujourd'hui, les deux grandes généralistes restent donc les principales pourvoyeuses de fictions, produisant à la fois des policiers, des comédies et des sagas de prestige dans la grande tradition de celles de l'ORTF (*Les Trois Mousquetaires*, *Les Rois maudits*). Patrick Le Lay, traditionnellement prompt à râler contre la réglementation imposée aux télés – quotas de production et de diffusion d'œuvres françaises –, a même pris l'initiative, à la rentrée 2003, d'ouvrir une nouvelle « case » fiction, le mercredi, en alternance avec *Combien ça coûte ?* et le foot. Mais attention ! Comme les fictions sont « ruineuses », les chaînes attendent, en retour, des audiences remarquables. Depuis le choix des thèmes jusqu'à la psychologie des personnages, tous les détails des films sont calibrés au millimètre pour ratisser du vieil agriculteur corrézien à la jeune mère de famille parisienne. « Il arrive que nous réécrivions jusqu'à six ou sept fois le scénario », affirme Jean-Pierre Guérin, un producteur pourtant abonné aux succès – *Julie Lescaut*, *Monte-Cristo* (TF1), *Napoléon* (France 2)... Et pas question d'investir dans une nouvelle série avant d'avoir testé à l'antenne un épisode pilote. Sur TF1, de loin la plus ambitieuse – en termes d'audience, entendons-nous –, la sanction tombe très vite : « Si le "pilote" n'atteint pas au moins 35 % de parts de marché, généralement la chaîne abandonne tout. Elle ne prend pas de risques. Elle n'a pas de temps à perdre. C'est une contrainte terrible », résume Jean-Pierre Guérin.

Dans le service public, les objectifs sont certes moins élevés. Mais quand, début 2000, Marc Teissier a recruté sa nouvelle prêtresse de la fiction, la productrice Laurence Bachman, il a tout de même mis la barre assez haut : atteindre entre 25 et 30 % de parts d'audience sur l'année. Plus de cinq points au-dessus de la moyenne de la chaîne. Bonjour la pression !

De Truffaut à TF1

Rappelons, pour ceux qui l'ont oublié ou qui ne l'ont jamais su, que la plupart des héros populaires actuels – Julie Lescaut, Navarro, le commissaire Moulin, Joséphine, ange gardien... – sont nés sur TF1 durant les années qui ont suivi la privatisation. Nettement moins connu que ces icônes, leur « papa », un certain Claude de Givray, mérite un petit détour. Cinéphile, collaborateur des *Cahiers du cinéma* du temps de leur grande époque, ex-scénariste de François Truffaut, on a du mal à croire que ce charmant retraité, toujours intarissable sur Lubitsch et la Nouvelle Vague, ait pu mettre sciemment à l'antenne des créatures aussi fades et sans aspérités que Julie Lescaut. Aux antipodes de l'intello honteux, il revendique pourtant ses douze ans à la tête des fictions de TF1, rappelant au passage que Truffaut raffolait de *Dallas*, et Godard, dans sa jeunesse, des « séries B mal fichues ». « C'est dans ces films qu'on en apprend le plus sur les codes du cinéma. D'ailleurs le public des séries B, comme celui de *Julie Lescaut*, n'est pas dupe de ces codes. Au contraire, il s'en amuse », affirme-t-il, comme si les téléfilms de TF1 étaient faits pour être vus au second degré.

Mais dès que l'ex-responsable des fictions commence à évoquer en détail la bible des fictions, on voit bien qu'il n'a pas fait grand-chose pour inciter le public à prendre de la distance. L'incontournable Julie Lescaut est un modèle du genre. Spécialement mise au monde pour inciter les femmes à regarder davantage de polars, la dynamique quadra a tout de l'héroïne des ménagères : sexe faible aux prises avec un univers de travail masculin, mère divorcée attentive à ses deux filles, etc. « Pour que les femmes s'identifient un maximum au personnage, nous avons énormément grossi la place de sa vie privée par rapport aux séries policières plus classiques », explique Claude de Givray.

Et comme Julie Lescaut a séduit au-delà de toute attente, TF1, suivant la bonne recette selon laquelle on ne change pas un *prime time* qui gagne, s'est mise en quête de nouvelles enquêtrices de charme : *Une femme d'honneur* – cette fois il s'agit d'une gendarmette –, *Le juge est une femme*, ainsi que, plus récemment, *Diane, femme flic* et *Capitaine Lawrence*, testés en 2003-2004 à l'antenne. Pour combler ce public féminin qui raffolerait d'histoires sentimentales, Claude de Givray n'a cessé d'explorer de nouvelles relations personnelles pour ses héros. Pas toujours original – « Regardez *Navarro* : dans un épisode sur trois, le commissaire retrouve un vieux copain », s'amuse-t-il –, le parrain des fictions a aussi concocté une série, *Les Cordier, juge et flic*, déclinant la ficelle éprouvée des vieilles rivalités entre un père et son fils. Un thème universel recyclé dans le polar TF1.

La bible d'un scénario consensuel

Redresseur de tort, « crédible », travailleur et attentif à sa famille : une fois le héros campé, passons au récit de ses aventures, qui obéissent, elles aussi, à des règles plus que strictes.

Un démarrage sur les chapeaux de roue

Alors qu'au cinéma le public est captif – Truffaut disait qu'il a un quart d'heure d'indulgence –, à la télévision le scénariste écrit en permanence sous l'épée de Damoclès du zapping. Pas un pro n'irait s'aventurer à proposer à TF1 une première scène de nuit. Elle se ferait retoquer illico au motif qu'elle n'est pas assez lisible. « Il faut que les enjeux soient posés dès les cinq premières minutes, pas question d'installer une ambiance », explique Lorraine Lévy, scénariste à succès – *Joséphine, ange gardien* (TF1), *La Bicyclette bleue* (France 2)... La recette numéro un reste de démarrer sur une action violente pour scotcher le public. Mais attention, on doit auparavant avoir compris qui est bon ou méchant pour pouvoir s'intéresser à la scène. « Il faut d'emblée essayer d'attacher le public à l'un des personnages, avant d'en tuer éventuellement un », décode Alexis Lecaye, auteur de *Julie Lescaut*[1].

Des héros positifs

Tout l'art de la fiction à la mode TF1 est d'inventer des personnages qui nous ressemblent – pour l'identification ! –, mais qui s'en sortent toujours un peu mieux que nous – pour la magie. Sur TF1, Julie Lescaut jongle entre sa vie de mère et de flic, manque parfois de craquer, mais finit toujours par avoir le dessus. Sur France 2, l'instit – message clé de la série : il n'y a pas d'enfants qu'on ne puisse récupérer – offre aussi un bel exemple de courage. C'est d'ailleurs le héros « service public » le plus proche des

1. Ateliers d'Aubusson, 1996.

critères de TF1 et aussi – est-ce lié ? – un de ceux qui marchent le mieux.

Exit donc les personnages tourmentés ou les anti-héros. Très à l'aise, Claude de Givray révèle la recette : « Les ménagères veulent un regard moral. Un héros qui donne le mode d'emploi. On ne peut pas fédérer neuf millions de personnes avec des personnages immoraux. Ou alors il faudrait justifier pendant la motié du film les causes de leur comportement, ce qui n'est pas possible *[sic]*. »

Pas de « glauque »

Un beau film « positif » se doit d'être tourné dans un décor propret. Pas question de montrer des bureaux dégueulasses ou des deux-pièces-cuisine mal meublés. Ce serait jugé trop « glauque ». Résultat : les séries nous entraînent régulièrement au pays d'*Elle Décoration*. Qu'on s'invite dans une famille d'ouvriers, de chômeurs ou de modestes fonctionnaires – jusqu'ici les flics ne gagnant pas des salaires de P-DG –, la maison est spacieuse, avec un coin de jardin, un beau canapé neuf et tout le reste... Peu crédible, bien souvent, mais tellement plus agréable à regarder que la réalité !

« Happy end »... mais pas trop

Le scénariste de fictions commerciales ne doit jamais l'oublier : le public, quand il s'installe le soir devant son petit écran, a déjà derrière lui une journée de travail harassante et pleine d'humiliations. Il ne faut donc surtout pas – sinon risque de zapping ! – lui « plomber le moral » avant qu'il n'aille au lit. Cet impératif catégorique permet de faire le distinguo entre les récits « problématiques », conçus pour déranger, questionner, inciter à se remettre en question (strictement l'opposé de la fiction TF1), et les récits « populaires », qui ont pour vocation de consoler, rassurer, envoyer un message positif (on est sur TF1). Dans *Joséphine, ange gardien*, par exemple, Mimie Mathy (l'ange) se démène pour résoudre des problèmes de société qui souvent auraient pu se solutionner tout seuls. Mais comme c'est elle la fée, il faut bien qu'elle serve à quelque chose... « Tout est édulcoré au maximum. Tout finit toujours bien. Mais Joséphine délivre un vrai message : ne soyez pas indifférents à vos voisins, tous les problèmes peuvent s'arranger », affirme Lorraine Lévy. Attention, cependant, à ne pas en rajouter dans le *happy end* gnangnan. Selon Claude de Givray, « dans les fictions, la vie doit être un peu plus belle que la réalité, mais pas trop. Si elle finit trop bien, mariage et tralala, l'histoire n'est plus crédible et elle ne marchera pas ».

Conséquence de cette bible : « Si quelqu'un aujourd'hui proposait à TF1 la série Columbo, la chaîne le refuserait à coup sûr, affirment plusieurs scénaristes. Avec son œil de verre, son pardessus râpé et sa vieille voiture, il serait qualifié de *loser*, "anti-héros", "pas assez positif". » Sans parler de sa manière farfelue de mener ses enquêtes, qui n'ont rien de réaliste. Columbo n'a pas de chef, il ne rend jamais de comptes à personne. On imagine d'ici les problèmes d'identification quasi insurmontables que ne manquerait pas de soulever le responsable des fictions de TF1.

« C. se doit d'être héroïque : TF1 ! »

Pour se rendre compte de l'extrême formatage des séries actuelles, l'idéal est de se procurer – par des voies détournées – les consignes d'écriture données à des scénaristes. Un sommet de cocasserie ! Cornaqués par les chaînes qui se censurent de peur d'être sanctionnées par le public et pilotés par les producteurs qui se censurent de peur d'être sanctionnés par les chaînes, les « pauvres » scénaristes marchent sur un fil. Des extraits de cette note, adressée par un producteur à la suite d'une réunion avec la chaîne, donnent une idée de la somme des contraintes auxquelles un auteur de TF1 doit se plier.

Le but du jeu est ici de lancer une énième série policière de *prime time*. Le héros, policier de son état, sera rebaptisé « C. », afin de préserver son anonymat.

Modifications à apporter au concept et au séquencier du pilote :

Vie privée

C. ne doit pas être machiste, c'est un vrai père de famille dont la vie professionnelle (flic) a pris le pas sur tout le reste.

Ils sont avec sa femme dans un jeu de chien et chat sur fond (pour les deux) de regrets. La scène finale correspond mieux, C. y est aussi moins agressif.

Derrière sa carapace, C. est un TENDRE [...].

[...] La vie privée est ici bien dosée (nombre de scènes). Bien veiller à leur distribution dans le récit.

Job

[...] Bien mettre en valeur le système D dans le quotidien. (Attention, C. n'est pas un ripou, il se démerde !)

Histoires

Dans le séquencier, aucune des deux histoires n'est privilégiée.

Donc histoire A : celle du casse de la bijouterie. Ici beaucoup trop simple puisqu'une « étiquette » suffit à solder l'histoire. Il faut la complexifier et la dramatiser (un mort, balle perdue ?). Là C. doit apparaître sous son meilleur jour de « grand » flic (malin, expérimenté, courageux, fin psychologue...).

Pour l'histoire B, abandonnons les putes moldaves, vu et revu ! Ce sera une histoire secondaire qui devra surtout jouer sur l'EMOTION et sur la capacité de C. à comprendre les gens, son humanisme, sa capacité à émouvoir.

En conclusion : une histoire B plus sentimentale, une histoire A plus polar dur.

Enfin ne faisons pas de C. un *loser*, s'il arrive en retard sur un coup, c'est parce qu'il était occupé ailleurs, sur quelque chose de plus important.

Conclusion

[...] C. se doit d'être héroïque : TF1 !

Devant de telles consignes, faut-il rire ou s'indigner ? On hésite. Mais on ne s'étonnera plus que les héros de TF1 aient tous l'air de jumeaux, puisque les scénaristes ont comme première mission de reproduire des clones. Deux ou trois fois par an, cependant, la direction de TF1 s'accorde un grand frisson en diffusant des films de prestige. Oublié le héros du quotidien, cette fois-ci on sort la grosse artillerie : les décors, les costumes et les faits historiques.

Cette tradition d'adapter des grandes œuvres date des débuts de la télévision, mais pour la Une privatisée les choses n'allaient pas de soi. Producteur de la première série haut de gamme de l'ère Bouygues – *L'Affaire Seznec* –, diffusée début 1993, Jean-Pierre Guérin se souvient des tergiversations de la chaîne : « Hormis Patrick Le Lay, très partant car l'histoire se passait en Bretagne [le patron de TF1 est un Breton bretonnant, comme quoi l'histoire tient souvent à peu de chose], tout le monde avait la trouille et craignait que le film ne soit trop exigeant. Mais quand on s'est aperçu qu'il avait amené sur TF1 des téléspectateurs qui, pour des raisons idéologiques, ne venaient plus depuis la privatisation, on a compris que la fiction pouvait être excellente en terme d'image. » Et de tels succès d'estime, TF1 en a souvent eu besoin.

En 1999, au moment de la « quête de sens », la diffusion de *Balzac*, avec Gérard Depardieu, lui a permis d'être saluée comme une chaîne remplissant des missions de service public [1]. En septembre 2003, *L'Affaire Dominici* a fait office d'alibi. À la conférence de rentrée, après la présentation des nouveaux programmes et avant un bon dîner, l'aréopage de journalistes réunis pour l'occasion a eu droit à la projection exclusive du premier épisode de la série (diffusée sur TF1 les 13 et 20 octobre 2003). Un bon moyen de leur faire oublier que la réunion était aussi placée sous le signe de la télé-réalité et du *trash*, avec le lancement du magazine *Scrupules*...

Mais l'ambition de traiter d'événements historiques n'empêche pas TF1 de les assaisonner selon la recette maison. Au risque de soutenir des thèses « abracadabrantesques », comme avec *L'Affaire Dominici*, consacrée au triple meurtre de touristes anglais à Lurs, un village des Alpes-de-Haute-Provence. Bien que ce fait divers remonte à août 1954, la chaîne y a décelé les ingrédients du succès cathodique : une affaire criminelle ténébreuse, une enquête policière qui, dès les années 50, avait suscité la polémique et un coupable, le

1. *Libération* titrait « TF1, chaîne publique ! », 18 septembre 1999.

vieux paysan Gaston Dominici, condamné à mort sans preuves formelles, avant d'être gracié, en 1960, par le général de Gaulle.

Pour faire de cette histoire une fiction digne de ce nom, il restait cependant à trouver une thèse forte. S'appuyant sur le livre d'enquête du journaliste William Reymond[1], TF1 décide de faire du patriarche un innocent, victime de l'acharnement d'un commissaire carriériste prêt aux pires manipulations. Le film ne retient donc que les éléments du dossier en faveur du vieux Gaston, passant par pertes et profits les pièces à charge. Pire encore, pour pouvoir désigner un coupable avant le générique de fin – car dans un bon polar il faut bien un coupable –, TF1 n'hésite pas à reprendre à son compte la théorie extrêmement contestée de William Reymond, affirmant que la victime, un brillant nutritionniste anglais, était aussi un espion. C'est à cause de ces activités qu'il aurait été exécuté par des tueurs à la solde du bloc de l'Est... Dans le film, le héros, un journaliste intrépide et assoiffé de vérité, nous révèle qu'un certain Bartkowski, arrêté en Allemagne, a avoué le triple meurtre, mais que son témoignage fut ensuite enterré par le ministère de l'Intérieur pour des raisons politiques.

La guerre froide, les espions, les innocents sacrifiés sans scrupules... Encore un peu et on bascule dans *James Bond*, à la différence près que *L'Affaire Dominici* se veut fidèle à la réalité historique. À la conférence de presse présentant le téléfilm, Étienne Mougeotte a été jusqu'à convier comme caution Alain Dominici, le petit-fils de Gaston, qui réclame aujourd'hui une révision du procès. « Si le film permet au dossier de rebondir, tant mieux ! » s'est alors gargarisé le vice-président de TF1[2]. Quant au producteur, Christian

1. *Dominici non coupable : les assassins retrouvés*, Flammarion, 1997.
2. *Le Nouvel Observateur*, 9 octobre 2003.

Charret, il affirme : « Lorsque j'ai lu ce livre [l'enquête de William Reymond], je me suis dit : "Enfin une histoire cohérente !" Et si elle n'apporte pas toutes les réponses aux questions, elle a au moins le mérite de fournir un déroulement et un mobile crédibles à l'affaire [1]. »

La théorie du complot mise en scène par TF1 souffre pourtant de plusieurs faiblesses. Concernant les « aveux » de Bartkowski, par exemple. Dans le film, et comme le laisse entendre le livre de William Reymond, ils auraient concerné le meurtre proprement dit. Or dès la sortie du livre, en 1997, le juge Vincent Charrier, chargé d'une contre-enquête sur l'affaire en 1955, rappelait que ces fameux aveux concernaient, en vérité, le fait que Bartkowski avait servi de chauffeur à des truands lors d'un règlement de comptes dans le sud de la France [2]. Personne ne sut jamais qui en furent les victimes. En déduire qu'il s'agissait à coup sûr des Anglais tués à Lurs est pour le moins hâtif. Sans parler des élucubrations sur l'enterrement de première classe par le ministère de l'Intérieur.

Les erreurs et approximations sur lesquelles repose la thèse du film ont été pointées par un documentaire – signé Madeleine Sultan et Jean-Charles Deniau – diffusé un mois plus tard [3] sur Odyssée, une filiale câblée de TF1. Le problème est que seuls quelques petits milliers de téléspectateurs ont pu voir cette version du fait divers, alors que le téléfilm de TF1 a, lui, été suivi par douze millions de personnes, pour lesquelles la version romanesque risque bien de devenir *la* vérité historique. Et le problème pourrait bien se reposer prochainement avec d'autres fictions. Car, depuis le succès de *L'Affaire Dominici*, TF1 prévoit de

1. *Le Monde*, 11 octobre 2003.
2. Site Internet : http ://perso.wanadoo.fr/vincent.carrias.
3. 28 novembre 2003.

revisiter toute une brochette de faits divers. On parle notamment d'un projet sur l'« affaire Grégory » et d'un autre sur la traque du tueur en série Francis Heaulme...

Les « audaces » de France 2

« C'est parce que nous faisons de 30 à 35 % de parts de marché sur *L'Instit* que nous pouvons nous permettre de prendre des risques ailleurs », claironne la responsable des fictions de France 2, Laurence Bachman. Mais qu'entendre par « risques » ? Là commence le débat. Du point de vue de France 2, le simple fait de diffuser des fictions historiques constitue déjà un risque. Car – ce sont les études qui l'affirment doctement – les femmes n'aimeraient pas les fictions historiques. Choisir de programmer *Napoléon*, *Rastignac* ou encore *Les Thibault* serait donc une audace.

L'autre fierté de Laurence Bachman est d'initier des personnages complexes, tiraillés entre des ambitions et des buts antagonistes. Jugez sur pièces ! Fin 2003, par exemple, pour appâter un public de trentenaires citadins, France 2 diffuse *Clémence* : une femme juge, divorcée dès les premières scènes du film, qui se retrouve seule avec deux amants, un beau paquet de fantasmes, des visions, et qui, quand rien ne va plus – ce qui, au vu de sa vie de patachon, doit arriver souvent –, picole quelques verres de trop avec son fils étudiant. Pas vraiment la mère de famille modèle dont rêverait TF1 !

Autre exemple souvent cité de l'intrépidité de France 2, les épisodes de *Crimes en série*, des polars diffusés en *prime time* au printemps 2003. Là encore de l'anti-TF1, nous garantissent les experts. « Le héros, incarné par Pascal

Légitimus, est beaucoup trop bizarre pour qu'on puisse s'y identifier. Il ne se comporte pas comme un vrai policier. Il est imprévisible », souligne Éric Stemmlen, délégué général de l'USPA (Union syndicale de la production audiovisuelle) et ancien du service des études de France 2 – c'est dire s'il en connaît un rayon sur le sujet. À coup sûr, ce personnage de romans policiers enquêtant sur des crimes franchement abominables, commis par des tueurs en série psychopathes ou obsédés sexuels, serait jugé trop « glauque » par TF1. Et que penser de la vie sentimentale de notre héros moderne, qui parle de sexe crûment et reluque, alors qu'il a déjà une compagne mignonnette comme pas deux, tous les jupons qui passent ? Certainement pas assez exemplaire pour TF1.

Compte tenu de ce tableau, on s'attendrait à ce que les scénaristes stigmatisent le carcan de TF1 et plébiscitent les audaces créatives de France 2. Or ce n'est pas le cas ! « Avec TF1, on sait à quoi s'en tenir. Ils ont une ligne éditoriale extrêmement claire et qui tient en trois qualificatifs : optimiste, fédératrice et tout public », résume Sophie Deschamps, scénariste de *Clémence*. Sur France 2, en revanche, les auteurs ne savent jamais sur quel pied danser : « Au départ on se dit qu'on sera plus libre que sur TF1. Et puis on se rend compte que ce n'est pas forcément vrai. Car chaque chaîne a ses impératifs pour fédérer son public », explique Lorraine Lévy. « Les responsables de France 2 sont sans cesse tiraillés entre de grandes ambitions culturelles et la crainte de faire des bides d'audience », ajoute, anonymement, une scénariste. « Le jour où vous aurez compris leur ligne éditoriale, venez me voir », conclut cette autre, qui considère que le profil psychologique des héros de France 2 est lui aussi extrêmement formaté : « Il faut créer des personnages normatifs, bannir tout ce qui est complexe. Bien sûr, la chaîne ne vous le dira pas comme ça. Mais on vous fera remarquer, par exemple, que votre premier rôle n'est pas assez touchant. Ce qui revient exactement au même. » L'objectif de réunir 25 % des téléspectateurs en *prime time* ne va donc pas sans quelques grincements de dents...

Ambitionnant d'explorer le patrimoine littéraire, la chaîne a récemment commandé l'adaptation d'un roman-culte de Jules Verne, *Vingt Mille Lieues sous les mers*. Elle a confié le scénario à l'une des stars du métier – Jean-Luc Seigle *(L'Institutrice)* –, qui s'est attelée à la tâche, respectant, semble-t-il, à peu près fidèlement la trame du livre. Mais quand les responsables des fictions de la chaîne voient revenir le scénario, patatras ! Ils diagnostiquent aussitôt une grave carence : le film manque cruellement de présences féminines. Tous ceux qui ont gardé en mémoire le célèbre roman de Jules Verne se souviennent qu'en effet l'équipe du capitaine Nemo est exclusivement masculine. Pas le moindre jupon à bord du *Nautilus*. Mais qu'importe, France 2 souhaite un beau rôle féminin et surtout une belle histoire d'amour. Sommé de revoir sa copie, le scénariste invente donc une fille au capitaine. La chaîne saute sur l'idée et le titre (provisoire) serait même devenu *La Fille du capitaine Nemo*.

Derrière cette décision se cache une des recettes toutes faites de la télé, énonçant que les téléspectatrices zappent immanquablement si on ne leur propose pas des personnages féminins (toujours l'identification) et de belles histoires d'amour. À l'occasion de la première table ronde des auteurs de fiction à Aubusson [1], il fut même exposé par des pros que cette apparition du beau sexe devait impérativement se produire durant les quatre premières minutes du film. Pour respecter cette règle d'apparence pour le moins fantaisiste, le réalisateur Jacques Nahum racontait même

1. En 1996. Compte rendu de Laurence Décréau dans *Frictions*, Hachette, 1997.

avoir été « contraint de remonter en toute hâte un film [y] dérogeant de deux minutes ».

On flaire la même cuisine dans le téléfilm dédié à la vie du général Leclerc pendant la guerre d'Indochine, diffusé sur France 2 le 14 juillet 2003. Au périple militaire historique – pas de femmes à l'horizon – la chaîne a demandé, à la réécriture, d'ajouter celui tiré par les cheveux d'un jeune couple de Français d'aujourd'hui. Ne pouvant avoir d'enfant, ils s'en vont, bras dessus, bras dessous, au Vietnam en vue d'une adoption et y rencontrent une vieille femme qui a connu Leclerc dans sa jeunesse... Que vient faire ce mélo improbable dans un film sur Leclerc ? Décryptage de la directrice des fictions de France 2 : « Leclerc est un personnage loin de nous. On s'est donc demandé comment intéresser les gens à son histoire, d'où l'idée de ce couple pour faire le lien avec les préoccupations d'aujourd'hui. »

L'audience ne fut pourtant pas au rendez-vous. En dépit de ces efforts pour prendre la ménagère par la main, Leclerc n'a récolté que 13 % de parts de marché. Est-ce parce que les aventures du général n'intéressent plus personne ou parce que, à force de camoufler les récits historiques sous des couches de guimauve, on finit par perdre en route son propos ? Mystère. Mais ce genre de déconvenues n'empêche pas les responsables des fictions de s'accrocher à leurs certitudes sur ce qui peut ou ne peut pas intéresser le public.

Les grands tabous

Contrairement aux chaînes américaines et anglaises qui adorent malmener leurs institutions, chez nous les projets de fictions sur des sujets politiques ne passent généralement pas le stade du synopsis. Une expérience parmi d'autres, celle de Sophie Deschamps : « Il y a quelques années, j'étais en discussion avec une chaîne pour adapter une fiction américaine à succès, *Spin City*, qui raconte, de façon très réaliste, les péripéties et les intrigues de couloir de la mairie de New York. Mon idée était de situer l'action dans la Ville de Paris. À l'époque, le maire était Chirac. Refus net de la chaîne. »

Une autre scénariste avait proposé à France 2 une fiction sur une femme députée tiraillée entre ses idéaux et les petites bassesses de la vie politique : financer le parti, trouver une circonscription... « J'en parle à la responsable des fictions de la chaîne. Elle trouve l'idée géniale. Mais, le lendemain, le producteur me rappelle pour me dire qu'elle préférerait finalement que le héros soit préfet. En deux minutes j'ai vu venir le truc : l'accident sur la RN, les problèmes avec les paysans, la fille du préfet qui fait une fugue, etc. J'ai donc laissé tomber. » Du point de vue de Laurence Bachman, qui n'a pas souvenir de cette péripétie, le constat est très simple : « Les fictions sur les hommes politiques, les affaires, ça ne marche pas. Celles sur les journalistes, c'est pareil », explique-t-elle, car « ce sont des métiers trop abstraits ».

À TF1, même quand, fait rarissime, le responsable des fictions accepte de prendre un « risque » sur un sujet tabou, le film a de grandes chances de finir sa vie dans un carton, sous le coup d'un veto de la programmation. À l'issue d'un ultime visionnage, ce service peut en effet, au tout dernier moment, renoncer à la diffusion s'il pressent le moindre risque de flop. Claude de Givray lui-même, l'omniscient concepteur de la ligne « consensuelle » de la chaîne, a fait plusieurs fois les frais de cette ultime sanction, y compris avec un film produit par Pascal Breugnot – dont personne ne prétendra qu'elle ambitionne l'élitisme – et écrit par le scénariste Éric Kristy, pourtant rompu aux ficelles de l'Audimat (*Une femme d'honneur*, *Julie Lescaut*). L'objet du « délit » ? Une fiction sur un prof d'histoire de gauche – joué par Jacques Perrin – qui découvre, le soir de ses 50 ans, que son fils – Guillaume Canet – milite dans un groupuscule néo-nazi. Selon le scénariste, il s'agissait de montrer le choc ressenti par cet ex-soixante-huitard et de poser une foule de questions : à quel moment les jeunes basculent ? pour quelles raisons ? etc.

Après que TF1 eut pris la décision de ne pas diffuser le film, Éric Kristy s'en étonna auprès de Guillaume de Vergès, à l'époque directeur général adjoint des programmes. « Il m'a répondu que le film était "trop sombre, trop glauque". Mais je pense qu'il y avait sans doute d'autres raisons. Le mouvement dans lequel militait le fils, par exemple, n'était pas une bande de crânes rasés, mais des universitaires emmenés par un prof d'histoire révisionniste. Ce choix de présenter des "méchants" propres sur eux était sans doute trop complexe, pas assez manichéen pour TF1 qui ambitionne de fédérer dix millions de personnes. » Au fin fond d'un carton depuis 1996, cette création attend toujours le feu vert de la programmation.

Autre film jugé inapte au *prime time*, *Si je t'oublie, Sarajevo*, produit par TF1 et Capa, et pourtant nominé aux prestigieux EMI Awards – l'équivalent américain des Sept d'or. « Ce film plaisait bien aux pros, mais avec son intrigue un peu trop compliquée et son énorme *flash-back* tourné à Sarajevo, le service de la programmation a estimé qu'il y avait trop de risques », explique Claude de Givray. Itou avec ce film où Marie Trintignant, se sachant condamnée par un cancer, donnait une réception pour trouver une bonne âme susceptible de s'occuper de son fils après sa mort. Cette fois-ci, on n'était pas dans le « trop compliqué », simplement dans le « trop déprimant », tout aussi calamiteux du point de vue de TF1. « Le cancer, c'est trop dur », rapporte Claude de Givray.

Un autre tabou de TF1 concerne les personnages de couleur. Pas les figurants de deuxième ou troisième zone, entendons-nous, mais les héros qui, en dépit du nombre de séries à l'antenne sur TF1, restent très franchouillards. Pour séduire une France qui, elle, s'est beaucoup métissée, TF1 avait pourtant eu l'idée, il y a quelques années, de lancer des héros policiers « issus de l'immigration » : *Van Loc* (héros d'origine vietnamienne), *Commissariat Bastille*, avec Smaïn, et *Mathieu Corot*, avec Michel Boujenah. Hormis *Van Loc*, ces séries d'un genre nouveau n'ont pas fonctionné.

Tirant la conclusion que les héros « typés » ne plaisent pas, TF1 n'a pas renouvelé l'expérience. Ainsi, parmi la dizaine de personnages qu'elle a prévu de tester à l'antenne en 2003-2004, pas un seul n'est de couleur. Frileusement, elle a même hésité à diffuser un épisode des *Cordier, juge et flic* mettant en scène de nombreux personnages noirs. « Le film ne plaisait pas à la programmation. Trois ans se sont écoulés entre le tournage et la diffusion, en 2003. Au final, il a pourtant séduit neuf millions de téléspectateurs », rapporte la productrice, Michelle Podroznik. Ce contre-exemple poussera peut-être la chaîne à davantage d'audaces.

Le succès de *Fatou la Malienne* – huit millions de téléspectateurs sur France 2 [1] – a, lui aussi, montré que le public pouvait s'intéresser à un film au casting quasi à 100 % africain et traitant d'un sujet *a priori* assez loin de ses soucis quotidiens : le mariage forcé chez les Maliens de Paris. Mais il y a deux lectures du succès de *Fatou*. La première conduit à saluer les audaces de France 2 et l'ouverture d'esprit du public – pas si borné qu'on le croit. La seconde, à déplorer

1. Diffusé en *prime time* le 14 mars 2001.

que le film ne se départisse pas d'un regard condescendant. Commençons par ce qui saute aux yeux, à savoir l'ambition d'explorer la vie d'une communauté tiraillée entre son désir de s'intégrer et le poids de ses traditions. Fatou, élevée à l'européenne, doit, sous l'influence de sa tante, épouser un cousin contre sa volonté. Livrée de force à son mari, séquestrée et violée pendant que sa famille fête la noce à quelques rues de là, elle bascule dans le cauchemar. Un sujet difficile ! Mais ce film, adapté d'un fait divers réel paru dans *Libération*[1], multiplie les clichés, ce qui le rend, au final, extrêmement consensuel.

Étudiante en droit dans la réalité, l'héroïne devient coiffeuse dans un salon africain de Barbès. Beaucoup plus exotique ! Alors que dans la vraie vie Fatou se sauve toute seule de l'appartement du « mari » avant de porter plainte dans un commissariat, dans le film elle est tétanisée, sans défense face au clan, et ne doit son salut qu'à sa copine française qui, comme dans un vrai polar, la délivre en cachette. Juste avant le « sauvetage » de Fatou, la blondinette expose sa façon de penser à une troisième copine, une Beurette qui refuse d'intervenir : « Tu ne peux pas les changer. Nous, on a une double culture. Ne te mêle pas de ça », lui explique-t-elle sous un porche à Barbès. La jeune Française s'énerve : « Mais on est en France ! » Une fois tirée d'affaire, Fatou va se ressourcer en Bretagne, dans le village de sa copine, où elle dévore des crêpes et couvre de tresses rastas la tête des provinciales. *Happy end !*

Salué par les uns – *Fatou* a remporté le FIPA d'or au festival international de la production audiovisuelle de Biarritz en 2001 – mais dénoncé par le Haut Conseil des Maliens de France, qui y vit de quoi « alimenter un discours xénophobe », le film se situe à la limite des audaces que se

1. *Libération*, 31 mars 1998.

permet France 2 en *prime time* : un thème original et posant des questions de société, mais assorti d'un dénouement optimiste sous forme de métaphore d'un parcours d'intégration réussi.

Marre des héros moralisateurs

Si un jour, néophytes, vous prenez un café avec un vrai mordu de fictions, il y a de fortes chances qu'il vous vante rapidement les mérites des séries de la chaîne câblée américaine HBO, citant pêle-mêle *Les Sopranos* (une série sur la mafia), *Sex in the City* (les aventures de quatre New-Yorkaises célibataires et carriéristes) ou encore *Six Feet Under* (la vie d'une famille de croque-morts, écrite par le scénariste d'*American Beauty*. C'est pour dire si c'est chic). Comparée à ces héros déjantés, torturés ou franchement hystériques, notre Julie Lescaut nationale fait figure de brave fille insipide. Mais malgré ces récriminations sur le caractère plan-plan de nos fictions, ce n'est pas demain la veille qu'une chaîne française s'amusera à produire ce genre de créatures.

Sur le câble, Canal Jimmy, qui rediffuse la plupart des fictions de HBO, est loin d'avoir la force de frappe de sa grande sœur américaine. Quant à nos chaînes hertziennes, quelques-unes rachètent bien ces séries pour leurs fins d'après-midi ou leurs secondes parties de soirée – France 2 a repris *Friends*, M6 *Sex in the City*. Mais aucune ne se risque à produire par elle-même de tels ovnis, pas assez grand public pour les grilles de *prime time* et trop chers pour les budgets de fin de soirée. Les resucées de *L'Instit* ou de *Navarro* ont encore de beaux jours devant elles.

Criez, hurlez, rien n'y fera ! Les études vous donnent tort, comme l'explique Thomas Anargiros, un producteur passé par la maison France 2 : « À l'époque, nous avions commandé un sondage qui affirmait que les deux tiers des téléspectateurs en avaient marre des héros moralisateurs et positifs. Pourtant, au même moment, les séries qui battaient tous les records d'audience étaient *Une femme d'honneur* et *La Kiné*, sur TF1. Vous voyez le paradoxe ! Résultat : entre plafonner à 20 % de parts de marché avec un film créatif et faire 40 % avec du conventionnel, on fait très vite le choix. » Vive la sécurité ! Et tant pis pour l'originalité.

8

Ça s'est passé près de chez vous

> « J'ai été directeur de cinq bureaux de TF1 dans cinq pays différents... et contraint par la direction de l'information de fermer les quatre derniers : New York parce que, je cite, "à part la Bourse, il ne s'y passe jamais rien", Tokyo et Hong Kong parce que, je cite encore, "l'Asie, c'est loin et ça n'intéresse pas les Français", et enfin Berlin parce que, je cite toujours, "l'Allemagne, c'est chiant et ça ne fait bander personne". »
>
> Alain Chaillou,
> journaliste à TF1 de 1977 à 2001,
> *Le Monde*, 1er juin 2002.

Commençons par un jeu. Imaginez-vous dans la peau d'un rédacteur en chef du « 20 heures ». Ce soir, près de neuf millions de téléspectateurs vont suivre votre journal [1]. Pour beaucoup, vous êtes l'unique source d'information. Nous sommes le 4 février 2003. Aujourd'hui, l'actualité est très chargée. La crise entre les États-Unis et l'Irak est à son paroxysme. Le monde est suspendu. Y aura-t-il la guerre ? Un sommet de la dernière chance réunit Tony Blair et

1. Le « 20 heures » de TF1 réunit plus de 8,5 millions de téléspectateurs en moyenne (jusqu'à 8,8 millions au premier semestre 2003).

Jacques Chirac au Touquet. Demain, Colin Powell doit présenter ses fameuses preuves contre Saddam aux Nations unies. Sur le terrain, vos équipes de reporters sont arrivées en Irak. En France, la journée est aussi riche en actualité : le Premier ministre Jean-Pierre Raffarin vient de présenter, après des mois d'atermoiements, son plan de réforme des retraites qui suscite de nombreuses réactions. Question : sur quel événement allez-vous ouvrir votre journal ? La menace de la guerre en Irak ou l'avenir des retraites ? Vous hésitez... Mais vous n'y êtes pas du tout.

Car, ce soir-là, le grand manitou de l'info à TF1, Patrick Poivre d'Arvor, entame son tour d'horizon de l'actualité mondiale par... quelques boulettes de fioul échappées de l'épave du *Prestige* et venues s'échouer sur les plages de l'Atlantique ! Certes, la catastrophe est de première importance. Mais depuis le naufrage du pétrolier trois mois auparavant, elle a été abondamment traitée et ne connaît ce jour-là aucun nouveau développement. Rien de neuf sur les voyous des mers, pas de nouvelles mesures de prévention ni de révélations sur les dégâts écologiques... Simplement un reportage, un de plus, sur un groupe de bénévoles en train de trimer sur un morceau de plage. Commentaire du journaliste : « On s'attendait à de nouvelles arrivées de fioul, les voici... »

Suit, à partir de 20 h 05, une rafale d'informations météo absolument percutantes. PPDA : « Les intempéries ont touché une bonne partie du Sud-Ouest. Il pleut encore beaucoup, mais l'alerte aux inondations a été levée. » Autrement dit : rien à signaler[1]. On s'attendait à passer à l'Irak. Pas du tout. Il fallait encore s'attrister d'une crue de la Garonne, qui « monte d'une façon importante mais pas préoccu-

1. Comme le prouvent les dépêches AFP du jour, la météo n'avait ce jour-là « rien d'exceptionnel » pour un mois de février.

pante » *(sic)*, puis se rasséréner en apprenant que la commune de Saint-Maur-des-Fossés avait mis au point un judicieux système d'« aqua-barrières » afin de se protéger des débordements de la Marne, avant de faire un tour par les stations de sports d'hiver, vacances de ski obligent. PPDA – décidément transformé en récitant de Météo-France : « Dans les Alpes, il y avait longtemps qu'on n'avait pas vu autant de neige. » L'envoyé spécial à Chamonix : « Deux chalets ont été évacués préventivement. Le hors-piste est à proscrire. » Que de scoops décoiffants !

Il est 20 h 16 exactement – au mitan du journal – quand affleurent enfin les vrais sujets : crise irakienne et réforme des retraites [1]. Mais le temps d'un tour de piste d'un quart d'heure. Car le grand journal de TF1 se termine comme il a commencé, à la manière d'un bulletin paroissial : une paillote détruite sur la plage de Sète, l'accueil des personnes âgées...

Serait-on mieux loti en zappant sur France 2, la chaîne du service public tenu de remplir une « mission d'information » ? À vous de juger ! Ce même soir, David Pujadas, en bon transfuge de TF1, opte aussi pour un prologue météo. Avec ce constat de choc, à vous mettre d'accord toutes les Mmes Michu : « Décidément, on se souviendra longtemps de cet automne-hiver 2002-2003. Revoici donc les inondations. La pluie n'a pas cessé aujourd'hui. Ce matin, l'alerte de niveau 3 était étendue à la plupart des départements de la région Midi-Pyrénées. » Suit l'inévitable

1. Six semaines plus tard, au moment de l'offensive en Irak, on se souvient que les chaînes nous ont gavés jusqu'à l'indigestion des moindres faits et gestes des troupes américaines. Concernant les retraites également, les grandes manifestations du mois de mai ont été l'occasion de tartiner à longueur d'édition sur ce dossier polémique. Mais au début de février, alors que ces deux sujets étaient déjà bel et bien dans l'actualité, leur intérêt ne sautait pas encore aux yeux de tous.

reportage dans les caves remplies d'eau d'un village de la région, avec son incontournable lot de micros-trottoirs frappés au coin du bon sens : « À 2 heures du matin, rien. À 6 heures, on était inondés. » Avant qu'il pleuve, c'était sec... Après ces considérations pluviométriques de haut vol, on se dirige vers les Alpes, histoire d'aller ausculter, là encore, l'état du manteau neigeux. On fait un petit crochet par les plages de l'Atlantique souillées par le *Prestige*. Et on s'envole enfin, direction le Texas, pour trois minutes d'émotion en direct de la cérémonie en hommage aux astronautes de *Columbia* (l'explosion de la navette, trois jours auparavant, a déjà, bien entendu, été largement commentée ; il ne s'agit là que d'évoquer la douleur des familles et des proches...). Après ce tour du monde des nouvelles « concernantes » – comme on dit à la Tévé –, il est 20 h 11 tapantes quand on aborde enfin les risques du conflit en Irak. Cinq minutes avant TF1. C'est sans doute là toute la différence !

Un jour sans ? Pas vraiment. Car même si le lendemain, 5 février, jour de présentation des fameuses preuves devant l'ONU, la crise irakienne avait droit aux honneurs de l'ouverture des « 20 heures » des deux chaînes, dès le 6 l'actualité, la vraie, revenait au galop avec son lot d'embouteillages, d'avalanches et de skieurs égarés. À cet égard, les statistiques hebdomadaires sont éloquentes : sur l'ensemble des « 20 heures » de cette première semaine de février 2003, Patrick Poivre d'Arvor a consacré plus de vingt-huit minutes aux intempéries et à leurs conséquences, contre vingt-six minutes trente à la réforme des systèmes de retraite – dont plus de la moitié à l'interview de Jean-Pierre Raffarin, invité le lundi en plateau pour présenter son projet – et vingt-trois minutes cinquante à la crise irakienne.

Quant au journal de France 2, réputé pour sa meilleure couverture de l'international, il a, si l'on peut dire, sauvé l'honneur en faisant de la crise irakienne sa principale tête de chapitre – plus de vingt-six minutes. Mais il ne négligeait pas pour autant les problèmes liés au mauvais temps – vingt et une minutes quarante-quatre –, avec, comme principal angle d'attaque, le feuilleton à suspense des recherches de quatre jeunes surfeurs égarés en montagne. Leur sauvetage eut même le privilège d'ouvrir le journal du 6 février, avec – grand événement oblige ! – l'interview en direct du papa d'un des jeunes : « Je suis content qu'ils soient retrouvés... » Nous aussi, mais convenons que le travail journalistique n'en ressort pas grandi. Surtout quand on compare ce traitement à celui du projet de réforme des retraites qui n'eut droit, cette même semaine, qu'à sept minutes quarante-six de temps d'antenne au « 20 heures » de David Pujadas. Trois fois moins que les surfeurs et les risques météo. De quoi faire des jaloux !

Voilà donc pour une semaine de grosse actualité. Alors imaginez le sommaire du reste de l'année, quand « il ne se passe rien à l'étranger », comme on le dit dans les salles de rédaction. Durant les quatre derniers mois de 2002, par exemple, TF1 a réussi l'exploit d'aborder dans ses journaux près de six cent soixante fois les problèmes météo [1]. Six cent soixante fois ! Vous avez bien lu, c'est-à-dire en moyenne près de six fois par jour. Pour atteindre ces chiffres ahurissants, en l'absence d'événements météo exceptionnels, il a fallu déployer des trésors d'imagination. Car si certains sujets ont toute leur place aux « 20 heures » – mauvais temps ayant entraîné le naufrage du *Prestige*, questions sur le réchauffement climatique –, d'autres en revanche laissent perplexe. Par exemple, ce reportage [2] sur des agriculteurs

1. Sous forme de reportages ou de brèves. (Source : base de données d'*Arrêt sur images*.)

2. « 20 heures » de TF1, 10 décembre 2002.

obligés de travailler dehors malgré le froid, assorti d'un commentaire inspiré : « Dans les champs, le gel s'est emparé de la moindre flaque d'eau. Qu'importe, ces agriculteurs doivent récolter leurs choux de Bruxelles. C'est maintenant ou jamais. » Pas de misérabilisme, cependant. Grâce aux bonnes vieilles astuces de grand-mères révélées dans le reportage – « porter des vêtements amples pour garder la chaleur » –, les paysans expliquaient ne pas souffrir du froid. Ouf !

Personne ne contestera que la première chaîne de France s'intéresse aux conditions de travail de nos agriculteurs. Mais qu'elle passe deux minutes en ouverture du « 20 heures » – à 20 h 02 exactement – à comparer l'épaisseur de leurs doudounes, il y a peut-être de l'abus. D'autant qu'après cette première vague de froid, on s'en souvient (mais si !), le temps s'est radouci, ce qui fut l'occasion d'explorer quelques nouveaux filons : les effets de l'embellie pour les producteurs de fleurs [1] ou les marchands de fruits et légumes [2]... Un pareil engouement pour les thèmes de la vie quotidienne prêterait à sourire s'il ne s'exerçait au détriment du reste. De tout le reste. Car pendant que la chaîne s'attardait quotidiennement sur l'étude de la pluviométrie et des trottoirs glissants, elle passait à la trappe les sujets politiques : une dizaine de reportages, seulement, en quatre mois sur le parti socialiste, pourtant miné par les conflits depuis l'élimination de Lionel Jospin au premier tour de la présidentielle. Peu de sujets aussi sur la culture : soixante-treize « traitements » (brèves et reportages) sur le cinéma pendant ces mêmes quatre mois, quarante-huit sur les livres et la vie littéraire, cinq sur la danse...

Précisons toutefois que la dose de culture introduite dans

1. « 13 heures », 29 décembre 2002.
2. « 20 heures », 29 décembre 2002.

les différents JT tient beaucoup à la personnalité du présentateur. Si PPDA se pique de littérature, force est de constater qu'il fait peu de cas de la danse : un reportage, contre quatre dans le journal de Claire Chazal, qui, d'après ses collègues, « aime beaucoup les ballets ». La présentatrice de week-end est également celle qui a le mieux couvert le théâtre et les spectacles durant cette période. Quant à Jean-Pierre Pernaut, il s'efforce de faire de l'art un sujet accessible. Fin 2002, il a bien consacré un reportage à la chorégraphie contemporaine... mais dans les thés dansants de personnes âgées à Ambillou, dans l'Indre-et-Loire.

Paroles de présentateurs

Le téléspectateur attentif des JT – comme le lecteur de ces constats statistiques – se dira forcément que, pour faire de l'audience, les JT ont trouvé la technique : nous parler longuement de ce qui est proche de nous – autrement dit, de ce qu'on connaît déjà – avant de se risquer, plus ou moins hardiment selon la chaîne et le jour, à aborder au bout d'un bon quart d'heure de journal les sujets réputés plus lourds et plus complexes.

Mais quand on va soumettre, naïvement, ces impressions aux deux présentateurs du « 20 heures », on constate qu'ils ne partagent pas vraiment ce diagnostic. David Pujadas n'est même pas d'accord du tout. Ancien journaliste de TF1, il considère que ce qu'il fait aujourd'hui sur France 2 est à des années-lumière de la logique du privé : « Quand TF1 identifie un sujet concernant, comme la marée noire, elle programme tous les jours un reportage sur l'arrivée des boulettes. Même si au bout d'un moment, à la quinzième vague de fioul, elle n'a plus rien à dire, elle continuera malgré tout à en parler, car elle recherche cet effet miroir. Sur le service public, en revanche, plutôt que s'éterniser sur "ma" boulette et "ma" plage, on traitera davantage de politique étrangère. Notre marque de fabrique, c'est se payer le luxe d'être moins sur la proximité et plus sur les sujets qui fâchent et posent question. »

Et *quid* de son audience, qui, d'après de nombreux journalistes de la chaîne, serait chez lui une obsession ? « Nous [l'équipe du "20 heures"] jetons un œil aux chiffres de la veille. "Tiens, on a invité Monica Bellucci... Comment ça a marché ?" Mais on en reste là. Alors que sur TF1, Robert Namias [le patron de la rédaction] examine lui-même les courbes pour guetter la moindre inflexion d'audience », assure David Pujadas.

Robert Namias ayant refusé de répondre à nos questions, nous ne saurons jamais s'il confirme ou non les souvenirs de son ex-journaliste. En revanche, Patrick Poivre d'Arvor dément catégoriquement préparer le conducteur de son JT le nez sur ses audiences. Il a bien entendu le « minute par minute » du journal de la veille à portée de la main sur son bureau. Mais quand il accorde une interview, sur le coup de midi, il affirme qu'on le lui a apporté avec son courrier du jour et qu'il n'y a pas encore jeté un œil. « Les contraintes d'audience ne m'intéressent pas. Je n'étudie pas les courbes. Je me fie à mon instinct », martèle, catégorique, le chouchou des ménagères. Surprenant ! Mais, au fond, pourquoi ne pas le croire ? Après tout, depuis le temps que son journal flirte avec 40 % de parts de marché, il connaît certainement toutes ses recettes par cœur. Des recettes qu'il veut très différentes de celles de Jean-Pierre Pernaut, son « collègue » du « 13 heures », souvent catalogué « démago-poujado ». « Contrairement à Pernaut, moi, je n'ouvre sur la météo que s'il y a un incendie grave ou un blocage sur l'autoroute. On ne le fait, au final, que très rarement. Sauf s'il n'y a rien d'autre dans l'actu *[sic]* », explique PPDA, qui estime qu'on a tort de partir du principe que la proximité passionne forcément les foules. Doctement il explique : « Par définition, ce qui relève de la proximité pour les uns ne l'est pas pour les autres. L'événement qui a lieu à Montpellier n'intéresse pas forcément l'habitant d'Haguenau. » Donc acte. La recette du « 20 heures » est un peu plus compliquée que celle de l'œuf à la coque. Tout comme le maniement des thèmes de proximité. Décryptage des subtilités.

Le « JT Canada Dry »

Pour comprendre la recette de la proximité à la sauce TF1, il faut d'abord réviser son petit Jean-Pierre Pernaut illustré. Depuis quinze ans, cette icône franchouillarde collectionne les « médailles » : JT le plus réac, poujadiste, démagogue, et j'en passe. Mais la seule distinction qui compte pour TF1 est celle de son Audimat en béton : 50 % de parts de marché en moyenne. La moitié des Français qui déjeunent devant le poste. Une gageure ! D'autant que, disons-le, le journal télévisé serait plutôt le genre de programme à vous couper l'appétit et vous plomber le moral, avec ses catastrophes et ses images sordides qui traumatisent les enfants. De quoi faire naître dans les chaumières françaises l'insoutenable tentation du zapping ou, pire encore, celle d'éteindre purement et simplement son écran pour déjeuner tranquille. Vu de la tour TF1, c'est l'horreur absolue.

Pour écarter à jamais ce spectre terrorisant, Jean-Pierre

Pernaut mit au point, dès 1988, sur les ruines du « 13 heures » d'Yves Mourousi, débarqué faute d'audience et de docilité, le premier « JT Canada Dry ». Celui qui a le goût et la couleur de l'info, mais sans ses détestables effets secondaires. Spécialement étudié pour séduire toute cette France provinciale, plutôt âgée et rurale, qui rentre déjeuner chez elle le midi, il doit être à la fois proche des gens, positif et anti-intello. Quelle que soit l'actualité, pas question de déroger au concept. « La première des consignes quand on bosse pour le "13 heures", c'est d'aller interviewer l'*alter ego* du téléspectateur », expose un journaliste de TF1. Ce sera, selon les jours, le point de vue du boucher, du cafetier, du voisin, du riverain, de celui qui ne nous apprendra rien mais qui aura tout vu depuis sa fenêtre... « Pour parler d'une réforme agricole européenne, explique-t-il, on pourra, par exemple, tourner un reportage dans une ferme. En revanche, on évitera le sujet théorique détaillant la réforme. On s'abstiendra aussi d'aller tendre le micro aux syndicats agricoles ou, pire encore, aux fonctionnaires de Bruxelles. Car le mot d'ordre de Pernaut, c'est "pas d'institutionnels, pas d'officiels et pas de politiques". » Le téléspectateur du « 13 heures » ne pourra peut-être pas se vanter de maîtriser le pourquoi du comment de la réforme agricole en question, mais au moins on ne l'aura pas « rasé » avec de grands discours. Du point de vue de TF1, c'est bien ça le principal.

Afin de plaire à son public, Jean-Pierre Pernaut, en bon vrai démagogue, attache aussi un grand soin à égayer son propos de petites notes optimistes. « Comme il est facultatif de regarder le JT, on ne peut pas se permettre de plomber le moral des téléspectateurs en égrenant pendant trente-cinq minutes un chapelet de mauvaises nouvelles », confirme Michel Floquet, un des chefs de l'information. Pour mettre un peu d'ambiance à la fin des repas, le

« 13 heures » s'est fait le spécialiste des sujets « cartes postales » ou « comme il fait bon vivre dans nos terroirs de France ». Boire un petit coup, savourer un bon saucisson, mais aussi se réjouir du retour du printemps, avec les premières fraises [1] et le début de la saison des jardins [2] : même dans les pires moments, comme lors de la guerre en Irak, quand les autres médias ne parlaient plus que des soldats américains enlisés dans le désert, JPP, passé le choc des premières quarante-huit heures, ne se laissait pas abattre. Un petit rayon de soleil à la fin du JT, c'est son secret de jouvence, son message fédérateur : quoi qu'il se passe dehors, on est si bien chez soi dans son petit pavillon avec jardin.

La recette s'est avérée à tel point efficace qu'elle a été reprise par le « 20 heures ». Un jour historique de mai 1997, Patrick Le Lay, assis devant sa télé, a piqué un coup de gueule. Mais ça sape le moral, ce truc-là ! « À 20 h 35 je n'y ai plus tenu. J'ai appelé Namias et PPDA. Je leur ai dit : "Écoutez, je viens de regarder le journal. Ce n'est plus possible. C'est à se jeter dans la Seine. Ce que vous montrez est effrayant. Passez de temps en temps des infos optimistes ! Vous ne savez qu'annoncer des catastrophes." » Cette anecdote, narrée par le patron de TF1 en personne à un parterre de cols blancs, a été rapportée par *Le Canard enchaîné* [3].

Mais il paraît qu'en leur for intérieur les téléspectateurs de TF1 nourrissaient les mêmes exaspérations. Foi de PPDA ! « Le reproche majeur fait aux JT est : "Vous ne parlez que de ce qui ne va pas." Pendant longtemps, je m'en suis tiré avec la réponse toute faite qu'on apprend à l'école

1. 24 mars 2003.
2. 25 et 28 mars 2003.
3. 28 mai 1997.

de journalisme : "On ne parle pas des trains qui arrivent à l'heure." Puis je me suis rendu compte que c'était une erreur. Que les gens ont besoin qu'on leur parle des aspects positifs de l'âme humaine. Je m'y suis intéressé. J'ai beaucoup réfléchi. Et petit à petit j'ai proposé des sujets sur le bénévolat, la solidarité envers les handicapés, etc. C'est important de montrer que l'actualité n'est pas que du cynisme, des journalistes qui regardent les politiques se planter. »

Après mûre réflexion, ce zeste d'optimisme est donc devenu un des produits d'appel du JT tête de gondole de TF1. Tous les soirs, sauf cas de force majeure, Patrick Poivre d'Arvor se débrouille désormais pour remplir son quota de bonnes œuvres et de B.A., alternant les reportages sur des associations d'aide aux handicapés, les visites de bénévoles à des personnes âgées, ou encore le compte rendu d'expériences originales pour sensibiliser les jeunes à la lecture... Dans la hantise de troubler les soirées de la mère de famille de Romorantin, il rechignerait aussi à aborder les sujets déprimants et complexes. Un exemple : le conflit israélo-palestinien. « C'est un sujet extrêmement polémique, sur lequel il est impossible de dégager un consensus. Poivre l'estime trop dérangeant et ne le traite que lorsqu'il devient incontournable », décrypte un reporter de la chaîne, qui souligne : « PPDA en parle même moins que les journaux du week-end. » Le constat se vérifie : durant le premier semestre 2003, par exemple, le présentateur vedette n'a abordé que quarante et une fois le conflit israélo-palestinien, et encore essentiellement sous forme de brèves – vingt-quatre, et dix-sept vrais reportages. Pendant la même période, sa collègue du week-end, Claire Chazal, le traitait cinquante-quatre fois : vingt-quatre brèves et trente vrais reportages.

Mais que faire quand l'actualité, décidément têtue,

impose des thèmes qui ne sont ni distrayants, ni édifiants, ni hilarants, ni proches des préoccupations (supposées) du public ? Pas de problème. Même dans les cas désespérés, les pros de TF1 savent trouver un angle d'attaque. Prenez la crise en Côte-d'Ivoire : pas joli, joli. Après une tentative de putsch avortée, à l'automne 2002, le pays bascule dans la guerre civile et le chaos. Des centaines de milliers de civils ivoiriens sont jetés sur les routes de l'exode. La pénurie menace... Mais plutôt que de s'appesantir sur le destin tragique de ces pauvres Ivoiriens, les JT de TF1 choisissent de nous faire vivre l'événement à travers un aspect ô combien plus passionnant : les tracas des Français pur beurre expatriés dans le pays. D'abord conspués par les manifestants, ils doivent abandonner leurs maisons – mettez-vous à leur place ! – et se faire rapatrier par charter à Roissy où leurs familles en larmes les accueillent sous l'œil compatissant de dizaines de caméras. Ajoutez les reportages sur l'envoi massif de soldats français dans le pays et vous arriverez à un total qui en dit long : presque les deux tiers des reportages du « 13 heures » concernant la Côte-d'Ivoire sont en fait consacrés... à des Français [1].

Plus ouvert sur la grande actualité, le « 20 heures » de PPDA en a fait un peu plus sur les autochtones [2], en restant malgré tout extrêmement franco-français : sur quarante-six mentions de la Côte-d'Ivoire, dix-neuf étaient en fait « axées » sur les Français. À titre de comparaison, sur France 2, le journal de David Pujadas abordait pendant ce

1. Dix-neuf sur trente et un, pendant les six premiers mois de la crise. Après quoi le sujet tombera aux oubliettes.

2. En six mois, PPDA a évoqué quarante-six fois la Côte-d'Ivoire (vingt-huit fois dans des brèves et dix-huit fois seulement à l'aide de vrais reportages). Dans dix-neuf des cas, son propos était axé sur les Français (militaires ou civils) dans le pays. (Source : base de données d'*Arrêt sur images*.)

temps soixante et une fois le sujet, avec seulement dix-sept de ses traitements consacrés aux militaires et aux expatriés.

En aparté, un journaliste de TF1 s'exaspère : « En dehors des problèmes des Français, il n'y avait pas moyen de leur "vendre" des reportages en Côte-d'Ivoire. C'était un vrai choix de rédaction. » Mais PPDA, comme d'habitude, balaie ces objections : « Il y avait vingt mille ressortissants français en Côte-d'Ivoire. Ce n'est pas rien. De plus, cette guerre civile est un sujet compliqué. Il n'était donc pas absurde de commencer par des reportages sur les Français. C'était une première approche, avant d'aborder la question des rebelles et de l'armée loyaliste. » Conclusion : on n'imagine même plus pouvoir intéresser le téléspectateur aux événements africains sans recourir aux services d'un médiateur : l'*alter ego* – touriste, soldat ou expatrié – qui l'aidera à supporter le décalage horaire.

Poutine plutôt que la Tchétchénie

L'étranger est un domaine qui exige du doigté. Si, à 13 heures, Jean-Pierre Pernaut se permet de recourir sans complexe à toutes les vieilles recettes démagos, pas question d'exiger la même chose du « 20 heures », qui demeure la vitrine de TF1. Au moment de concocter les sommaires, il faut donc veiller à l'image de marque. Signifier, comme un message subliminal, que la Une reste LA première des chaînes. Qu'elle est INCONTOURNABLE. Que tout se passe chez elle. Pour cela, rien de tel que de s'offrir de temps en temps – mais de temps en temps seulement – un invité prestigieux en plateau, de sorte que son aura déteigne sur le journal. C'est ainsi que Vladimir Poutine, président de la Russie, eut l'insigne privilège d'être interviewé vingt-deux minutes, montre en main, en février 2003. À TF1 tout le monde devine d'avance que ces personnalités étrangères parlant de sujets sérieux vont plomber l'Audimat. Mais rester le « premier JT de France » n'est pas qu'une question d'audience. Surtout quand il s'agit d'inviter un personnage aussi puissant que Poutine.

Voilà donc pour le prestige. En revanche, quand il s'agit de faire tourner la boutique au quotidien, c'est une toute autre histoire : « TF1 ne parle de l'étranger qu'en cas de gros événement, comme la guerre en Irak. Dans ce cas, elle le couvre et le surcouvre jusqu'à la nausée. Le reste du temps, elle en fait le moins possible, sous prétexte, comme le dit Robert Namias, que l'étranger, c'est “chiant” », se désole Alain Chaillou, ex-correspondant de la chaîne qui a passé des années à essayer de « vendre » des sujets sur l'Allemagne et le Japon. Réplique d'un chef de l'info : « Le journal de TF1 est conçu pour faire de l'audience. Ç'a le mérite d'être clair. Tous les journalistes de la rédaction le savent pertinemment. Ceux qui sont malheureux, qui tergiversent des heures pour savoir si on en a fait trop peu ou pas assez sur la guerre en Tchétchénie, je n'ai qu'un conseil à leur donner : inutile de rester sur TF1. »

Parole d'expert ! Car, en quelques années, les rangs des spécialistes étrangers se sont bien éclaircis. Fin 2000, pendant la trêve des confiseurs, Régis Faucon, le « monsieur politique étrangère » de TF1, quittait la tour dans la plus grande discrétion. Quelques mois plus tard, Alain Chaillou le suivait, après avoir successivement fermé les bureaux de New York, Hong Kong, Tokyo et Berlin. Fin 2002, ce fut au tour d'Ulysse Gosset, le mémorable correspondant barbu de Washington, de revenir à Paris sans qu'on trouve le moyen de le recaser au sein de la rédaction. Il est donc, à son tour, sorti des effectifs.

Un petit départ par-ci, quelques bureaux fermés par-là. Inexorablement, TF1 allégerait-elle sa couverture de l'international ? Quand Daniel Schneidermann, alors chroniqueur au *Monde*, avança cette hypothèse, il s'attira les foudres du directeur de l'information de TF1. Offensé, blessé mais toujours virulent, Robert Namias répondit prestement dans les colonnes du *Monde*[1] à l'horrible accusation : « Loin d'être réservée à quelques-uns, la couverture de la politique étrangère est ouverte à la plupart, ce qui permet à nos collaborateurs d'enrichir leurs compétences et d'explorer en permanence de nouveaux domaines. » Décodage du sabir managérial de Namias : TF1 a tout bonnement dissous le service étranger, qui regroupait naguère une poignée de spécialistes capables de décrypter au pied levé un événement imprévu de politique internationale. Désormais, n'importe quel journaliste peut se faire expédier dans n'importe quel pays. Un bon point pour ceux qui aiment jouer aux globe-trotters. Un mauvais pour le sérieux des analyses de TF1. Heureusement que subsistent des dinosaures dispendieux, quelques titres de presse écrite – *Le Monde*, *Libération*, *Le Figaro*... –, qui, contrairement aux leçons du manager Namias, continuent d'entretenir à grands frais un service étranger et un réseau de correspondants. Leurs articles fouillés enrichissent les dossiers de presse prestement « repompés » par leurs confrères de la télé.

Mais trêve de mauvais esprit. Si Namias peut se passer sans douleur de ses journalistes « étrangers », c'est aussi parce que cette rubrique est devenue le parent pauvre de TF1. Même les grands rendez-vous, qui d'ordinaire passionnent les journalistes, lui semblent insignifiants. Les dernières présidentielles américaines, par exemple. On se souvient du suspense autour de l'élection de George W. Bush, le chef

1. 15 juin 2002.

d'État le plus mal élu de l'histoire du pays. « Pour un tel événement, TF1 envoyait autrefois des équipes recueillir les réactions au QG de chacun des candidats, quelqu'un d'autre à New York, un dernier dans l'Amérique profonde, se souvient Régis Faucon. Mais, en 2000, la direction n'a pas jugé l'événement suffisamment important pour envoyer des renforts de Paris. Les deux correspondants ont dû se débrouiller seuls. Quand il s'est avéré que le décompte des bulletins de vote serait long et complexe, les pauvres n'arrivaient plus à faire face. Il fallait multiplier les sujets, mais nous étions coincés. » Lorsque, quelques mois plus tard, le nouveau président fit son premier voyage en France, nouvelle déconvenue : « Au service étranger, nous avions proposé d'organiser une interview du président, mais chez les "décideurs" on a tergiversé : est-ce qu'on veut vraiment Bush ? Il va parler en anglais. Il faudra sous-titrer. Ce sera lourd. Est-ce que ça ne risque pas de faire fuir le public ? Résultat : nous avons dépassé les délais pour décrocher l'entretien. »

La phobie de l'international dont souffre Robert Namias a d'ailleurs joué un mauvais tour à TF1 lors de la guerre en Irak. « Il est parti du principe que la guerre d'Afghanistan avait intéressé les Français parce que notre pays y était impliqué, explique un journaliste de la rédaction. Comme la France n'était pas engagée en Irak, il a donc estimé que ce conflit ne les passionnerait pas. » Cette anticipation – d'une logique redoutable ! – a conduit TF1 à n'envoyer qu'une seule équipe à Bagdad pendant les quinze premiers jours du conflit, celle de Jean-Pierre About, qu'on voyait tous les soirs en direct, tandis qu'en face France 2 en alignait trois : celles de Maryse Burgot, Martine Laroche-Joubert et Alain de Chalvron. Ajoutez à cela l'absence d'un des reporters de TF1 Denis Brunetti, fait prisonnier par les Irakiens sur la route de Bagdad et vous comprendrez pourquoi, lorsque l'actualité s'est bousculée, la chaîne a eu bien du mal à faire face.

Au lieu d'alimenter l'antenne avec des reportages maison, elle a dû multiplier les commentaires enregistrés en cabine à Paris sur des images d'agences. Et comme, contrairement à la prophétie du directeur de l'info, les Français se sont intéressés au conflit, elle a perdu du terrain.

Ainsi, pendant la première semaine de guerre, le « 20 heures » de France 2 a gagné 320 000 téléspectateurs[1]. Celui de TF1 en a vu partir 210 000. Il est resté malgré tout loin devant, avec 10,4 millions de fidèles contre 6,9 millions pour la Deux. Mais ces mini-variations ont suffi à créer un vent de panique dans l'équipe du JT numéro un. Ce sont les effets pervers du culte de la performance. « En principe, TF1 est excellente sur les gros événements : Afghanistan, soirées électorales... Mais, cette fois-ci, France 2 a été meilleure que nous », regrette un journaliste. Même si, dans *Le Figaro*[2], Robert Namias a soutenu mordicus que TF1 avait tout bon et que « le conflit n'a[vait] pas profité aux télés » – on n'a pas eu les mêmes chiffres ! –, en interne ce fut un autre son de cloche. Reconnaissant à demi-mot le « ratage » au cours d'une conférence de rédaction, il aurait, selon un journaliste, admis que « TF1 aurait dû être à Bagdad ». Du jamais vu dans l'histoire de la rédaction où, comme dans la Grande Muette, le dogme est qu'un chef ne se trompe pas...

La fête du macaroni

À ceux – nombreux – qui lui reprochent d'être trop hexagonale, TF1 oppose des artilleries de statistiques

1. Lettre d'information de Carat TV, 28 mars 2003.
2. 23 avril 2003.

supposées irréfutables. Patrick Poivre d'Arvor met en avant des comptages effectués par ses correspondants, qui démontrent qu'en 2003 « TF1 en fait plus sur l'international que les chaînes allemandes et britanniques ». « Il n'y a pas un jour sans qu'une de nos équipes travaille pour nous hors de nos frontières », soutient Robert Namias, qui en juin 2002 a affirmé dans *Le Monde* que « près d'un journal sur trois depuis neuf mois a été "ouvert" par un sujet de politique étrangère [1] ». Même le franchouillard Jean-Pierre Pernaut a toujours sous la main un exemple pour prouver que son JT fait « sans arrêt » des reportages sur ce qui se passe dans le monde [2]. À vous clouer le bec. Sauf que lesdits sujets n'ont souvent rien à voir avec ce que le sens commun voudrait que l'on y trouve.

Prenons le cas d'une contrée proche de nous, l'Italie, où TF1 a conservé un bureau permanent. Sur les quatre derniers mois de 2002, ses JT ont, par exemple, traité cent vingt-quatre fois de ce pays – soit en moyenne un sujet ou une brève tous les jours. *Mamma mia !* Mais en déduire que TF1 nous a entretenus quotidiennement des turpitudes de Berlusconi ou de la chapelle Sixtine serait franchir un gouffre sémantique. Car le gros de ces reportages pompeusement étiquetés « étranger » concerne, en vérité, les catastrophes naturelles, la vie quotidienne et les faits divers.

Fin 2002, c'est d'abord le tremblement de terre de San Giuliano di Puglia – près d'un tiers des sujets – et le réveil de l'Etna en Sicile qui ont mobilisé TF1. Ce qu'on appelle dans le jargon « de l'événement ». Mais le marché de Noël à Vintimille, les inondations à Venise et les mauvais traitements des chevaux destinés à la boucherie ont aussi donné beaucoup de travail à Maurice Olivari, le correspondant à

1. Lettre de Robert Namias publiée dans *Le Monde*, 15 juin 2002.
2. Interview parue dans *VSD*, 26 juin 2003.

Rome. Après ça, il ne restait plus guère de temps pour parler de tout le reste – à savoir la culture, l'économie, le social, ainsi que la politique, lesquels n'étaient abordés que trente-sept fois en quatre mois [1]. Sous prétexte de nous rapprocher de nos voisins en nous montrant leur vie quotidienne, on nous prive de reportages sur ce qui rend leur société différente, ces singularités susceptibles de nous faire réfléchir...

France 2 ne fait guère mieux. Bien que la chaîne se gargarise de politique étrangère, force est de constater que ses journaux sont assez éloignés de la gazette diplomatique. Reprenons notre exemple italien. Comme TF1, la chaîne publique a multiplié les reportages sur le tremblement de terre de San Giuliano di Puglia : envoyé spécial en direct dans le journal, images du sauvetage des survivants, sujets lors des obsèques des victimes... Au total, sur les cent onze brèves et reportages consacrés à la péninsule pendant les quatre derniers mois de 2002, trente-trois portaient sur le tremblement de terre et treize sur l'Etna. La politique du très contesté Silvio Berlusconi n'était, elle, abordée que dans deux reportages, l'un début septembre et l'autre en décembre dans le journal du week-end [2]. En novembre, le Forum social européen organisé à Florence, avec son lot de manifestations antimondialistes, ne valait, quant à lui, que trois brèves et un pauvre reportage. En revanche, les thèmes anecdotiques chers à Jean-Pierre Pernaut se retrouvaient à la pelle, notamment au « 13 heures » de Daniel Bilalian : rentrée des classes, grève de la pizza, fête anniversaire du

1. Au total, sur les cent vingt-quatre brèves et reportages recensés sur l'Italie entre le 1er septembre et la fin de 2002, trente-sept concernaient le séisme de San Giuliano di Puglia, quatorze le réveil de l'Etna, trente-deux des faits divers ou des sujets de proximité, trente-sept l'actualité dite « sérieuse » (économie, politique, social, justice...) et quatre le sport. (Source : base de données d'*Arrêt sur images*.)

2. 14 septembre et 8 décembre 2002.

macaroni, tradition des truffes blanches à Noël, recours aux chiens pour atténuer les traumatismes des malades dans un service de pédiatrie... Cherchez la différence !

« Buren est un escroc »

Le grand virage de l'info à France 2 date du printemps 2001. Débauché de RTL, Olivier Mazerolle, le nouveau directeur de la rédaction, décide de décliner les recettes de la radio populaire dans les JT de la chaîne. Il est même venu pour ça. Et affiche dès le départ sa volonté de faire de l'information « grand public » susceptible de remonter l'audience. « On ne s'adresse pas à un groupe sectaire d'intellectuels, mais à tous les téléspectateurs », s'exclame-t-il dans *Le Monde*. Comme si le sectarisme n'était que l'apanage des intellectuels.

Concrètement, sa première grande mesure est de renouveler les hommes-troncs de la chaîne. Un symbole ! Il ressort du placard Daniel Bilalian, qui, explique-t-il « correspond au type de présentateur pour les téléspectateurs à l'écoute à 13 heures *[sic]*, ceux qui aiment les sujets de proximité et qu'on leur parle de leur vie quotidienne, de la France dynamique [1] ». À TF1, Jean-Pierre Pernaut n'aurait pas dit mieux. Concernant le « 20 heures », le transfuge de RTL remercie Claude Sérillon, l'intello de service. Avec son obsession de suivre régulièrement ce qui se passe en Afrique ou à Pristina, de parler du festival de musique d'Aix-en-Provence autant que de la sortie du dernier Walt Disney, ce dernier se voit personnellement accusé de

1. Interview dans *Le Monde*, 10 juillet 2001.

plomber l'audience. Sans compter que ses moues ironiques et ses questions vachardes exaspèrent les politiques... À quelques mois de la campagne présidentielle, la chaîne craint qu'en gardant l'« insolent » le gratin de la politique ne s'enfuie chez PPDA.

Remercié en juillet 2001, Sérillon se livre par presse interposée à un petit échange d'amabilités avec le nouveau directeur de l'info. Considérant l'audience stabilisée, le présentateur ouvre le feu : « L'hypocrisie des discours actuels sur le grand écart entre la ménagère de moins de 50 ans et les foyers d'intelligence au-dessus de la moyenne traduit à la fois un mépris de ceux qui nous regardent et un défaut d'imagination [1]. » Mazerolle affirme de son côté : « Il y a trois ans, lorsque Claude a repris le journal, celui-ci avait une part de marché de 23,9 %. Il se situe aujourd'hui à 21,5 %. Voilà la réalité des chiffres [2] », oubliant de préciser au passage que l'érosion concerne l'ensemble de la grille, tombée sous le seuil de 20 % d'audience au mois de mars 2001 [3]. Mais il tient aussi à rassurer : « On continuera à traiter de l'actualité internationale [...]. La culture, elle aussi, sera présente [4]. » Avis donc aux « intellectuels sectaires » !

Dans les couloirs de la chaîne, c'est un autre son de cloche. Aussitôt arrivé, le nouveau directeur de l'info s'en prend au service culture, qu'il projette de supprimer pour en faire un grand service loisirs. La pêche à la ligne plutôt que l'expo sur Brancusi ! Peut-être une bonne idée pour marcher sur les plates-bandes de TF1, mais pas vraiment dans l'esprit de ce qu'on attend d'une chaîne de service public. Face à une levée de boucliers générale, Mazerolle

1. Tribune parue *ibid.*, 6 juillet 2001.
2. *Le Parisien*, 6 juillet 2001.
3. Sur les téléspectateurs de 4 ans et plus. *La Tribune*, 8 mars 2001.
4. Interview publiée dans *Le Monde*, 10 juillet 2001.

rengaine l'idée. Il n'empêche. Les « cultureux » de la rédaction se retrouvent vite au chômage technique. Découragés, trois d'entre eux, dont Michel Strulovici, chef du service, publient une lettre ouverte dans *Le Monde*[1] : « Les sujets culturels représentaient encore, en 1998, 10 % du "20 heures". En 2000, on est entre 9 et 10 %, et, depuis la rentrée 2001, on est à moins de 4 % [...]. Il y a dix ans, on pouvait encore coller à l'événement culturel. Les grandes manifestations artistiques étaient couvertes. On pouvait même se permettre de présenter des créateurs peu connus au journal télévisé. Cette époque est révolue. » Dans la chaîne, ce constat ne passe pas. L'insolent Strulovici se retrouve à deux doigts de la porte. Mis sur la touche, il finit à la retraite anticipée à peine un an plus tard.

Avec David Pujadas, le nouveau présentateur du « 20 heures » qui arrive de LCI en septembre 2001, les choses commencent plutôt bien. Cajoleur, il donne des gages aux « élitistes » en criant haut et fort qu'il adore la culture, le cinéma, « surtout Rohmer ». Mais, très vite, il commet des impairs qui en font la bête noire des « cultureux ». « Le jour où il a décrété : "Buren est un escroc", j'ai compris l'hermétisme du bonhomme », rapporte un ex-journaliste du service. Après quelques mois de ce dialogue de sourds, les relations entre l'équipe du « 20 heures » et le service culture sont devenues détestables. « Pujadas veut de tout sauf de la création, s'énerve un journaliste. Il faut parler du cinéma sous l'angle du show-business, de la littérature sous l'angle du scandale. Ou alors trouver des chiffres : un record de visiteurs pour une exposition, une vente aux enchères historique. C'est le champion des chiffres. Avec lui tout devient marchandise. » Pujadas, lui, prétend « dépoussiérer » le traitement de la culture : « Faire la promo d'un spectacle, c'est

1. 4 mai 2002.

le *b.a.-ba* du journalisme culturel. C'est ce qu'il y a de plus institutionnel. Il faut aussi parler des pratiques culturelles des Français, par exemple de la mode des cafés littéraires. » Et si le nombre des sujets « culture » est en baisse, explique-t-il, c'est pour faire plus de place à d'autres disciplines : les sciences, l'astronomie...

Le destin de la culture en dit long sur le recentrage du JT de France 2. Anti-élitisme et proximité font désormais partie du fond de sauce. Mais pour quel résultat ? Deux ans après la valse des têtes au « 13 heures », Bilalian reste dans les profondeurs : 18 % environ. Soit guère mieux que les 17 % de son prédécesseur, Gérard Holtz, écarté faute d'audience. Pour beaucoup, c'est un échec cuisant. « En voulant copier Pernaut, le “13 heures” s'est effondré. Le public populaire préfère l'original à la copie. Et nous avons perdu notre spécificité », commente amèrement un journaliste. Le « 20 heures » fait un peu mieux que du temps de Sérillon. Mais avec ses 25 % de parts de marché les bons jours, il est encore très loin des 40 % de PPDA. « La hausse est dérisoire. D'autant que le journal de David Pujadas est porté par les bons scores de l'émission de Laurent Ruquier [le programme qui le précède] », ajoute un chef de service.

Olivier Mazerolle, sollicité pour ce livre, n'a pas souhaité répondre, mais l'équipe du « 20 heures » dément catégoriquement courir derrière TF1. « L'Audimat est une boussole. Quand un journal dégringole, il est normal de vouloir changer des choses. Nous avons arrêté l'érosion », affirme David Pujadas. Venu comme lui de TF1, son rédacteur en chef, Jean-Michel Carpentier, définit les limites : « TF1 cherche à faire un journal rassurant, évite de s'appesantir sur les thèmes anxiogènes. Elle fait une information extrêmement formatée, alors que sur France 2 les personnalités peuvent s'exprimer librement. Le problème, c'est qu'ici la plupart des journalistes n'ont jamais quitté le service public. Ils ne mesurent donc pas les différences. »

À ce moment de l'entretien commence le journal de 13 heures. Jean-Michel Carpentier allume les deux télés de son bureau, la première sur TF1, la seconde sur France 2, et se livre au jeu des comparaisons. La nuit précédente, de violents incendies ont ravagé plusieurs forêts du Var, faisant trois morts[1]. Jean-Michel Carpentier trouve TF1 meilleure parce que « plus dans l'ambiance », « plus sur les gens », « plus sur le feu », alors que la caméra de France 2 reste « trop en arrière ». En voyant ces reportages, qui collectionnent sur la Une comme la Deux les interviews de pompiers en action, de campeurs exténués et de riverains sur le seuil de maisons carbonisées, on aimerait au contraire que les JT s'interrogent sur l'origine des incendies, les conséquences écologiques..., qu'ils sortent de ce nuage de fumée pour tenter de prendre un peu de hauteur. Mais Jean-Michel Carpentier n'évoque pas ce « problème ». Comme TF1, France 2 usera jusqu'à la corde les images télégéniques et captivantes de ces forêts en flammes avant de passer par la case « explication ». Là encore, on cherche la différence !

Journal de 20 heures : le match TF1/France 2

Principaux thèmes abordés dans les JT de Patrick Poivre d'Arvor (TF1) et David Pujadas (France 2) pendant une semaine test, du lundi 3 février 2003 au jeudi 6 inclus :

1. Le rendez-vous a eu lieu mardi 29 juillet 2003.

	TF1	France 2
Météo/intempéries	28 mn 20	21 mn 44
Marée noire	17 mn 07	8 mn 41
Crise irakienne	23 mn 10[1]	26 mn 17
Explosion de *Columbia*	8 mn 32	5 mn 20
International (autres)	5 mn 59	13 mn 39
Réforme des retraites	26 mn 30[2]	7 mn 46
Sécurité routière	4 mn 11	3 mn 01
Vie politique	3 mn 50	7 mn 09
Culture	3 mn 36	9 mn 14

Le grand sujet de la semaine est donc la météo. Près d'une demi-heure au JT de TF1, en dépit d'un temps très ordinaire pour la saison : de la pluie et des chutes de neige, qualifiées de « non exceptionnelles » par Météo-France.

Une fois n'est pas coutume, cette semaine, TF1 invite deux personnalités dans le cadre de son journal : le Premier ministre Jean-Pierre Raffarin – vingt-quatre minutes d'interview le lundi 3 février, dont plus de la moitié (13 mn 10) sur la réforme des retraites – et l'ex-Premier ministre Laurent Fabius – neuf minutes le jeudi 6 février.

Après le naufrage du pétrolier *Prestige*, fin 2002, TF1 a suivi quasiment jour après jour l'arrivée des plaques de fioul le long des côtes landaises. Une fois de plus, l'angle

1. Dont 4 minutes d'interview de Laurent Fabius et 1 minute d'interview de Jean-Pierre Raffarin.

2. Dont 13 mn 10 d'interview de Jean-Pierre Raffarin et 4 mn 15 d'interview de Laurent Fabius, invités sur le plateau cette semaine-là.

choisi est la proximité, avec des reportages à la pelle sur les conditions de ramassage des galettes, le désarroi des pêcheurs, ou encore le nettoyage des oiseaux mazoutés par des groupes de bénévoles. Sur les dix reportages diffusés cette semaine-là dans le « 20 heures » de PPDA, un seul aborde le sujet, plus abstrait mais néanmoins crucial, de l'avancée de l'enquête sur les responsabilités de la catastrophe.

L'explosion de la navette *Columbia*, le samedi précédent, reste en tête de l'actualité de la semaine. Cérémonie en hommage aux victimes, émotion collective : les ingrédients de la sauce TF1 sont ici rassemblés. En dehors de cet accident tragique, France 2 en a fait davantage sur l'international, avec, notamment, des sujets sur la crise en Côte-d'Ivoire et le possible réveil des Taliban afghans. En revanche, une petite brève seulement signale en deux phrases la défaite du parti du chancelier Schröder aux élections régionales en Allemagne.

Malgré son désamour pour les sujets « culture », France 2 conservait une longueur d'avance sur TF1. Cette semaine-là, au menu de son « 20 heures », quatre reportages : deux consacrés à des sorties cinéma – *The Magdalene Sisters* de Peter Mullan et *Le Livre de la jungle 2* –, la vente aux enchères des carnets du dernier bourreau de France et la sortie d'un livre recensant les onomatopées. Chez PPDA, deux sujets au total : la vente des carnets du dernier bourreau et la sortie du film *Le Livre de la jungle 2*. Signalons également une brève d'autopromo pour l'émission littéraire de la chaîne, *Vol de nuit*, diffusée à point d'heure mais présentée par le PPDA du JT.

La sécurité routière fut *le* sujet à la mode fin 2002. En ce début d'année 2003, l'engouement est un peu retombé.

Mais les JT, surtout ceux de TF1, continuent à en faire une de leurs têtes de chapitre.

La politique reste le parent pauvre des deux journaux, en dépit, cette semaine-là, des débats autour du projet de réforme du mode de scrutin (pour l'élection des conseillers régionaux et des députés européens).

9

La politique, c'est chiant

> « Les chaînes de télé ont décidé qu'à 20 h 30 il fallait du spectacle et que le débat politique n'intéressait pas les citoyens. »
>
> Julien Dray, député PS, *Arrêt sur images*, 19 mai 2002.

Désormais il s'en vanterait presque : « L'autre jour, le cabinet de Aillagon a appelé. Il voulait que je l'invite en plateau pour parler du statut des intermittents. J'ai refusé. Il est allé sur France 2. Même chose pour Luc Ferry lors des manifs de profs. Lui aussi s'est rabattu sur France 2. Je n'invite les ministres qu'en cas de grosse actualité. Raffarin pour annoncer son plan sur les retraites. Le ministre de l'Intérieur quand on arrête Yvan Colonna[1]. » À entendre Patrick Poivre d'Arvor s'exprimer de la sorte, on se dit qu'il est loin, le temps où Édouard Balladur, alors Premier ministre, avait son coussin prêt sur le plateau de TF1, et où Michel Noir, qui n'était même pas ministre, simplement candidat à la mairie de Lyon, venait régulièrement dégoiser au journal de 20 heures[2]. Mais c'était avant les heures sombres de l'affaire Botton – le gendre de Michel Noir –,

1. Entretien réalisé le lundi 8 juillet 2003.
2. Selon le décompte publié par Pierre Péan et Christophe Nick dans

dont les petits cadeaux ont valu une retentissante condamnation au présentateur vedette[1].

Aujourd'hui, donc, TF1 se paie le luxe d'envoyer balader les ministres. Contrairement à l'image que beaucoup ont gardée du temps où ses JT prétendaient fabriquer un président de la République, les politiques ne sont plus les héros de la première chaîne française. Condamnés à quémander une interview, ils dépendent de son bon vouloir pour entrer sans frapper dans le salon de neuf millions de Français. Un pouvoir colossal ! Mais un pouvoir dont la chaîne use, de plus en plus, avec parcimonie.

Même les consignes venues des étages de la direction sembleraient faire chou blanc. Anecdote : en 1998, en pleine épopée des Bleus pendant la Coupe du monde, TF1 souhaite faire un reportage au pays de « Zizou », parmi les fans marseillais en extase. Le sujet est porteur. L'exercice est classique. Comme il se doit, le journaliste dépêché sur le terrain s'apprête à mettre en boîte les réactions d'une brochette de supporters ponctuée de scènes de liesse. Pourtant, en plein travail, il reçoit un coup de fil du numéro 2 de la rédaction, Claude Carré, qui lui demande, conformément aux souhaits de la direction de la chaîne, d'insérer

---

TF1, un pouvoir (Fayard, 1997), Michel Noir avait été invité deux fois sur le plateau du « 20 heures » de TF1 en 1989, soit autant que le Premier ministre de l'époque, Michel Rocard. Il avait également annoncé en direct dans ce journal sa candidature à la mairie de Lyon, élection qu'il avait remportée le 19 avril 1989. Concernant le soutien de la chaîne à Balladur, les auteurs ont recensé, entre le 15 décembre 1992 et le 15 mars 1995 (du début de la campagne des législatives de 1993 à la fin de la présidentielle de 1995), quarante-quatre passages sur le plateau du journal de l'« écurie Balladur » (dont Balladur lui-même dix fois), contre quinze seulement des chiraquiens (dont Chirac quatre fois).

1. Le 10 janvier 1996, PPDA a été condamné pour recel d'abus de biens sociaux à quinze mois de prison avec sursis et 200 000 francs d'amende (30 490 euros).

dans le sujet une interview du maire de Marseille, Jean-Claude Gaudin. Tout est déjà calé, aurait précisé le chef, il suffit de se rendre à la mairie. À l'autre bout de la ligne le reporter est perplexe. « Jean-Claude Gaudin a la réputation d'être proche de TF1, mais de là à glisser le "sonore" d'un politique – qu'on accuse d'habitude de plomber les audiences – dans un reportage d'ambiance sur l'euphorie collective, ce n'est pas le genre de la maison », explique-t-il, précisant que « suite à l'intervention de Patrick Poivre d'Arvor l'idée sera finalement remisée au placard ». Claude Carré, quant à lui, ne se souvient pas d'une telle demande. « C'est le genre de choses qu'on ne fait plus depuis quinze ans, s'insurge-t-il. Les journalistes ne sont plus au garde-à-vous. »

Bien entendu, les rédactions n'ont pas rompu les ponts avec les politiques. Robert Namias, actuel directeur de celle de TF1, a succédé au très balladurien Gérard Carreyrou, aux manettes pendant la présidentielle de 1995. Présenté comme un journaliste sans attache politicienne, toujours partant pour soutenir que « la politique, ça emmerde tout le monde », Robert Namias est pourtant connu dans la rédaction comme étant proche du couple Chirac, par le biais de sa femme Anne Barrère, une collaboratrice de Bernadette. Membre du conseil d'administration de sa fondation Hôpitaux de Paris-Hôpitaux de France, elle a été nommée, fin septembre 2003, conseillère en communication de la première dame de France.

Devant ses journalistes, Robert Namias se flatterait depuis longtemps de tenir des infos de première main de l'Élysée. « Au moment de la guerre au Kosovo, se souvient un ancien de TF1, il prédisait le déroulement du conflit : "Il n'y aura pas de frappes cette nuit. On peut lever le pied." » Preuve que le patron de la rédaction cultive lui-même ce lien au plus haut niveau : en juillet 2003, lors de la diffusion d'un reportage sur le concert de Johnny en Corrèze – fief de la chiraquie –, on pouvait repérer le couple Namias assis dans le public en compagnie du couple présidentiel. Bien que le compte rendu de ce grand événement culturel soit passé sur TF1, pas un mot à ce sujet. Et pourtant, après avoir vibré côte à côte sur « les portes du pénitencier », comment imaginer un instant que le lendemain, en arrivant au bureau, Namias puisse accepter un reportage au bazooka sur Chirac ? Grave problème, pensez-vous ? Pour les millions d'électeurs qui se font une opinion en regardant TF1, certainement. Mais pas aux yeux de sa direction, puisqu'il aligne désormais huit ans de bons services au poste de directeur de l'info.

Et le service public ? Les soupçons de nominations politiques y sont naturellement plus importants encore. Mais force est de constater qu'on s'éloigne de plus en plus du temps de l'ORTF. Fini le système des dépouilles qui voulait que chaque nouveau gouvernement place ses hommes à tous les postes clés, notamment à la télé. Quand Jean-Jacques Aillagon, à peine nommé ministre de tutelle de France Télévisions, s'en est violemment pris à la stratégie de Marc Teissier, certains s'attendaient encore à une valse au sommet. Il n'en a rien été. Peut-être parce que le patron de France Télévisions a su bien s'entourer. Fin juin 2002, pour remplacer Michèle Cotta, directrice générale de France 2 partie à la retraite, il choisit Christopher Baldelli. Déjà directeur général (DG) délégué de la chaîne, ce technocrate se distingue également par son parcours de conseiller dans plusieurs cabinets ministériels, tous de droite : ministère du Budget à l'époque de Nicolas Sarkozy, de la Culture sous Douste-Blazy et à Matignon à la fin de l'ère Juppé. Voilà qui, sans conteste, doit faciliter les relations entre un Teissier étiqueté « de gauche » et la majorité UMP.

Et puis il y a l'énigme Mazerolle. « Je défie quiconque

de deviner pour qui je vote », se plaît à répéter le directeur de l'information de France 2, débauché de RTL en 2001. Mais cela ne l'empêche pas d'intervenir sur la ligne politique des JT. Et toujours dans le même sens, remarquent plusieurs journalistes. « En pleine manif des profs, en mai 2003, quand on commençait à dire que Ferry avait du plomb dans l'aile, il a expressément demandé en conférence de rédaction qu'on arrête de parler de Ferry comme ça », rapporte l'un d'eux. Un autre se souvient de son zèle à enterrer l'estimation alarmante des victimes de la canicule faite par la rédaction le 21 août 2003. À cette date, le gouvernement avançait encore les chiffres de 5 000 morts, alors que les projections des journalistes de France 2 atteignaient les 18 000. Fin septembre, après un mois d'hésitation, le gouvernement a finalement admis un bilan de 15 000 morts. Comme quoi les chiffres zappés n'étaient pas loin des vrais !

Le patron de la rédaction ne s'est pas non plus privé de recevoir cinq personnalités de droite, contre seulement deux de gauche, pour la première saison de son émission politique *100 Minutes pour convaincre*[1], s'attirant au passage les foudres de plusieurs socialistes. Pourtant ceux qui l'accusent de « droitiser la rédaction de France 2 » étaient eux-mêmes au pouvoir lors de son recrutement. Qu'en pensaient-ils à l'époque ? Le député Didier Mathus explique : « Matignon avait intégré l'idée qu'il ne fallait pas se mêler des affaires de France Télévisions. Le cabinet de Jospin avait tellement peur qu'on l'accuse d'ingérence que, si on lui avait demandé son avis, il aurait conseillé de choisir quelqu'un de droite. »

1. Dans l'ordre chronologique (saison 2002-2003) : Jean-Pierre Raffarin, Jean-François Mattei, Nicolas Sarkozy, Dominique Strauss-Kahn, François Fillon, Jean-Marie Le Pen et François Hollande.

Décidément, les rapports entre le sommet du pouvoir et les apprentis sorciers de l'Audimat ont bien changé. Si pendant des décennies les politiques ont imposé leurs quatre volontés au petit écran, le rapport de forces s'est inversé. Et à l'antenne, que le gouvernement soit de droite ou de gauche, la politique se fait de plus en plus discrète. Une interview par-ci, un petit reportage par-là. Autrefois rubrique phare des JT, elle en est devenue le parent pauvre, le vilain petit canard qu'on relègue tout au bout du journal... juste avant la culture. À France 2, sur la même pente que TF1, les journalistes ont retenu le mot d'ordre : « Pas de sujets politiques avant 20 h 25. » Et encore, les bons jours. « Quand on propose un reportage politique aux responsables du "20 heures", la réponse est dans le meilleur des cas : "C'est trop long. Fais-en une minute vingt" », affirme le rédacteur en chef du service politique, Gérard Leclerc, passablement amer.

À quelques exceptions près, il est vrai que les grands événements politiques de l'année 2003 ont la plupart fini en queue de peloton du JT. Le projet de réforme du mode de scrutin, par exemple. Important mais peu télégénique, il fut essentiellement traité après 20 h 25 [1]. Même constat pour la décentralisation. Avant que la réforme ne fasse descendre les enseignants dans la rue, ce qui en fit un événement médiatique, les rares reportages sur le sujet étaient presque tous passés à la fin du JT (entre 20 h 20 et 20 h 35) [2].

Au journal de 13 heures, le rejet est encore plus massif.

1. Six mentions sur huit répertoriées sont passées après 20 h 25. Deux reportages ont été diffusés autour de 20 h 20.

2. Exception remarquable le 16 octobre 2002 : David Pujadas a ouvert son journal sur l'adoption en Conseil des ministres du projet de révision de la Constitution française.

Quand Robert Hue – responsable du parti communiste – s'est fait battre aux législatives partielles d'Argenteuil (2 février 2003), cette défaite avait beau sonner la fin de sa carrière, Daniel Bilalian ne voulait pas même la mentionner. Finalement, le présentateur en a fait une brève de... vingt secondes [1].

Une campagne fantôme

Le changement fut flagrant lors de la présidentielle de 2002. Bien que, traditionnellement, les campagnes électorales propulsent la politique sur le devant de la scène, cette fois-ci les reportages consacrés aux candidats sont restés à leur place : pas très loin du générique de fin – et réduits à la portion congrue. Selon les statistiques du CSA, qui à chaque élection chronomètre toutes les interventions politiques, le plongeon le plus spectaculaire a eu lieu dans les JT de TF1. Alors que les temps de parole des candidats et de leurs soutiens atteignaient encore douze heures dix-sept pendant la précampagne de 1995 [2], ils ont dégringolé à cinq heures quarante-cinq en 2002 [3], soit une baisse de plus de moitié. Dans le service public, France 3 s'est maintenue – cinq heures huit en 2002, contre cinq heures cinquante-six en 1995 –, mais France 2 a chuté de près de 25 %, à onze heures quarante-deux en 2002. Et cela bien que le nombre des candidats soit passé de neuf à seize.

Du côté de la chaîne publique, on a pourtant pris de

1. David Pujadas y a consacré un reportage diffusé à 20 h 31.
2. Entre le 1er janvier et le 6 avril 1995.
3. Entre le 1er janvier et le 4 avril 2002.

bonnes résolutions pour couvrir comme il se doit cet événement politique. Pour faire face au surcroît de travail prévu, deux nouvelles journalistes – Hélène Hug et Émilie Lançon – sont appelées en renfort au service politique. Dès le mois de janvier, des réunions préparatoires avec Olivier Mazerolle s'organisent. En plus du suivi quotidien de la campagne, on affiche l'ambition de décliner une palette de sujets d'analyse décryptant les enjeux de l'élection autour de quinze grands thèmes : retraites, emploi, temps de travail, environnement, sécurité, etc. Une liste précise de reportages est même élaborée. Et pourtant... pas un seul ne passera à l'antenne. Pendant toute la campagne, à chaque fois que Gérard Leclerc revient à la charge, sa liste sous le bras, les deux présentateurs – Daniel Bilalian et David Pujadas – bottent en touche : « Ce n'est encore que le début de la campagne. Les gens ne sont pas prêts. Avec seize candidats, il y a trop de programmes. »

En désespoir de cause, le service politique revoit donc ses ambitions à la baisse. Le nombre des thèmes est plus modestement ramené de quinze à sept. Olivier Mazerolle, directeur de la rédaction et supérieur hiérarchique de David Pujadas, se démène à son tour pour trouver un compromis. Il convoque une réunion. Psychodrame. Coupant court au débat, David Pujadas part en claquant la porte – une fâcheuse habitude, semble-t-il – et la liste de sujets retourne au fond de son tiroir. Les téléspectateurs n'ont qu'à se débrouiller pour faire le tri tout seuls dans la foison de promesses électorales. Décrypter seize programmes thème par thème, c'est décidément trop compliqué pour les JT de France 2.

En ce début d'année 2002, des questions autrement cruciales turlupinent les agités de l'info. Comment rendre la campagne le plus accessible possible ? Comment adopter un traitement proche des « vraies » préoccupations des

Français ? Et, accessoirement, comment éviter de se faire grignoter par la Une les deux points d'Audimat fraîchement acquis ? Plutôt que se laisser embarquer dans une tentative de pédagogie lourde, la direction retient finalement une bien meilleure idée : réaliser quelques micros-trottoirs bien sentis pour révéler ce que pensent les Français de cette campagne (dont on ne leur a pourtant pas encore dit grand-chose). De ces « sujets miroirs » – comme le disent les journalistes – il ne sort, généralement, pas de révélation fracassante. Mais la rédaction espère ainsi mettre l'accent d'une façon amusante sur les préoccupations et les contradictions de l'électeur moyen.

Une série de reportages intitulée « Carnet de campagne » est donc mise en chantier. À partir du 21 mars, tous les soirs, on s'immerge dans un groupe d'électeurs. La première rencontre nous emmène dans une salle de sports de combat de la banlieue parisienne. Entre deux prises de tai-kwen-do et de boxe française – dont le principal intérêt est ici de « dynamiser » l'image –, les sportifs s'interrogent sur les règles du jeu de la vie politique. « Quand on voit Chirac parler d'impunité zéro, ça fait rigoler », dit l'un. « Moi, je préfère Dieudonné », ajoute un autre. « Ils n'ont pas tenu leurs promesses, alors autant faire confiance à un comique », renchérit un troisième. Le lendemain, c'est au tour des marchands de légumes à Rungis de promener leur regard « France d'en bas » sur la vie politique : « Ils ont tous fait l'ÉNA. Il faut que les politiques soient par terre avec nous. » « Un rien désabusés, les gens de Rungis », conclut le journaliste qui aurait pu dresser le même constat la veille ou le lendemain. Car chaque soir les interviews « redondent » et le JT radote.

Au lieu de mettre en cause l'intérêt de ces reportages, le « 20 heures » décide alors d'en accélérer le rythme. On raccourcit les interventions citoyennes, multiplie le nombre de témoignages et supprime le commentaire. Problème : l'expérience tourne au café du commerce. On ne sait plus qui parle, ni d'où il parle, comme dans ce « Carnet de campagne » réalisé dans un club de vacances en Martinique[1]. Fraîchement enduits d'huile solaire, lézardant en maillot sur le bord de la piscine, la dizaine de quidams alpagués par France 2 décline la partition « bonnet blanc, blanc bonnet » sur le refrain « toujours de la politique politicienne ». Pendant près de deux minutes, on enfile les lieux communs comme des perles. Envoyer une équipe sous les tropiques pour recueillir les impressions d'électeurs qui n'ont par définition pas suivi la campagne, est-ce le meilleur moyen d'y intéresser le public ? « Au départ, les sujets étaient intéressants. Mais, au bout de quelques jours, nous étions face à l'anticipation du 21 avril. Les gens râlaient et on se demandait quel miroir on offrait. On a donc décidé d'abandonner la série », explique David Pujadas[2], qui défend le bilan de sa campagne : « On a traité certains thèmes de fond comme les retraites. Au final, on en a effectivement moins fait que pour la présidentielle de 1995, mais ça n'a rien à voir avec des questions d'audience. Les élections de 1995 étaient passionnantes. Un candidat de droite s'était positionné à gauche. Il y avait un débat. En 2002, en revanche, les favoris se réservaient pour le second tour. C'est ainsi : même aux présidentielles, il y a des campagnes passionnantes et des campagnes rasoirs. »

Pour être le moins « rasoirs » possible, les JT de France 2 et de TF1 se sont donc essentiellement cantonnés aux sujets les plus *people* : guerre de communication Chirac/Jospin, annonce de la candidature du Premier ministre par fax – est-ce un signe de modernité ? –, petite gaffe devant des

1. Diffusé le 4 avril 2002.
2. Entretien réalisé le 14 juillet 2003.

journalistes sur un Chirac « usé et fatigué », talent du président à rebondir sur la tuerie de Nanterre... Du début à la fin de la campagne du premier tour, les conseillers de Jospin, moins doués pour fabriquer l'image de vingt secondes qui fera date au « 20 heures », n'ont cessé de se plaindre – en *off*, évidemment – du traitement des JT. Un proche collaborateur de Jacques Séguéla, « communicant » du PS, expliquait : « Les télés parlent de cette campagne comme s'il s'agissait d'un événement mineur. Elles vont à toute vitesse, multiplient les vignettes de trente secondes. Avec des temps si courts, on ne peut rien faire passer du contenu des programmes. » Mais bien qu'ils aient la dent dure, les socialistes faisaient eux-mêmes la danse du ventre devant les caméras des grandes chaînes. « Ils étaient littéralement obsédés par TF1 et ses 40 % de parts de marché. Les autres n'existaient pas, se souvient une journaliste de Canal+. Quand Jospin faisait une déclaration, ses conseillers le positionnaient systématiquement face à l'objectif de la Une. Nous devions nous contenter du profil ou, pire, du trois quarts dos. Et souvent nous n'étions même pas conviés. Le jour où Lionel Jospin a déclaré sa candidature, par exemple, ses attachés de presse n'ont contacté que les trois principales chaînes. »

Pendant toute la campagne ce fut donc un vrai cercle vicieux entre des médias traquant l'image choc et des « grands » candidats obnubilés par l'idée de la leur fabriquer. Quant aux « petits » candidats, ils furent superbement ignorés jusqu'au début de la campagne officielle – qui oblige les chaînes à équilibrer tous les temps de parole. Les scores atteints par certains révélèrent cependant que leurs idées rencontraient plus d'échos que ne l'avaient décrété les grands pros de l'info. Traduction dans les chiffres : le centriste dissident François Bayrou obtint 6,84 % au premier tour, pour seulement 18 minutes de temps de parole sur TF1 et 39 sur France 2 pendant les trois mois de pré-campagne (contre 1 h 26 sur TF1 et plus de 2 h 50 sur France 2 pour chacun des deux « grands » candidats – Chirac et Jospin –) ; le trotskiste Olivier Besancenot récolta, lui, 4,25 % des voix au premier tour, mais seulement 2 mn 21 de temps de parole sur TF1 et 13 minutes sur France 2 pendant ces mêmes trois mois ; et le président du Front national, Jean-Marie Le Pen, se qualifia pour le second tour avec un score de 16,86 % des voix pour un temps de parole de 20 minutes sur TF1 et de 30 sur France 2. Sans compter que nombre de ces reportages se donnaient comme propos d'expliquer que la carrière du leader d'extrême droite était maintenant derrière lui...

Environnement, enjeux de la mondialisation, malaise des ouvriers, tentation du repli sur soi, tous ces débats idéologiques – traduits par « chiants » dans le jargon télé – auraient donc pu, si l'on s'était donné un peu de mal, passionner les Français pendant toute la campagne. Après la magistrale claque du premier tour, on se mit brutalement à parler de politique comme du thème le plus important au monde. L'audience ne faiblit pas. Mais, très vite, la politique a retrouvé sa place : « après 20 h 25 ».

La fièvre sécuritaire

Le peu d'enthousiasme des chaînes à couvrir les batailles politiciennes n'empêche pas leurs JT d'envoyer des messages éminemment politiques. Car, qu'on le veuille ou non, le traitement du moindre fait divers peut avoir un impact politique. Ce fut le cas pendant la présidentielle de 2002. En quelques semaines le sujet brûlant de l'insécurité fut brutalement propulsé sur l'avant-scène médiatique, sans qu'aucune hausse réelle des agressions le justifie. Ainsi, pendant que la médiatisation de l'insécurité augmentait de 126 %, tous médias confondus, entre février et mars 2002[1], aucun accroissement de la délinquance n'était observé sur le terrain. Au premier semestre 2002, le ministère de l'Intérieur constatait plutôt un ralentissement des crimes et délits par rapport à la même période de 2001[2].

Sujet télégénique par excellence, avec son lot de victimes éplorées, de voitures incendiées et de policiers en action, l'insécurité demeura, pendant toute la campagne, largement cantonnée aux médias télévisés. L'institut TNS Media Intelligence, qui établit tous les jours un baromètre de l'écho de différents événements[3], a constaté qu'en 2002 la médiatisation de l'insécurité s'était concentrée à 69,2 % à la télé, contre 21,8 % en presse écrite et 9 % à la radio. Pendant ce temps, les affaires politiques (autre grand thème de la campagne) restaient, elles, l'apanage de la presse écrite : 47,3 % (essentiellement des journaux nationaux), contre 37,4 % à la télé et 5,3 % à la radio. *Idem* pour l'emploi : 57,4 % en presse écrite, seulement 32,4 % à la télé et 10,1 % à la radio.

La folie sécuritaire a donc surtout frappé le petit écran. Et – faut-il s'en étonner ? – TF1 a tiré la première. Dès le début de février 2002, alors que David Pujadas, sur France 2, se contente encore d'expédier le sujet en une poignée de brèves, Patrick Poivre d'Arvor en fait déjà des tonnes. Du 4 au 7 février, par exemple, il consacre en moyenne deux reportages tous les soirs à son nouveau

1. Source : TNS Media Intelligence.

2. *Le Monde*, 28 mai 2002.

3. C'est le « bruit médiatique », obtenu en pondérant le nombre de sujets par l'audience de chaque média.

thème de prédilection [1], nous alertant un jour sur la hausse de la délinquance dans les aéroports, la violence scolaire et le manque de moyens de la police, le lendemain sur l'insécurité dans les trains de banlieue, et le jour suivant sur les vols organisés et la violence dans les cités. Admirez au passage la variété des angles abordés en à peine quatre jours. Et ce tableau est d'autant plus inquiétant que, tout au long des journaux, les sujets se répondent, s'amplifient mutuellement, comme si d'une agression en découlait une autre.

Le mardi 5 février par exemple, dès 20 h 08, après un reportage sur la lutte antiterroriste dans lequel plusieurs juges se plaignent de leur manque de moyens, PPDA enchaîne : « Manque de moyens également pour l'ensemble de la police. » Notez l'emploi d'« également » et l'effet qu'il induit dans l'esprit du public, qui en déduit, logiquement, que ces problèmes sont à mettre sur le même plan. Vient ensuite le reportage illustrant ce que Poivre a présenté comme relevant d'une carence des moyens de la police. Il ne repose, en fait, que sur la déclaration d'un syndicat de policiers, Synergie Officiers. Clairement positionnée à droite de l'échiquier, cette organisation dénonce le fait qu'à Paris et en petite couronne un tiers des véhicules de police est immobilisé en raison de problèmes de maintenance. Le ministère de l'Intérieur a beau contester la vérité des chiffres, TF1 ne se prive pas de bâtir son reportage sur ce « tuyau » syndical, sans fournir à l'appui la moindre preuve tangible, en dehors de quelques plans d'estafettes stationnées au fond d'une cour. Diagnostic du délégué syndical posté devant le parking : « Immobilisées pour des problèmes mineurs. » Conclusion (hâtive) du reporter de TF1 :

1. David Pujadas consacrait, du lundi 4 au jeudi 7 février, deux reportages et cinq brèves au thème de l'insécurité. PPDA, sur TF1, huit reportages et deux brèves.

« Et qui pourraient le rester encore longtemps. » Plus que tiré par les cheveux, mais cela n'empêche pas PPDA d'embrayer, sans crainte du dérapage : « Au même chapitre *[sic]*, la délinquance a augmenté de près de 20 % à l'aéroport de Roissy l'an dernier. » Là encore, notez le cheminement. À partir de vagues chiffres sur les pannes des véhicules de police, censées résulter d'une mauvaise gestion du ministère, on en arrive à la hausse de la délinquance à Roissy. Raccourci immédiat dans l'esprit du téléspectateur : si le ministère donnait quelques moyens à ces pauvres policiers, on n'en serait pas là.

Pourtant, dans son reportage, le journaliste dépêché à Roissy pour mesurer l'étendue du désastre sécuritaire affirme, *primo*, que l'aéroport « n'est pas devenu le Far West » et, *secundo*, que les mauvaises statistiques résultent de « la hausse de l'activité économique autour de l'aéroport ». Bref, qu'il n'y a « rien de dramatique ». Mais ce constat étayé n'empêche pas PPDA, bien calé dans son fauteuil du « 20 heures », de prendre le contre-pied : « La fréquentation de l'aéroport est en forte hausse, mais cela n'explique pas tout », soutient-il en amorce du reportage. N'allant pas se frotter au terrain, on pourrait légitimement s'attendre à ce qu'il fasse son commentaire à partir des infos ramenées par les journalistes. On constate, ce soir-là, qu'il s'attache à les dramatiser.

En ce début de campagne, Patrick Poivre d'Arvor, qui prend d'habitude soin d'égayer son journal de petites notes positives, couverait-il une dépression ? « Il y a eu toute cette série d'affaires : le drame d'Évreux, la tuerie de Nanterre [1], avec le sentiment que rien n'allait », explique-t-il [2], et cela

1. Le 26 mars 2002, Richard Durn abattait huit élus pendant le conseil municipal de Nanterre. Quelques jours plus tard, le meurtrier se suicidait en se jetant par la fenêtre du commissariat où il était entendu.

2. Entretien avec l'auteur, 8 juillet 2003.

bien que son accès de blues ait débuté avant ces drames, survenus courant mars. Il est vrai, cependant, que ces deux faits divers vont définitivement polariser la campagne sur la sécurité. Amalgame, dramatisation : jusque-là en retrait sur sa rivale du privé, France 2 va s'employer, à partir de cette date, à rattraper son retard sur ce créneau porteur. Plusieurs journalistes se souviennent de la fièvre sécuritaire qui a frappé la rédaction à partir du mois de mars : « C'était devenu obsessionnel. Tous les jours il fallait au minimum un sujet. À la fin d'une conférence où personne n'avait rien proposé, un rédacteur en chef s'est soudain rendu compte de l'oubli : "Il nous faut un reportage sur l'insécurité. C'est la première préoccupation des Français. Il nous faut un sujet." »

Conséquence de cette folle surenchère : une série de dérapages, dont le plus scandaleux sera celui d'Évreux. Au départ, l'affaire paraît limpide. Un père de famille qui voulait défendre son fils racketté à la sortie de l'école a été battu à mort – certains diront « lynché » – par des jeunes à un arrêt de bus. Aussitôt, le fait divers suscite l'émoi. Pendant quatre jours consécutifs, il a droit aux gros titres des JT, avec l'aide de Jean-Louis Debré, maire d'Évreux et soutien du candidat Chirac, qui s'emploie à faire de cette tragédie le symbole d'une dérive politique : « Les deux personnes interpellées ont un passé judiciaire chargé et elles étaient en liberté. Assez de voir le travail des policiers rendu inefficace et paralysé par une législation anesthésiante », déclare-t-il aux caméras trois jours après le drame. Le 15 mars, une marche silencieuse s'organise à Évreux. Le 19, c'est au tour d'une manifestation contre la violence. À chaque fois, les JT en rendent compte avec zèle.

Mieux informés, les lecteurs du *Nouvel Observateur* apprennent cependant, dès le 21 mars, que cette version manichéenne des faits est contestée par des témoins de première main. Patrice Bègue, le père de famille, se serait ainsi rendu à l'Abribus muni d'un cutter et aurait lui-même menacé les jeunes avant d'être tué par un jet de brique. Finalement admise par la police, cette thèse de la bagarre qui dégénère fera l'objet de reportages sur TF1 et France 2, le 3 juin 2002. « Trois mois après, de nouveaux éléments viennent éclairer le dossier d'une lumière sensiblement différente », expose David Pujadas, et le reporter de revenir sur ces nouveaux éléments : « Patrice Bègue ne serait pas venu pour défendre son fils victime d'un racket mais peut-être pour régler des comptes avec Fadhi [mis en examen pour son meurtre], suite à une histoire de filles. Il serait même venu armé d'un cutter. Plusieurs témoignages l'affirment. » Pourtant, si incroyable que cela puisse paraître, ces témoignages dont France 2 fait état la première fois le 3 juin, avaient été mis en boîte par une de ses équipes deux mois et demi plus tôt, le 19 mars.

Envoyés à Évreux la veille de la manifestation contre la violence, deux journalistes passent la soirée avec un éducateur et des jeunes du quartier, qui affirment que Patrice Bègue est venu accompagné et armé d'un cutter. Après des heures de pourparlers, l'un d'entre eux accepte finalement de s'exprimer devant la caméra – à condition qu'il soit masqué. Il explique même avoir été entendu par la police d'Évreux. L'équipe sollicite donc, dès le lendemain matin, la réaction des forces de l'ordre qui refusent l'interview.

Estimant, cependant, que ces nouveaux éléments méritent d'être signalés, les journalistes envisagent d'intégrer les témoignages des jeunes au reportage qu'ils préparent pour le « 13 heures ». Persuadés d'avoir levé un lièvre, ils appellent leur chef, Michèle Fines – responsable du service informations générales –, pour lui faire part de cette nouvelle version. Mais au lieu de sauter sur le *scoop*, elle les envoie promener : « Vous êtes complètement fous. Il ne faut pas se laisser influencer comme ça », répond-elle, affirmant que ses sources policières – Michèle Fines est connue pour son carnet d'adresses dans la police – lui ont dit que les jeunes avaient tout avoué. Qu'elle puisse elle-même se faire manipuler par ses sources ne semble pas l'effleurer.

Les journalistes tentent alors de convaincre un responsable du « 13 heures », qui, le nez sur son planning, leur explique qu'il est trop tard : le journal est dans une heure et il vaut mieux se contenter d'un reportage factuel sur la manifestation. « De toute façon, les jeunes, ils savent nous faire marcher », conclut-il. En désespoir de cause, nos reporters risquent une dernière tentative auprès de Michèle Fines, l'implorant de les autoriser à présenter au moins les deux versions. Mais elle dit *niet* à nouveau : « C'est dur, on a envie de les écouter, mais c'est comme ça », rétorque-t-elle. Et voilà comment un *scoop* finit à la poubelle.

Quand, enfin, avec trois mois de retard, la chaîne s'est décidée à diffuser le témoignage des jeunes, Michèle Fines aurait pu s'excuser. Reconnaître son erreur. Il n'en fut rien. Après les élections, face aux critiques sur le traitement médiatique de l'insécurité, elle fut même une des plus offusquées : « Est-ce qu'on a inventé l'insécurité ? Est-ce que notre boulot, c'est se taire ou mettre le doigt où ça fait mal ? » s'exclamait-elle dans *Télérama*[1]. Passée depuis à TF1 pour chapeauter le principal service de rédaction – le *pool* de reporters –, elle maintient n'avoir fait que son boulot : « C'était la première fois qu'on entendait parler de cette histoire. Il s'agissait de propos tenus par des gamins visage masqué, impossibles à recouper. Pour pouvoir les diffuser, il aurait fallu poursuivre l'enquête. » L'a-t-elle fait ? « Eh bien, non. Comme souvent on est passé à autre chose »,

1. 30 avril 2002.

répond-elle, apparemment sans regrets, d'avoir martelé pendant des jours et des jours une version erronée de l'affaire.

Ce dérapage était flagrant, mais il ne fut pas le seul. Pendant toute la campagne, les télés firent leur miel d'une multitude de petits faits divers qui, en temps ordinaire, vaudraient à peine une brève dans la presse régionale. Cependant, comme on montait la sauce, certaines de ces histoires, plus que microscopiques à l'échelle du pays, se sont trouvées brutalement propulsées en ouverture des JT. Exemple le 14 mars, quand un commissariat du IIIe arrondissement de Marseille est la cible d'un jet de pierres. L'incident n'attire guère l'attention des médias. Mais TF1 et France 2, envoient, elles, illico leurs équipes. Sur place les reporters doivent se rendre à l'évidence : l'événement est mineur.

Il s'agit d'une altercation entre deux automobilistes qui a dégénéré. L'un d'eux a été légèrement blessé. Pendant que ses agresseurs étaient entendus au commissariat, des proches de la victime voulant faire justice eux-mêmes ont tenté d'assaillir les locaux. L'incident a été rapidement maîtrisé, même si deux policiers ont été légèrement blessés. La façade du commissariat est intacte. Il est donc impossible de montrer des dégâts matériels.

Une telle échauffourée mérite-t-elle deux minutes de reportage sur une grande chaîne nationale ? Pensez donc ! Elle sera diffusée au début du journal : 13 h 05 sur France 2, 13 h 06 sur TF1. On évite de s'attarder sur la façade intacte du commissariat. On évoque deux policiers « blessés », sans une information sur la gravité de leur état. On parle de la victime rouée de coups. « Il était par terre, le crâne ouvert », clame son frère au micro de TF1, sans qu'aucun diagnostic médical n'apporte de précisions. Moyennant ces ellipses opportunes, le reportage a de quoi faire trembler dans les chaumières.

Erreur d'appréciation du « 13 heures » ? Certainement pas, puisque, le soir venu, Patrick Poivre d'Arvor fait même de l'« événement » l'ouverture de son journal. Vous avez bien lu, l'ouverture, avant de se pencher sur le retrait de l'armée israélienne de Ramallah et les difficultés rencontrées par Le Pen et Mégret pour obtenir les cinq cents parrainages nécessaires à leur candidature. Cette hiérarchie de l'information vous laisse peut-être perplexe ? Mais que dire du lancement de PPDA ? « Commençons tout d'abord par ces incidents très sérieux. » Et du ton du reportage ? Ce qui, à 13 heures, était encore un « incident rapidement géré par les médiateurs de la cité » est devenu, à 20 heures, une « escalade subite de la violence urbaine qui sera apaisée dès le lendemain ». Quant à l'« homme roué de coups » de 13 heures, il est maintenant rien de moins que la victime d'un « lynchage ».

Sur France 2, le traitement de l'affaire phocéenne reste plus mesuré : un seul reportage à 13 heures, qui se garde de tomber dans ces excès de langage. Mais le malaise tient au commentaire de Daniel Bilalian, bien trois tons au-dessus de celui du sujet. Alors que le reporter mentionne un « incident », des « automobilistes venus aux mains », précisant qu'on était « loin de l'émeute », le présentateur s'exclame : « Comment laisser de côté ce qui s'est passé hier à Marseille ? » Puis, à la fin du reportage, il embraie, alarmiste, sur un autre fait divers : « ... et c'est encore sur le théâtre de cette violence, devenue malheureusement ordinaire *[sic]*, que notre envoyé spécial... », etc.

Cette manie de « survendre » des faits divers au départ maigrichons va frapper, à des degrés divers, tous les présentateurs. Comme Daniel Bilalian, Jean-Pierre Pernaut joue beaucoup sur la répétition des termes anxiogènes – « violence », « agression », « délinquance », « incivilité », « voyou » –, réussissant parfois le tour de force sémantique d'en employer plusieurs dans une seule et même phrase : « Autre forme de violence, celle qui se développe souvent pendant les vacances. On parle de délinquance et il s'agit de cambriolages [1]. » On insiste également sur le nombre d'agressions, l'importance du phénomène, sans qu'aucune statistique ne vienne étayer le propos. C'est le règne de l'approximation et du catastrophisme. Sur TF1, toujours, Jacques Legros, le joker du « 13 heures », rappelle que « cette violence est devenue quotidienne ». Il en tient d'ailleurs la preuve : « Vous l'avez constaté, ces violences font de plus en plus souvent la une de l'actualité [2] ». Quant à PPDA, il recourt, lui aussi, à l'énumération anxiogène : « Un climat d'insécurité, d'incivilité », annonce-t-il en amorce d'un reportage sur les dégradations répétées des locaux de l'université de Lille [3].

Moins porté sur l'amalgame, David Pujadas va cependant, lui aussi, céder aux sirènes du battage sécuritaire. Une attaque à la voiture-bélier devient alors une « nouvelle attaque à la voiture-bélier ». Quant aux agressions, c'est très simple, elles n'augmentent plus, elles se « multiplient ». Les indices sont partout : « Je vous le disais en titre, et c'est aussi un signe de la montée des incivilités et des violences, les résultats du permis de conduire seront désormais envoyés par la poste [4] », lance le présentateur.

Quotidiennement entraînées à l'art de la dramatisation, les chaînes de télé donneront la pleine mesure de leurs talents de mise en scène les 19 et 20 avril, à la veille du premier tour de l'élection présidentielle, avec ce qu'il convient d'appeler l'« affaire Voise ». Souvenez-vous : « pépé Voise », c'est ce septuagénaire d'Orléans propulsé à la une

1. 15 avril 2002.
2. 14 mars 2002.
3. 16 avril 2002.
4. 17 avril 2002.

pour s'être fait rouer de coups et incendier sa maison. Lui, heureusement, s'en est tiré sans trop de dommages – quelques bleus spectaculaires. Mais le visage tuméfié du vieillard, passé en boucle dans les journaux, restera comme celui de la victime symbolique du fléau – sécuritaire selon certains, médiatique selon d'autres. Le 19, dès que tombe la dépêche AFP faisant état de l'agression, TF1 est sur le coup. À 13 heures, Jean-Pierre Pernaut annonce le « drame », qu'il impute à « deux voyous qui tentaient de lui dérober de l'argent ». Dans le journal de 20 heures, la chaîne diffuse un reportage tourné dans sa chambre d'hôpital. « Ils ont mis le feu à ma maison. J'ai pas encore été voir », se lamente le vieillard, des sanglots dans la voix. Émotion, victime vulnérable, image d'une maison détruite : le cocktail télégénique !

Dès le lendemain, France 2, qui a raté le coche, se rattrape avec deux reportages. Le premier en ouverture du « 13 heures », introduit par ce lancement de circonstance de Béatrice Schönberg : « La violence et la barbarie à l'origine de cette histoire... ». Le second à 20 heures, la présentatrice évoquant la « violence stupide et révoltante ». Pendant ce temps, sur TF1, Claire Chazal en passe une deuxième couche, titrant cette fois sur « la solidarité à Orléans après l'agression dont a été victime un septuagénaire qui refusait de se faire racketter ». Revenir deux soirs de suite sur un tel fait divers, n'était-ce pas tout bonnement délirant ? Explications, après coup, d'un chef de TF1 : « Le samedi 20, tout le monde tartinait sur pépé Voise. France 2 aussi. Si nous n'avions rien fait, nous aurions été les seuls à ne pas en parler, alors que nous étions les premiers sur le coup. Il fallait donc y revenir. » D'une logique implacable.

Mais, pour beaucoup, « pépé Voise » aura été le fait divers de trop. Dès le lendemain du séisme électoral du 21 avril, la polémique éclate. Accusées par la gauche d'avoir fait le « jeu de Le Pen » en rendant leurs journaux anxiogènes, épinglées jusque sur les pancartes des manifestations anti-FN qui ressortent le vieux slogan de 68 : « Ouvrez les yeux, fermez la télé », les grandes chaînes sont mises au pilori. TF1 la première. Julien Dray, député socialiste, risque même le jeu de mots « TF1-TF haine ». Certains comprennent « TFN ». Difficile de trancher, il est à la radio. Mais dans la tour de Boulogne on ne s'embarrasse pas de ces nuances. L'insolent est aussitôt sanctionné : privé d'antenne sur toutes les chaînes du groupe. Les *big boss* de la maison ne sont pas disposés à devenir les nouveaux boucs émissaires. « On a fait notre boulot, un point c'est tout », répondent-ils en substance. Version légitimiste (Étienne Mougeotte, vice-président de TF1) : « Depuis plus de deux ans, toutes les études d'opinion nous prouvaient que l'insécurité était de très loin le premier sujet de préoccupation des Français[1]. » Version je botte en touche et je repasse le bébé aux grandes agences de presse comme l'AFP et Reuters (Robert Namias) : « Si le braquage de jeudi à Émerainville n'avait pas été mentionné sur les fils d'agence, il n'est pas certain que nous aurions eu l'info et que nous l'aurions traitée[2]. » Ou carrément indignée (PPDA) : « Je ne vois pas en quoi nous devrions nous livrer à une autocritique[3]. » Reconnaissant au passage le caractère hautement politique du sujet, PPDA ajoute un an plus tard : « Depuis deux ou trois ans je recevais des lettres de téléspectateurs accompagnées d'articles découpés dans la PQR [presse quotidienne régionale] sur des faits divers sanglants. "Vous n'en parlez jamais", se plaignaient-ils. Au début, j'ai cru

1. Interview dans *Le Monde*, 4 mai 2002.
2. *Ibid.*, 28 mai 2002.
3. *Ibid.*, 4 mai 2002.

à une manœuvre de l'extrême droite, puis j'ai pensé qu'il fallait en parler. »

S'il est vrai que dans les sondages le souci de la sécurité progressait depuis des mois, le *timing* de l'engouement médiatique reste toutefois surprenant. Ayant longtemps hésité à aborder ce thème, jugé politiquement incorrect et un brin « poujado », les journalistes, tous médias confondus, commencent à se passionner pour l'insécurité après que Jacques Chirac a levé le tabou dans son allocution du 14 juillet 2001. Détournant au passage l'attention des « affaires » – billets d'avion payés en liquide, mairie de Paris – qui menacent de lui pourrir sa campagne, il place la lutte contre l'insécurité en tête de ses préoccupations.

Dès le mois d'août, les sondages confirment que le président a trouvé un bon filon. Alors qu'à la fin de 2000 le chômage arrivait encore en tête des préoccupations des Français, en quelques mois la donne s'est inversée. Selon l'institut Sofres, début août 2001, 45 % placent l'insécurité en tête des priorités pour le gouvernement, contre 34 % le chômage [1]. Il ne manque plus que les manifestations monstres de policiers, fin 2001, pour que la machine s'emballe. Du moins, jusqu'à la fin de la campagne. Car aussitôt après le second tour, le sujet retombe comme un soufflé. Illustration : un an après les premiers émois sécuritaires de PPDA évoqués ci-dessus, les crimes, meurtres et agressions divers ont quasiment disparu. Tout du moins du menu de son « 20 heures ». Car, à lire certains journaux, le tableau est moins rose. Ainsi, le 5 février 2003, le quotidien *France-Soir* place à la une un fait divers sordide : la mort d'un sexagénaire, sauvagement torturé par quatre jeunes qui avaient pris l'habitude de squatter son logement à Roanne. L'affaire donne aussi lieu à grosse brève dans *Le Monde*,

1. *L'Express*, 9 août 2002.

pourtant très peu porté sur ce genre d'actualité. Les circonstances de l'agression de Roanne rappellent celle du célèbre « pépé Voise » : un vieil homme vulnérable et des jeunes sans repères. Sauf que cette fois l'homme est mort, quand « pépé Voise » s'en sortait avec un œil tuméfié. La logique voudrait donc que TF1 fasse ses gros titres du drame. Mais, en ce début d'année 2003, la hiérarchie de l'info a changé. Contrairement aux malheurs de « pépé Voise », la triste fin du sexagénaire de Roanne est passée sous silence.

Désormais, l'insécurité, la vraie, celle qui mobilise la rédaction de TF1, se décline au volant. Sus aux chauffards ! Deux reportages cette semaine de début février 2003 au « 20 heures » de PPDA : un accident meurtrier à un passage à niveau et le travail d'une brigade de gendarmerie luttant contre la conduite sans permis[1].

Encore une réussite du grand « renifleur » de tendance, Jacques Chirac. Au cours de son discours télévisé du 14 juillet 2002, le président réélu a fait de ce combat l'une des priorités de son quinquennat. Les soupçons d'arrière-pensées politiques s'en trouvent donc renforcés. Mais force est de constater que TF1 n'est de loin pas la seule à avoir (sur)exploité ce filon. Car, comme l'insécurité pendant la campagne, le péril routier, avec son cortège d'images-chocs et de victimes innocentes, a été abondamment traité par toutes les chaînes de télé. Elles auraient ainsi contribué, selon le baromètre TNS Media Intelligence, à 67 % de la médiatisation de l'insécurité routière, contre 23,4 % pour la presse écrite et 9,6 % pour la radio, sur l'ensemble de l'année 2002.

Reste à déterminer les causes de ces battages successifs. Sur l'insécurité, au lendemain de la débâcle du 21 avril 2002,

1. TF1, 3 février 2003.

Jacques Séguéla, conseiller de Jospin, concluait : « Ce n'est pas Jean-Marie Le Pen, mais TF1 qui nous a battus[1]. » Quelques mois plus tard, cependant, il revoyait son jugement : « Je m'en suis expliqué avec Patrick Le Lay et Patrick Poivre d'Arvor. Aujourd'hui je suis persuadé que TF1 n'a pas joué sciemment la carte de l'insécurité pour infléchir la campagne. Dans le mois qui a précédé le premier tour, on a dénombré 124 reportages consacrés à l'insécurité, dont 60 pour TF1 et 64 pour France 2. Les médias ont simplement constaté que ces sujets faisaient grimper l'audience et ils ont mis le paquet. Mais c'est ce marketing de la terreur qui a fait basculer la campagne[2]. »

Le présentateur de France 2 David Pujadas partage ce point de vue : « L'insécurité a permis de faire de l'audience au moment de la campagne électorale, comme la vache folle au moment de l'embargo contre le bœuf britannique. Y a-t-il eu un emballement ? C'est une véritable question. » Mais les huiles de la chaîne pouvaient-elles ignorer que bien plus que la vache folle, l'insécurité au moment de la campagne était aussi, voire surtout, un sujet politique ? Grand « sage » de la profession, le médiateur de France 2, Jean-Claude Allanic, retient, quant à lui, trois causes à ces excès : « Premièrement, l'insécurité est un thème porteur d'audience. Deuxièmement, les télés ne savent pas faire dans la mesure. Dès qu'on tient un sujet, on en fait des dizaines de reportages jusqu'à ce qu'il soit épuisé. TF1 la première a pris cette habitude. France 2 a embrayé. Troisièmement, on ne peut pas exclure, chez certains, quelques arrière-pensées politiques. »

Autrefois, il était relativement facile d'étiqueter les

1. Rapporté par Denis Pingaud, *L'Impossible Défaite*, Le Seuil, 2002.

2. Patrick Cohen et Jean-Marc Salmon, *21 Avril : contre-enquête sur le choc Le Pen*, Denoël, 2003 (citation du *Nouvel Économiste*).

rédactions. Les journalistes signaient des billets, recevaient des personnalités politiques. Aujourd'hui, l'exercice devient de plus en plus difficile. Pour des raisons d'audience, les JT traitent de moins en moins de la politique et les sujets factuels ont pris le pas sur les papiers d'analyse. Restent les faits divers, les questions de société, dont le traitement n'est jamais neutre mais s'avère beaucoup plus difficile à décrypter. Machiavélique ? « Il n'y a pas forcément d'intention militante, se défend Gérard Leclerc. On est simplement suivistes, extrêmement suivistes, et aussi extrêmement respectueux des institutionnels. On a laissé tomber les sujets de politique politicienne, mais, en passant de l'insécurité à la sécurité routière, on continue de se laisser dicter notre agenda par l'Élysée. C'est une autre manière de rester dans le sillage des institutionnels. » De manipulateur à manipulé il n'y a donc qu'un pas.

Sarkozy dans le cadre

Après les élections, le gouvernement Raffarin devient la nouvelle vedette du JT. Spécialement Nicolas Sarkozy. Surnommé *speedy Sarko*, il court des cités sensibles aux quartiers chauds, avec toujours une demi-douzaine de caméras à ses trousses. Dès le 9 mai 2002, au lendemain de sa nomination, le ministre de l'Intérieur entreprend d'aller se frotter au quotidien des policiers de la Brigade anticriminelle (BAC) pendant leur permanence de nuit. Virée dans des commissariats sous les éclairages au néon, ronde sur les boulevards des maréchaux où racolent les prostituées : les images font l'objet d'au moins deux reportages sur chaque chaîne. Quatre jours plus tard, rebelote. Cette fois-ci, c'est avec le Premier ministre, Jean-Pierre Raffarin, que « Sarko » s'enfonce dans les couloirs du métro parisien pour annoncer le renforcement des mesures de sécurité. Et à peine trois jours plus tard, on le retrouve sur le terrain, dans la cité des Tarterets, à Corbeil-Essonnes, où des jeunes ont jeté des pierres sur la police. Devant les caméras, le ministre en profite pour annoncer la mise en place des GIR (groupements d'intervention régionale). Là encore, la sortie lui vaudra sur chacune des trois grandes chaînes un reportage au « 13 heures » et un autre au « 20 heures ».

Trois mois après les élections, des journalistes du service politique de France 2 se disent exaspérés par la couverture des moindres faits et gestes du ministre. L'un d'eux confie : « Sarko est omniprésent dans nos JT. À ce stade, ce n'est plus du journalisme, c'est de la com' ». Un reportage du « 20 heures », spécialement, a du mal à passer : celui du 30 août 2002. Lors du déplacement en Roumanie du ministre de l'Intérieur, un cameraman de la chaîne a poussé le zèle jusqu'à voyager dans l'avion ministériel pour servir quelques beaux plans « spontanés » d'un Sarkozy devisant en bras de chemise. Dans la chaîne, certains y voient aussitôt le signe d'une dérive. Arlette Chabot, journaliste politique à France 2, ne partage pas cet avis : « Chaque nouveau gouvernement connaît un état de grâce. Celui de Raffarin aujourd'hui, comme celui de Jospin en 1997. Passé les premiers mois, les journalistes redeviennent plus critiques. »

Mais la fascination exercée par le nouveau gouvernement tient aussi et surtout à sa capacité de se glisser dans les décors des faits divers dont raffolent les JT. À Hautepierre, par exemple. Après des incendies de voitures, l'agression de pompiers et l'explosion d'une bombe artisanale, les habitants de cette banlieue de Strasbourg sont à bout. Ils le crient devant les caméras. Face à une telle situation, d'autres resteraient terrés au fond de leur ministère en attendant que ça se tasse. Mais *speedy Sarko* se précipite dans la mêlée, escorté des caméras de télé. Au milieu des habitants, partageant l'indignation générale, il répond mot pour mot aux angoisses formulées dans les JT depuis le début de la campagne : « La majorité des habitants en a ras-le-bol de la violence de quelques voyous ! » s'exclame Jean-Pierre Pernaut dans le journal du 24 octobre 2002. Au cours du reportage diffusé le même jour, Sarkozy semble donner la réplique : « Il n'est pas admissible qu'en 2002, sur le territoire national, des gens aient peur parce que des voyous veulent faire régner la loi de la terreur. » Dans la foulée, le ministre annonce la création d'un fonds d'urgence pour indemniser les propriétaires de voitures incendiées. Murmures approbateurs...

Voilà ce qu'on appelle une communication réussie. Prenant soin d'épargner à la télé les grands discours et les antichambres feutrées des ministères, il fournit de belles séquences clés en main et rend la politique enfin télégénique. « Au temps de l'obsession télévisuelle, la règle d'or de la communication moderne est d'apprendre à raconter une histoire. Pas forcément des histoires. Mais une histoire scénarisée avec de belles images pour le journal de 20 heures », écrit dans *Le Figaro* le journaliste Éric Zemmour. Or ces images calibrées, le gouvernement tout entier s'applique à les resservir à la moindre occasion. Lors de la marée noire du *Prestige*, le Premier ministre s'en va donner quelques coups de pied rageurs dans une galette de fioul. Après les attentats de Karachi, Michèle Alliot-Marie, ministre de la Défense, saute dans le premier avion sous bonne escorte médiatique. Et Jean-Louis Borloo, ministre délégué à la Ville, revendique six cents déplacements par an. Respect !

Mais, avec la canicule de l'été 2003, la machine à communiquer s'est soudainement grippée. Absents, en vacances, pendant que des milliers de personnes âgées décédaient, victimes de la chaleur, les ténors du gouvernement ont pour la première fois été réduits au rang de spectateurs. En septembre, interviewé sur M6, Jean-Pierre Raffarin a eu cette phrase éloquente : « Sur la canicule, j'ai été prévenu par l'intervention du docteur Pelloux, à la télévision [1]. » Le Premier ministre était donc devant l'image, au lieu d'être dans l'image. Un aveu confondant de la part d'un « grand communicant » qui a bâti sa stratégie sur la proximité et l'écoute de « la France d'en bas ».

Pris de cours par l'ampleur de la catastrophe, le gouvernement a très vite tenté de combler son retard. Dès le 11 août, au lendemain de l'envolée des courbes de mortalité, Jean-François Mattei intervient en direct dans le « 20 heures » de TF1. Mais cette interview accordée depuis son lieu de vacances dans le Var, loin des hôpitaux débordés, a un effet désastreux. On n'en retient que son polo et la verdure derrière lui. Deux indices qui démontrent qu'il n'est pas dans l'événement. Cinq jours plus tard, le Premier ministre, finalement rentré de vacances, se précipite dans une maison de retraite pour offrir – tout un symbole – des verres d'eau bien remplis à quelques pensionnaires. Mais trop tard !

À la suite de ce cafouillage, les médias, notamment les chaînes publiques, se déchaînent contre ce gouvernement qui n'a « rien vu venir ». Le 14 août, jour du retour à Paris de Jean-Pierre Raffarin, une équipe de France 3 l'interpelle dans un couloir de Matignon : « Pensez-vous qu'il y a eu un retard à l'allumage dans la gestion de la crise ? Ratage ? Plan blanc déclenché trop tard ? » lui lance le journaliste Fabrice Turpin. Le Premier ministre, qui souhaite se

1. *Zone interdite*, 21 septembre 2003. Le cri d'alarme du médecin urgentiste Patrick Pelloux, auquel Jean-Pierre Raffarin fait référence, est passé au « 20 heures » de TF1 le 10 août 2003.

montrer mais surtout ne pas répondre aux questions embarrassantes, fait la sourde oreille. Pour cacher son embarras, son conseiller en communication, Dominique Ambiel, tente une manœuvre risquée. Selon *Le Canard enchaîné* et *Libération*[1], il trouble alors d'un coup de fil furibard les vacances de Marc Teissier, le patron de France Télévisions : « C'est quoi, ce journaliste qui interpelle le Premier ministre dans un coin sombre ? » L'ex-producteur télé, devenu éminence grise du locataire de Matignon, exige qu'on ne diffuse pas la séquence. Mais le rédacteur en chef de permanence, Yves Bruneau, informé de l'incident, décide de la maintenir, malgré tout, dans *Le 19-20*. L'orage éclate. Hors de lui, Dominique Ambiel l'appelle dans la soirée : « Ce que vous venez de faire n'est pas bon pour le budget de France 3 ! » menace-t-il. Mortifié, le rédacteur en chef présente sa démission. Mais devant le soutien de sa direction, il la retire. Sous la pression des journalistes de France 2, la séquence est reprise par la chaîne dans le « 13 heures » du lendemain.

L'attitude du premier communicant de Raffarin est édifiante. Elle rappelle les grandes heures de l'ORTF. Pourtant elle a le mérite de mettre au jour les réflexes plutôt sains de France Télévisions, puisque la séquence controversée a bel et bien été diffusée plusieurs fois et que, au lieu d'étouffer l'incident, le coup de fil « ambielesque » lui a donné de l'écho. Quelle meilleure illustration de l'inefficacité des pressions politiques ! Mais dans une industrie désormais dominée par la pression de l'audience, une nouvelle tyrannie s'est substituée à celle de l'allégeance aux gouvernants. Il s'agit du diktat des parts de marché, qui, au grand dam des journalistes et de certains politiques, relègue leurs petites et grandes actions à la queue des journaux, après

1. *Le Canard enchaîné*, 20 août 2003 ; *Libération*, 16 août 2003.

20 h 25. Cependant tous ne se plaignent pas de cette sous-médiatisation de la politique. Car, en s'attachant aux faits divers et à l'anecdotique, les JT renoncent aussi à mettre le doigt où ça fait mal, de braquer le projecteur sur des sujets politiquement périlleux. Une autre manière de sélectionner l'information...

10
Tenir ses journalistes

> « Vous voulez être journaliste ? Allez dans la presse écrite. »
>
> Nicolas de Tavernost,
> président du directoire de M6,
> *Enjeux-Les Échos*, septembre 2002.

Huit ans après, certains en parlent encore avec des trémolos dans la voix. Ce n'était pourtant qu'un vulgaire tableau d'écolier. Accroché au mur de la rédaction de TF1, il faisait office de bêtisier. Les journalistes s'amusaient à y consigner les erreurs, coquilles et fautes de français commises à l'antenne. Un classement des « gaffeurs » était même établi. Une manière pour la base de donner son avis sur les stars de la maison, comme cela se pratique dans beaucoup de journaux. Mais avec la grande reprise en main de la rédaction, ce défouloir a disparu – pour ne jamais réapparaître. Un détail qui en dit long sur l'ambiance actuelle. « Quand je suis arrivé à TF1, les journalistes se réunissaient, donnaient leur avis sur le contenu des JT. Après quelques mois de réforme, c'était l'encéphalogramme plat », se souvient cet ancien qui a fui la rédaction. Confirmation d'un reporter resté dans les murs : « Il n'y a plus de débat. Désormais, chacun se contente d'exécuter les "sujets" qu'on lui a commandés. On est en dictature. »

Comment une rédaction de « grande gueules » a-t-elle pu, d'un coup de baguette magique, se transformer en une caserne peuplée de petits soldats au service de l'info de proximité ? C'est l'effet du grand chambardement initié par la direction de la chaîne.

La Grande Muette

La grande lessive commence en juin 1996. Robert Namias succède à Gérard Carreyrou à la direction de l'info de TF1. Tout de go, le nouveau *boss* déclare : « La rédaction s'est un peu fossilisée [1]. » Pour lui redonner de l'allant, il préconise de la « décloisonner ». Il s'agit de supprimer des services et d'éviter les doublons avec la chaîne d'information LCI, lancée deux ans plus tôt. Officiellement, le but de la manœuvre est de réaliser quelques économies afin de « générer du *cash* », comme on dit dans les hautes sphères. À l'époque, le groupe Bouygues, actionnaire principal de la chaîne, lance son réseau de téléphonie mobile. Il a besoin de traire sa vache à lait TF1. Ambitieux, Patrick Le Lay fixe pour objectif de réduire en deux ans le budget de la rédaction, qui tombe de 700 millions de francs en 1996 (107 millions d'euros) à 600 millions de francs (91 millions d'euros) [2].

Mais la réforme Namias va aussi permettre de faire marcher la chaîne à la baguette. De cela il se vante moins dans la presse. Les journalistes ne s'en sont rendu compte que

1. *Valeurs actuelles*, 20 juillet 1996.
2. Interviews de Robert Namias, *ibid.*, 20 juillet 1996, et *Le Nouvel Observateur*, 6 janvier 2000.

très progressivement. Les téléspectateurs, eux, n'y ont vu que du feu. À l'antenne, aucun changement : Patrick Poivre d'Arvor, Claire Chazal et Jean-Pierre Pernaut conservent leurs fauteuils de présentateurs. Pas d'embauches prestigieuses, ni de licenciements chocs. Dans l'arrière-boutique, en revanche, tout change. C'est la mort des services traditionnels – étranger, France, informations générales –, qui constituaient l'ossature de la rédaction. Robert Namias a certes conservé quelques petites unités spécialisées – politique, justice, société –, mais la majorité des reporters dépendent maintenant d'un *pool* de polyvalents. Entendez par là que ceux qui le constituent peuvent être dépêchés sur le théâtre de toutes les actualités : faits divers, catastrophes naturelles, étranger... Du côté de l'encadrement, plus de chefs de service – puisque ceux-ci ont été démantelés –, mais des « chefs d'information », adjudants dévoués désignés par Robert Namias pour servir d'agents de liaison entre les éditions – « 13 heures », « 20 heures » – et les journalistes.

Concrètement, cette réorganisation a radicalement modifié le fonctionnement de la rédaction. Tandis qu'auparavant les journalistes des services, « rubricards » assez spécialisés, proposaient des reportages et faisaient remonter les infos vers les chefs, désormais la machine tourne à l'envers. Toutes les idées descendent du haut de la pyramide. Lorsque Jean-Pierre Pernaut, par exemple, décide, à l'approche de la rentrée des classes, de lancer une grande enquête sur le poids du cartable, c'est lui – ou le rédacteur en chef de son journal – qui en passe directement la commande auprès de la rédaction, lors des conférences de prévisions hebdomadaires. Le reporter désigné n'a qu'à s'exécuter.

Pour l'actualité « chaude », les « chefs d'informations » sont aux ordres. Tous les matins, l'équipe de permanence va s'enquérir des attentes des responsables d'édition de chaque JT, puis revient vers la base sa liste sous le bras : « L'info du jour, ce sont les inondations. On va en faire cinq reportages... » À ce stade, les angles des sujets sont déjà pratiquement décidés. Il ne reste qu'à répartir le travail entre les reporters disponibles. Et là, pas d'exclusive : « Selon la doctrine de TF1, stagiaires ou grands reporters, tout le monde peut tout faire », explique un pilier de la rédaction. En dehors de quelques spécialistes pointus – François Bachy en politique, Jean-Pierre Berthet en justice –, ce sont les mêmes Rouletabille qui partiront un jour couvrir la crise du cochon en Bretagne et le lendemain la guerre en Irak. Sur le papier, l'idée peut paraître séduisante. Les promoteurs de cette polyvalence affirment même que, en braquant ainsi sur l'actualité des regards neufs, les reportages sont plus variés. Soit. Mais de la fraîcheur à la naïveté il n'y a qu'un pas, vite franchi si les reporters tout-terrain n'ont pas le temps de défricher leurs sujets. Ce qui semble souvent être le cas à TF1.

La tour de Boulogne n'abrite, en effet, plus qu'une centaine de rédacteurs permanents – environ moitié moins qu'à France 2 [1]. À flux tendu, les journalistes sont souvent envoyés en pompiers, à la dernière minute, sur des sujets qu'ils découvrent en courant vers le parking. « Il arrive qu'on ne trouve personne de disponible avant 15 heures pour un reportage à diffuser dans le journal du soir », révèle Emmanuel Ostian, journaliste. Pour gagner quelques précieuses minutes, certains demandent aux assistantes de préparer le terrain et de caler les rendez-vous, pendant qu'ils filent tout droit mettre le micro sous le nez de leurs interviewés. Mais quelle plus-value apportent-ils dans cette course à l'info ? Des reporters avouent volontiers – en *off* –

1. Journalistes-reporters d'images, chefs et correspondants compris, TF1 compte 195 cartes de presse, contre 340 à la rédaction de France 2.

n'être pas toujours à la hauteur de leur sujet. Un gradé reconnaît : « On passe souvent tout près de la catastrophe. »

Preuve que ce décloisonnement est allé trop loin, Robert Namias, l'apprenti sorcier, essaie lui-même de restaurer un poste de commande intermédiaire, susceptible d'encadrer l'armée de jeunes journalistes qu'il a embauchée. Pas question, en revanche, de rogner d'un iota le pouvoir des présentateurs vedettes, qui restent à TF1 les patrons incontestés de leurs JT. Pour une chaîne qui carbure à l'Audimat, c'est un gage de succès. Car, contrairement aux journalistes spécialisés qui ont tendance à prêcher pour leur paroisse, les présentateurs, eux, sont par définition les plus préoccupés des parts de marché. C'est de l'audience que dépend leur survie, d'elle qu'ils tirent leur légitimité. En faire les décideurs reste donc la meilleure garantie pour les chaînes commerciales.

Mis sous pression, les journalistes n'ont guère pu résister, d'autant que leur représentation collective, la SDJ (Société des journalistes), a été mise à mort. Cet épisode méconnu remonte, lui aussi, à l'année décisive 1996. À l'origine de l'échauffourée : un show caritatif produit par Julien Courbet, *Les Enfants de la guerre*, reprenant les images de la rédaction montées sous forme de clips. Aux yeux des journalistes, qui ont demandé en vain un droit de regard sur la ligne éditoriale, le résultat est pitoyable. La SDJ rédige une lettre interne protestant contre l'hiatus entre « le discours officiel sur la volonté de "donner du sens" et les vieux démons de la chaîne qui ont resurgi avec cette soirée caricaturale ». Scandale ! Le lendemain, des extraits de la missive « fuient » dans *Libération* [1], au grand dam de Patrick Le Lay qui pique alors une colère homérique. Il convoque, séance tenante, le bureau de la SDJ. Et bien que celui-ci

1. 29 novembre 1996.

soit constitué de « pointures » – Thomas Hugues, Gauthier Rybinski, Bertrand Aguirre, Gilles Bouleau... –, il menace purement et simplement de les mettre à la porte. Dans les rangs de la rédaction, c'est la débandade. « Face à la colère du chef, il n'y avait plus personne pour nous soutenir », se souvient un membre du bureau. Après ce coup de semonce, la SDJ est dissoute. Depuis, c'est le grand silence. Plus d'envolées collectives. Plus d'ersatz de contre-pouvoir. Chacun se contente de jouer sa carte personnelle. « C'est comme le rêve américain. À TF1, chacun espère qu'en jouant le jeu il pourra faire carrière dans la chaîne », explique Gauthier Rybinski. Et comme sur un plan plus matériel les journalistes n'ont pas vraiment à se plaindre – salaires d'environ 20 % supérieurs à ceux de France 2, comité d'entreprise généreux, etc. –, la plupart ont définitivement mis leur mouchoir sur leurs grands idéaux.

La victoire des « audimatologues »

La mise au pas de la rédaction de France 2 s'est avérée beaucoup plus délicate. Réputée ingérable et réfractaire à l'autorité, traditionnellement déchirée par les guerres idéologiques entre le clan des « audimatologues » – prêts à quelques concessions pour l'audience – et celui des « déontologues », pur et dur, cette grosse machine n'a-t-elle pas eu raison d'une demi-douzaine de directeurs de l'info en dix ans ? Le dernier à avoir entrepris une réforme, Albert du Roy, proposait, lui aussi, la création d'un *pool* d'une trentaine de reporters à tout faire. Mais devant l'hostilité de la rédaction, il a jeté l'éponge en 1998, dénonçant l'état d'esprit « pourri » des journalistes [1]. Son successeur, Pierre-Henri Arnstam, s'est bien gardé de rouvrir le dossier. Il fallut attendre encore quatre ans et l'arrivée d'Olivier Mazerolle pour que la réforme passe. Fin 2002, dans la plus grande discrétion, le service étranger de France 2 est enterré au profit d'un *pool* de reporters polyvalents.

Comment donc ce miracle a-t-il été possible, malgré l'hostilité toujours vive d'une partie de la rédaction ? Les anciens de la maison ont deux explications. *Primo*, le départ de nombreux « déontologues », remplacés par de jeunes journalistes plus dociles et d'autant moins portés à la contestation qu'ils passent souvent des mois en piges ou CDD avant d'être embauchés. *Secundo*, la nouvelle répartition du pouvoir : « Traditionnellement, il y avait à France 2 un équilibre entre, d'un côté, les responsables d'édition – présentateurs et rédacteurs en chef – et, de l'autre, les services – politique, société, international –, qui étaient des services forts, avec de vrais responsables, capables de monter au créneau pour défendre leur point de vue », explique Marcel Trillat, ancien chef du service société. À l'époque où il occupait ce poste, ses homologues s'appelaient Paul Amar en politique, Paul Nahon à l'international. Pas le genre à se laisser marcher dessus. Aujourd'hui, en revanche, beaucoup de nouveaux chefs ont une personnalité beaucoup moins rentre-dedans : Agnès Molinier à l'économie, Jean-Baptiste Prédali en politique...

« Il y a eu un glissement progressif, déplore Gérard Leclerc. Comme à TF1, les présentateurs ont pris le pas sur les services de la rédaction. Désormais ce sont eux qui décident de la ligne éditoriale. Les chefs de service tendent à devenir de simples courroies de transmission. » Du côté des éditions, on récuse cette version, affirmant que ces

1. Interview publiée dans *Libération*, 8 juin 1998.

derniers continuent de proposer la plupart des sujets. Pourtant, détail troublant : la conférence de rédaction du « 20 heures », qui se tenait autrefois à 10 h 15, ne démarre plus désormais que vers 10 h 45. Ce glissement peut paraître anodin. Mais, dans le compte à rebours quotidien du JT, il signifie que l'essentiel du sommaire s'est déjà décidé dans le bureau du présentateur. Dans ce contexte, les responsables des services ont bien du mal à imposer leurs idées. Témoignage d'un de ces cadres frustrés : « Sur les actualités prévisibles, les événements inscrits au calendrier, on arrive à proposer des sujets par avance. Sinon, au jour le jour, ce sont généralement les éditions qui viennent nous commander des reportages, à partir des papiers qu'elles ont lus dans *Le Parisien*. C'est-à-dire sans avoir aucun recul sur le sujet. »

À l'antenne, cette suprématie des éditions n'est pas à 100 % négative. Elle a même un effet positif. Alors que les « rubricards » peuvent s'autocensurer par peur de se couper de leurs sources, les présentateurs, eux, craignent moins de déplaire. Le 29 mai 2002, un journaliste du service politique, Laurent Hakim, titille Alain Juppé sur la multiplication des candidats de droite aux élections législatives. Énervé, celui-ci lui réplique : « Si vous avez votre carte du parti socialiste, essayez de l'utiliser différemment ». À France 2, la séquence fait le tour de la rédaction, mais ni le journaliste ni ses chefs ne se risquent à l'intégrer au reportage. Ce n'est qu'à la demande de David Pujadas qu'elle sera finalement diffusée au « 20 heures », assortie d'un commentaire ironique : « Nous avons bien une carte, mais c'est une carte de presse », conclut le présentateur.

Mais cette concentration du pouvoir se traduit également par le triomphe de la pensée unique. Un beau jour de janvier 2003, lorsque tous les contribuables ont le nez sur leur déclaration de revenus, le « 20 heures » décide de rebondir sur le dada de certains députés de la majorité qui réclament une réforme de l'ISF (l'impôt sur la fortune). Le service économie se voit donc commander un reportage sur le sujet. Cependant, au lieu de laisser les journalistes enquêter sur l'impact de cet impôt, les rédacteurs en chef fixent d'emblée l'angle d'attaque : parler de ces patrons qui partent à l'étranger parce qu'ils paient trop d'impôts. Les reporters « écos » ont beau savoir que cet « exode » reste très marginal, ils doivent s'exécuter.

Résultat à l'antenne, un reportage qui démarre sur cette question : « Pour profiter de son argent faut-il rester en France ? », suivie de l'interview d'un de nos riches exilés, Gérard Mulliez, le patron des supermarchés Auchan. « Comme lui, ils seraient chaque année entre deux cents et trois cents patrons à quitter la France », nous alarme le commentaire, avant de rappeler incidemment que le manque à gagner pour les caisses de l'État ne représente que « 1 % de ce que rapporte l'ISF. » 1 % seulement ! Était-ce donc bien honnête de bâtir tout le reportage comme s'il s'agissait d'un phénomène massif[1] ?

Il arrive cependant que certains « rubricards » refusent d'exécuter des commandes qu'ils estiment à côté de la plaque. Ces conflits, entre un reporter qui prétend parler depuis le terrain et un chef qui se pique d'avoir de la hauteur, sont classiques dans la presse. Mais à France 2 l'hermétisme des patrons aux arguments de la base est parfois confondant. Après que *Le Parisien*, nouvelle bible des JT, a consacré, en juin 2003[2], une pleine page au « marronnier » printanier des allergies au pollen, les chefs de permanence sautent à pieds joints sur l'idée et décident d'y aller, eux aussi, de leur petit reportage dès le soir même. Seul obstacle, Jean-Daniel Flaysakier, le journaliste santé

1. « 20 heures », France 2, 29 janvier 2003.
2. Lundi 9 juin 2003

de la chaîne, n'est pas d'accord pour traiter ce sujet qui, selon lui, n'a pas d'autre actualité que celle d'être dans *Le Parisien*. Logiquement, on s'attendrait à ce que l'encadrement se range, finalement, à l'avis du spécialiste maison. Mais pas du tout ! Résolu à avoir coûte que coûte un bilan des allergies au pollen, il confie le reportage à un autre journaliste, plus docile.

Face aux arguments des chefs, difficile de jouer la forte tête. Ce journaliste d'un bureau de province qui avait refusé, par un beau jour d'hiver, d'effecteur un énième reportage sur les Français lézardant au soleil l'a rapidement compris. Un peu avant le journal, il a eu la surprise de recevoir un coup de fil furibard de David Pujadas. Sa dépêche AFP sous les yeux, confirmant qu'effectivement la douceur météo était exceptionnelle, le présentateur n'a pas eu peur d'employer les grands mots : « On ne peut pas être absent d'une telle info. C'est une erreur professionnelle ! »

Entre Olivier Mazerolle, le patron de la rédaction, et son grand reporter Claude Sempère, le conflit est allé encore plus loin. Envoyé au Koweït quelques jours avant le début du conflit en Irak, ce journaliste aguerri devait accompagner l'avancée des troupes américaines dans le désert irakien. Contrairement à d'autres reporters, son équipe n'était pas accréditée pour suivre les convois. L'exercice n'en était donc que plus dangereux. Mais, au lieu de laisser le reporter évaluer lui-même la situation sur le terrain, Olivier Mazerolle a tenté de le piloter à distance, depuis Paris. Le patron de la rédaction n'est pas un spécialiste de l'Irak. Issu du sérail des journalistes politiques, il est davantage rompu aux chausse-trappes des couloirs de l'Assemblée qu'à celles des pistes minées. Pourtant, lorsqu'il apprend que les troupes américaines viennent de franchir la frontière, il demande à Claude

Sempère de s'engouffrer dans leur sillage. Sur place, le reporter estime, lui, que la zone n'est pas sécurisée et que l'équipe risque d'être prise entre des tirs croisés. Pour sa sécurité, il veut attendre quelques heures supplémentaires. Mais Mazerolle n'est pas de cet avis. Le bras de fer dégénère. Claude Sempère est rappelé à Paris. Puni, privé de conflit pour avoir joué la forte tête.

Évidemment, Mazerolle ne pouvait pas alors savoir que quelques heures plus tard une équipe de la chaîne britannique ITN, plus prompte à suivre la progression des troupes américaines, serait prise entre les balles et qu'un de ses membres serait tué. Évidemment, il ne pouvait pas deviner qu'un journaliste de TF1, Denis Brunetti, se ferait capturer sur la route de Bagdad et qu'il passerait le reste du conflit prisonnier des troupes de Saddam Hussein. Mais ces deux événements ne l'ont pas empêché de sanctionner le reporter. Dès son retour à Paris, Claude Sempère est mis au purgatoire. Pendant plusieurs semaines, il est privé de terrain, condamné à faire des commentaires en cabine sur des images d'agences. Une affaire délicate qu'aucun des deux protagonistes ne souhaite commenter. Selon David Pujadas, le coup de sang de Mazerolle s'expliquerait par le fait que Claude Sempère a planté la rédaction : « Pendant quarante-huit heures plus personne n'arrivait à le joindre. » Mais sanctionner un journaliste pour avoir refusé qu'on le déplace à distance comme un pion sur une carte, n'est-ce pas précisément la mort du journalisme ?

Pendant que Claude Sempère bataillait avec son chef, le nouveau *pool* permettait à des reporters, habituellement cantonnés à la rubrique faits divers, de couvrir le conflit irakien – Patrick Fandio, Stéphane Bretner ou Vincent N'Guyen. « L'expérience était intéressante car ils remarquaient des choses que les habitués de l'Irak, blasés, ne voyaient plus, explique un baroudeur de la chaîne. En revanche, certains manquaient cruellement de *background*. À Bagdad, par exemple, on a fait un reportage chez des gens armés de kalachnikovs comme si c'était nouveau, alors que, traditionnellement, dans cette ville tout le monde a un fusil au fond de son tiroir. »

Bref, la formule est concluante, à condition que le grand reporter débutant fasse ses armes cornaqué par des gens d'expérience. Sur le terrain tout d'abord. Car si les téléspectateurs ne prêtent souvent attention qu'à l'envoyé spécial qui parle dans le micro, les reportages se font en équipe de trois : rédacteur, preneur de son et JRI (journaliste-reporter images). Mais aussi depuis Paris, par des chefs qui ne leur demandent pas seulement de faire du spectaculaire. Un ange passe...

Un an après la création du *pool*, l'un de ses jeunes reporters dresse ce constat amer : « Avec la mort des spécialistes, il n'y a plus de critères objectifs pour décider d'envoyer telle personne plutôt que telle autre en Irak ou en Israël. Pour avoir une chance de repartir, les journalistes, surtout les jeunes, s'évertuent à être le plus obéissants possible. La rédaction peut se permettre de les appeler sur le terrain en leur lisant la dépêche AFP, et ils font le sujet qu'on leur commande. Comme ils ne connaissent pas le pays, ils n'ont aucune légitimité pour s'opposer, comme le faisaient autrefois les reporters plus expérimentés. »

Cet ancien de la maison estime, lui, que le *pool* signe l'arrêt de mort d'un journalisme ambitieux : « Quand on se contente de faire des reportages factuels d'une minute vingt, on n'a plus besoin de spécialistes. N'importe qui fait l'affaire, pourvu qu'il soit docile. Voilà ce que signifie la création du *pool*. »

La jungle des prods

La télé était un artisanat. Elle est devenue une industrie, employant des journalistes toujours plus qualifiés, toujours plus diplômés [1]... mais toujours plus précaires. En 1998, la proportion de jeunes professionnels débutant comme pigistes a atteint 31 %. Elle dépasse même 50 % à la télé. Certes, les situations restent très contrastées. À TF1 comme à France 2, la plupart des rédacteurs bénéficient de CDI, même si la chaîne publique maintient dans la précarité une centaine de JRI qui travaillent au coup par coup. Espérant une embauche, même si cette situation dure pour certains depuis de longues années, ils ne sont guère portés à faire entendre leur voix.

Mais le summum de la précarité est atteint dans les sociétés de production, qui fabriquent des magazines à la demande des chaînes. Pour s'assurer les services d'une main-d'œuvre flexible, les patrons, qui recourent déjà massivement à des techniciens intermittents du spectacle, condamnent aussi, on le sait moins, la plupart de leurs journalistes aux CDD reconductibles. Dans le jargon politiquement correct de la télé, on les a baptisés « contrats de grille ». De Réservoir Prod (Delarue) à Expand, en passant par C. Productions (M6) ou Endemol, toutes les grandes sociétés de production en usent, voire en abusent.

Pour justifier ces pratiques, les producteurs avancent

1. Les diplômés des écoles de journalisme agréées représentaient 8,9 % des nouveaux titulaires de la carte en 1990, contre 14,8 % en 1998. Parallèlement, le niveau d'étude de la profession s'est, lui aussi, élevé. (Source : Denis Ruellan et Dominique Marchetti, *Devenir journaliste : sociologie de l'entrée sur le marché du travail*, La Documentation française, 2001.)

qu'ils sont eux-mêmes sur la brèche, en raison de leurs contrats saisonniers avec les diffuseurs. À France 5, par exemple, aucune des émissions n'est produite en interne. La chaîne de la connaissance sous-traite tous ses programmes à des petites sociétés qui embauchent leurs équipes par contrats de quelques mois. « Avec les budgets serrés qu'on nous accorde – environ 53 000 euros pour une hebdo de cinquante-deux minutes –, on ne peut pas se permettre de signer des contrats longs », se défend un producteur.

Ces sociétés ne feraient-elles que répercuter la précarité qu'on leur impose ? L'explication est un peu courte. Car, dans d'autres secteurs, des entreprises soumises à de fortes fluctuations de leurs activités prennent le risque de signer des CDI afin de s'attacher des collaborateurs compétents. Pourquoi les prods télé ne feraient-elles pas de même ? Avançons une hypothèse : il faut sans doute y voir une dévalorisation profonde du métier. Car à quoi servent-ils, ces journalistes télé ? Avec la taylorisation du travail, la réflexion sur l'actualité leur échappe de plus en plus. L'essentiel de leur job consiste désormais à tendre le micro aux témoins de l'actualité, à « caster » des bons clients pour les plateaux ou à débiter des commentaires recopiés de l'AFP... Quelques chefs biens « briefés » suffisent à tenir la boutique de saison en saison. Dans ce système, les soldats de l'info sont parfaitement interchangeables. Et les producteurs ne voient pas l'intérêt de se lier à eux par des contrats de longue durée.

Mais cette précarité présente aussi un autre avantage. Outre son caractère économique, elle permet de s'assurer de la docilité des reporters. Inquiets sur leur avenir et la reconduction de leurs contrats, ils n'ont pas d'autre choix que de se montrer obéissants. Tandis que, sécurisés par un emploi plus stable, ils pourraient devenir de fortes têtes...

Conclusion

« Ne zappez pas ! » Il y a dix ans, cette apostrophe coutumière de Jean-Marc Morandini sur TF1 apparaissait comme le comble du mauvais goût. Désormais, vouloir retenir coûte que coûte un maximum de téléspectateurs est devenu un objectif avouable – voire le seul assigné aux émissions de télé.

Embringués dans la course à l'audience, les JT de France 2 rivalisent avec ceux de la Une pour flatter le zappeur. Même abondance de sujets dits de « proximité », même impasse sur la politique étrangère, même empressement à sauter sur le moindre fait divers croustillant, quitte à s'asseoir sur les principes de prudence journalistique les plus élémentaires... Les dérives des deux chaînes sur l'insécurité ou le traitement de l'affaire Alègre ont montré les dangers de la surenchère. Et la restructuration des rédactions semble avoir supprimé les garde-fous. Car, depuis le sacrifice des « rubricards » au profit de reporters polyvalents, on voit mal qui peut encore s'opposer aux demandes des rédacteurs en chef en mal d'audience.

Dans les divertissements, les magazines, la fiction, les chaînes du service public affichent, certes, des ambitions plus élevées que leurs rivales du privé. Mais les unes comme les autres se contentent généralement de recycler sous divers emballages les recettes éprouvées : impasse sur les thèmes « anxiogènes », multiplication des sujets miroirs, recours systématique au *people*... et cela même si l'expérience prouve que les pros du marketing peuvent commettre des erreurs.

Les chaînes privées et publiques partagent donc les mêmes réflexes. Pourtant, on fait comme s'il y avait en France deux sortes de télévisions. D'un côté, le privé, plus que prospère, autorisé à chasser l'Audimat en toute impunité sous prétexte qu'il ne coûte pas un sou à l'État. De l'autre, le public. Financé aux deux tiers par la redevance, il est censé remplir un cahier des charges extrêmement contraignant – culture, éducation, information... –, mais sans que son audience sombre dans les bas-fonds.

En vertu de ce postulat, France 2 et France 3 sont sans cesse stigmatisées, tantôt pour leur audience médiocre, tantôt pour leur manque d'enthousiasme à diffuser des émissions littéraires en *prime time*[1]. Pendant ce temps, les télévisions privées passent tranquillement entre les gouttes, en dépit de leurs programmes parfois plus que douteux.

Mais après avoir crié au loup devant les émissions de Jacques Pradel et Jean-Marc Morandini, plus personne ne s'alarme de voir le *trash* regagner du terrain sur la première chaîne française. Discrètement, en deuxième partie de soirée, TF1 a testé un lundi soir sur deux l'étalage du choc émotionnel avec Bataille et Fontaine *(Y'a que la vérité qui compte)*. Devant le succès d'audience et l'absence de polémique, elle a fait un pas de plus avec *Scrupules* (en alternance le lundi), où des témoins viennent défendre sous les quolibets du public leurs entorses à la morale : j'ai trompé mon conjoint (et j'en suis fier), plaqué mon mari handi-

1. La dernière à avoir développé la question est Catherine Clément, auteur d'un rapport intitulé *La Nuit et l'Été*, remis fin 2002 au ministre de la Culture, Jean-Jacques Aillagon.

capé... L'émission a été supprimée faute d'audience. Mais on attend impatiemment les prochaines nouveautés !

Sur M6, même constat. Après avoir glosé pour ou contre le *Loft*, plus personne ne s'offusque de voir la chaîne diffuser *J'ai décidé d'être belle* – une émission de télé-réalité qui flatte le narcissisme de jeunes femmes ayant choisi de recourir à des opérations de chirurgie esthétique. Comme s'il s'agissait d'un acte aussi anodin que celui de s'inscrire dans une salle de gymnastique !

Les politiques ne regardent pas beaucoup la télé, on le sait. Les têtes pensantes non plus. Mais comment justifier, ne serait-ce qu'intellectuellement, une telle disparité entre les exigences à l'égard des chaînes publiques et le laxisme à l'égard du privé, alors que les deux se font concurrence auprès des mêmes téléspectateurs et se financent sur le même marché publicitaire ?

On se plaint que France 2 rabaisse ses exigences pour sauver son audience. Mais plutôt que de s'en prendre uniquement aux dérives de France Télévisions, pourquoi ne pas se montrer un peu plus difficile à l'égard des chaînes privées, qui conservent unc bonne longueur d'avance quand il s'agit de tirer le public vers le bas ?

Rappelons que les fréquences hertziennes sont des ressources rares. Depuis 1986, la collectivité en attribue certaines à de grands groupes, qui accèdent de ce fait à un marché juteux assorti d'un pouvoir d'influence colossal. Et tout cela avec un nombre de concurrents réduit : TF1, France 2, France 3, France 5, M6 et Canal+ (pour ses tranches en clair). Il serait donc logique qu'en échange de ces concessions la collectivité exprime des impératifs. Qu'elle évalue régulièrement le bilan des chaînes privées au regard de leur cahier des charges et puisse, le cas échéant, changer d'opérateur.

En 1987, lors de la privatisation de TF1, on nous fit miroiter ce scénario. Amnésiques, à peine nous souvenons-nous de François Léotard affirmant que TF1 devait être accordée au « mieux-disant culturel ». Mais nous avons oublié que pour emporter le morceau face à Hachette (Lagardère), également sur les rangs, la maison Bouygues promit monts et merveilles. Films d'art et d'essai, théâtre, retransmission d'opéras depuis le festival d'Aix, initiation à la science et l'éveil artistique dans les programmes pour la jeunesse : à l'époque, rien n'était trop beau pour séduire la Commission nationale de la communication et des libertés (CNCL, l'ancêtre du CSA), qui auditionna les candidats le 7 avril 1987. Pour le plaisir, relisons quelques-unes de ces belles envolées : « Une chaîne de télévision qui prétend être la première en France ne peut pas le rester uniquement sur la diffusion de programmes les plus simples à absorber », affirmait Patrick Le Lay. « Je crois que l'architecture, moderne, ancienne, est un grand sujet télévisuel », renchérissait Francis Bouygues. Quant à Bernard Tapie, également dans l'équipe Bouygues, il s'emballait carrément : « Quand on est la grande chaîne qu'est la Une, il faut de temps en temps savoir oublier l'Audimat. »

En 1996, lors du premier renouvellement de la concession de TF1, quelques journaux – *Télérama*[1] et *Politis*[2] notamment – firent un bilan acide de ces dix premières années de « mieux-disant culturel ». Or, depuis, plus personne ne semble envisager ne serait-ce que d'ouvrir le débat sur l'opportunité de reconduire comme une formalité les concessions de TF1 et M6. Le public paraît s'être résigné au diktat de la part de marché. Les politiques évitent soigneusement le sujet. Quant au CSA, il pointe bien quelques dérives ponctuelles, par exemple sur la pub clandestine, mais son président Dominique Baudis l'a maintes fois

1. 27 mars 1996.
2. 4 avril 1996.

répété : les sages ne sont pas là pour porter un jugement sur la qualité des programmes.

Ironie du sort, le dernier à avoir appelé de ses vœux l'intervention du CSA contre la « télé-poubelle » n'est ni un député, ni le ministre de la Culture, mais Patrick Le Lay lui-même, le patron de TF1. Au moment des débuts de *Loft Story* sur M6, il le dit très clairement dans *Le Monde*[1] : « Aux défenseurs de la personne et de la dignité humaine de s'interroger sur la situation psychique et juridique des jeunes participants à *Loft Story*. Au CSA de dire si une chaîne généraliste en clair peut diffuser, à une heure où une majorité d'enfants regarde la télévision, un programme incitant des jeunes gens à former un couple temporaire par appât du gain. »

Avec le recul et la déferlante, à peine quatre mois plus tard, de la télé-réalité sur TF1, on a beaucoup raillé cette tribune enflammée. On y a vu une manœuvre hypocrite, visant à mettre des bâtons dans les roues d'un concurrent dangereux. Sans doute ! Pourtant, imaginons un instant qu'à l'époque le CSA se soit montré plus ferme. Que, au lieu de se contenter d'ajouter quelques lignes sur l'« esprit d'exclusion » dans les cahiers des charges, il ait purement et simplement interdit le procédé de l'élimination par le public apparu avec le *Loft*. TF1 ne se serait certainement pas lancée dans la course à la télé-réalité. Nous n'aurions pas eu droit au spectacle de ces aventuriers en train de bouffer des vers pour quelques milliers d'euros (*Koh Lanta*, *Fear Factor*). Nous serions exemptés de l'étalage de l'infidélité de ces couples appâtés par un voyage au soleil et un « quart d'heure de célébrité » *(L'Ile de la tentation)*, comme de celui de cet aréopage de jeunes femmes aguichantes prêtes à tout pour séduire un mâle body-buildé (*Greg le millionnaire* [TF1], *Bachelor* [M6]). Bref, nous n'aurions

1. 11 mai 2001.

pas vu, programme après programme, repousser les limites de ce qui est tolérable à la télévision.

Soumises à une concurrence de plus en plus féroce en *prime time*, les chaînes publiques françaises continuent, pour l'instant, d'aborder des thèmes plus exigeants en seconde partie de soirée : *Complément d'enquête*, *Mots croisés*, *Campus*, *Pièces à conviction*, *Culture et Dépendances*... Mais avec l'accroissement du temps passé par les Français devant leur petit écran, ces tranches horaires deviennent progressivement de vrais enjeux d'audience. Si nous n'y prenons garde, les assauts de *La Méthode Cauet*, *Vis ma vie* et *Y'a que la vérité qui compte* pourraient bien inciter les chaînes du service public à reléguer un peu plus tard encore leurs programmes plus haut de gamme. Qu'on ne s'y trompe pas : les premiers fossoyeurs des missions de service public ne sont pas les cadres de France Télévisions qui louchent d'un peu trop près sur le « minute par minute », mais bien leurs concurrents du privé qui entretiennent dans la facilité les téléspectateurs apathiques en tablant sur l'absence de réaction des régulateurs.

Le scénario catastrophe s'est déjà produit chez nos voisins italiens. Pour résister à la concurrence des chaînes « berlusconiennes », la RAI (service public) n'a rien trouvé de mieux que de les copier allégrement. Quitte à y perdre son âme. Cet exemple doit nous faire réfléchir. Pour éviter de glisser sur la même pente, nous pourrions redéfinir ce qu'on attend des grandes chaînes généralistes, comme France 2 ou France 3 : faire chaque soir le grand écart pour fédérer coûte que coûte des téléspectateurs aux attentes antagonistes ou s'inspirer de la philosophie de la BBC anglaise, qui a toujours segmenté ses programmes afin de séduire toutes sortes de publics et de curiosités ? Nous pourrions également redéfinir les pouvoirs du CSA pour qu'il cesse enfin de pratiquer la politique de l'autruche.

Table

COMPOSITION : I.G.S.-CHARENTE PHOTOGRAVURE

Achevé d'imprimer en février 2004 par
BUSSIÈRE CAMEDAN IMPRIMERIES
à Saint-Amand-Montrond (Cher)
N° d'édition : 60517. - N° d'impression : 040630/1.
Dépôt légal : mars 2004.
Imprimé en France